P9-DHN-455

La señorita de Trevélez
¡Que viene mi marido!

Letras Hispánicas

Carlos Arniches

La señorita de Trevélez
¡Que viene mi marido!

Edición de Andrés Amorós

TERCERA EDICIÓN

CATEDRA
LETRAS HISPÁNICAS

Juan Ignacio Luca de Tena, 15. 28027 Madrid
Depósito legal: M. 7.579-2001
ISBN: 84-376-1386-8
Printed in Spain
Impreso en Anzos, S. L.
Fuenlabrada (Madrid)

Índice

Introducción

A Federico Jiménez Losantos, por Lo que queda de España *y una vieja amistad*

Carlos Arniches.

I. *Carlos Arniches y su teatro*

Carlos Arniches es uno de los más importantes autores de teatro popular de nuestro siglo. Durante cincuenta años, sus obras llenaron los teatros y fueron también apreciadas por algunos de los críticos más severos; sin embargo, apenas han sido publicadas en ediciones académicas, con el debido rigor textual, introducción y notas. (La edición que realizó José Montero Padilla de algunos sainetes[1], en esta misma colección, es una de las escasas excepciones.)

Llega ahora a la colección Letras Hispánicas una de sus máximas creaciones, *La señorita de Trevélez,* unánimemente estimada como una de las obras maestras de nuestro teatro contemporáneo. La acompaña otra obra excelente, *¡Que viene mi marido!,* que pertenece al mismo género, la tragedia grotesca.

No voy a repetir aquí el resumen biográfico que aparece en la citada introducción de Montero Padilla *(Del Madrid castizo. Sainetes,* Madrid, Cátedra): a ella remito al lector. Sin embargo, parece inexcusable recordar algunos datos básicos.

Nace Arniches en Alicante en 1866, en el mismo año que Jacinto Benavente y Valle-Inclán. Es curioso comprobar cómo los principales creadores del madrileñismo literario no nacieron en la capital de España: como es bien sabido, Galdós era canario; el autor de *Luces de Bohemia,* gallego; Arniches, alicantino. (Recuérdese también que el baile castizo

[1] Carlos Arniches, *Del Madrid castizo. Sainetes,* edición de José Montero Padilla, Madrid, Cátedra, Letras Hispánicas, 10ª. edición, 1992.

madrileño, el *chotis,* se escribía inicialmente *schottish,* como indicio del posible origen escocés: así suele suceder con tantos rasgos diferenciales pregonados por los nacionalismos.)

De familia modesta, buscó trabajo Arniches en Barcelona, se trasladó pronto a Madrid, donde vivió con gran estrechez y consiguió estrenar, en 1888, su primera obra: *Casa editorial,* escrita en colaboración con el alcoyano Gonzalo Cantó.

El buen éxito le permitió continuar estrenando. Su vida entera estuvo centrada en el teatro: durante cincuenta y cinco años, escribió más de doscientas obras. Fue hombre serio, familiar, bondadoso, tolerante: por eso lo estimaron sinceramente autores de una estética tan alejada de la suya como García Lorca, Buñuel, Bergamín... Pasó la guerra civil en Buenos Aires, volvió luego a España y murió en Madrid en 1943.

Nunca se olvidó de su tierra natal. En un homenaje que le ofrecieron sus paisanos, pronunció estas palabras: «Ver Alicante y después vivir... Vivir para gozar infinitamente de la gloria de su cielo, del templado aliento de su clima sin par, de la esplendorosa luz de su mar azul. Y cuando os alejéis, sentiréis la nostalgia de una tierra de promisión, hundida en vuestro recuerdo, como un sueño venturoso, perdido para el recreo de vuestros ojos y la paz de vuestro espíritu»[2].

Junto a eso, llegó a ser Arniches el gran maestro del sainete contemporáneo madrileño, basado en la exaltación de un casticismo[3] que proyectaba una imagen autocomplaciente y compensaba así las frustraciones por la decadencia nacional, simbolizada en el Desastre del 98. Como ha resumido José Montero Padilla, «el espíritu, las costumbres y la gente de Madrid constituyen fuente fundamental para su obra»[4]. A esa enumeración hay que añadir el tema —fundamental en Arniches— del lenguaje madri-

[2] *Vid.* Vicente Ramos, *Vida y teatro de Carlos Arniches,* Madrid, Alfaguara, 1966.

[3] *Vid.* Ángeles Prado, *La literatura del casticismo,* Madrid, Moneda y Crédito, 1973.

[4] José Montero Padilla, «Introducción» a su *edición citada* en nota 1, página 13.

leño[5] y matizar un poco, como luego haré, la relación entre el teatro y la realidad.

En conjunto, escribía Arniches un teatro popular: basado en el costumbrismo, con dominio de la técnica teatral, gran sentido del humor, ingenio verbal, estructura sencilla y apelación a los sentimientos; aunque suele ofrecer una imagen del mundo relativamente positiva y optimista, eso no excluye una notable sensibilidad crítica[6].

Alcanzó la fama Arniches con el «género chico». Como ha aclarado definitivamente María Pilar Espín[7], sería mejor llamarlo *Teatro por horas:* obras en un acto, con música, populares, que alcanzan su cumbre a fines del XIX y comienzos del XX y que tienen su simbólica «catedral» en el madrileño Teatro Apolo. Como muchas veces se ha precisado, dentro de nuestro teatro musical, éste es el verdadero «género grande», con obras maestras absolutas como *La verbena de la Paloma*[8].

En realidad, la mayor parte de las obras de este género son sainetes con música. Arniches cultiva también esta tradición, enraizada en la línea de nuestro teatro breve: pasos de Lope de Rueda, entremeses de Cervantes y Quiñones de Benavente, tonadillas y sainetes de don Ramón de la Cruz...

Como se ha resumido, «el progresivo agotamiento del sainete y la zarzuela le llevaron a una producción donde predominan las comedias y las "tragedias grotescas", culminación de su trayectoria y la principal de sus aportaciones al teatro español»[9]. Las dos obras que aquí ofrecemos son, quizá, los mejores ejemplos.

---

[5] Véase el magnífico estudio de Manuel Seco, *Arniches y el habla de Madrid,* Madrid, Alfaguara, 1970.

[6] *Vid. Arniches y el teatro,* Catálogo de la exposición celebrada en Alicante, Centro de Cultura de la Generalidad Valenciana, 27 de marzo a 30 de abril de 1995.

[7] María Pilar Espín, «La zarzuela, esquema de un género español», en el volumen colectivo *La zarzuela de cerca,* edición y prólogo de Andrés Amorós, Madrid, Espasa-Calpe, Austral, 1987.

[8] Andrés Amorós, «Introducción al estudio actual de la zarzuela», en *op. cit.* en nota 7, págs. 9-21.

[9] *Op. cit.* en nota.

A partir de los años veinte, escribe también Arniches farsas (por ejemplo, *Los caciques,* de 1920) y comedias (por ejemplo, *La heroica villa,* 1921), con una presencia creciente del elemento melodramático. En la época del exilio argentino obtiene todavía algún éxito tan resonante como el de *El padre Pitillo* (1937).

No es posible entender la obra de Arniches sin encuadrarla en el panorama teatral madrileño de la época. Como he señalado más de una vez[10], jugaba entonces el teatro un papel social muy superior al que hoy desempeña.

Visto desde hoy, resulta asombroso el número de teatros abiertos y de obras estrenadas[11]. Y, sobre todo, la conexión de la escena con la vida cotidiana, perceptible en muchos rasgos concretos: parodias, «apropósitos» y obras de circunstancias, número de sesiones, presencia de las distintas clases sociales, popularidad enorme de actores y actrices...

En general, podemos decir que cada uno de los teatros estaba especializado: un género, un repertorio, una compañía, un tipo de público... Sin embargo, estos límites no eran fijos sino extremadamente flexibles. Arniches es un ejemplo muy claro de todo ello.

A pesar de su enorme popularidad, me parece que todavía es insuficientemente conocido y valorado. ¿Por qué? Ante todo, porque su obra es muy amplia, difícil de conocer en su integridad. (Lo mismo les sucede a otros muchos autores de su tiempo.) Además, una barrera de tópicos repetidos se opone a su justa estimación.

Podríamos sintetizar en cinco los motivos por los que se suele intentar degradar el teatro de Carlos Arniches:

Ante todo, el prejuicio contra los géneros llamados «menores». Obviamente, es algo que no se tiene de pie: un buen sainete es mejor —y, por supuesto, mucho más divertido— que una mala tragedia.

Recordemos que, cuando Ramiro de Maeztu acusó a

---

[10] Por ejemplo, en mi libro *Luces de candilejas (Los espectáculos en España, 1898-1939),* Madrid, Espasa-Calpe, Austral, 1991.

[11] *Vid.* Ricardo de la Fuente Ballesteros, *Introducción al teatro español del siglo XX (1900-1936),* Valladolid, Aceña, 1987.

Clarín de escribir «cosas dignas de Arniches», el gran Leopoldo Alas le contestó así: «Ya quisiera yo escribir con la sal y salero que hay en muchas obras de Arniches.» Al insistir Maeztu en calificar al género chico de «golfería literaria», jugó Clarín con el término: «Si eso son golfos, Maeztu tiene que contentarse con ser una gota de agua.»

Algo semejante habría que decir sobre la miopía estética de los que estiman poco a Arniches por su presunto conservadurismo ideológico y estético; o, todavía peor, por su humorismo.

El humor, por supuesto, es difícil de explicar académicamente: nos hace gracia o no, sencillamente. Y eso sucede con Arniches lo mismo que con Buster Keaton, Cantinflas, los hermanos Marx o Woody Allen. Dentro de eso, cultiva Arniches —como Muñoz Seca y otros autores de su tiempo— un tipo de humor basado en el ingenio, el chiste lingüístico, el juego de palabras. Desde el punto de vista actual, no me parece lógico censurar a un autor que, partiendo del costumbrismo, llega muchas veces a un humor cercano al absurdo.

Ese humor, además, está siempre templado por el sentimentalismo. (Algo parecido le sucederá, años después, a Miguel Mihura.) Conforme a una venerable tradición española, suele mezclar risas y lágrimas. Como dijo Joaquín Álvarez Quintero, «en una frase hacía llorar y reír a la vez».

No vale la pena siquiera considerar la posición rígidamente puritana de los que menosprecian a Arniches —o a otros autores de su época— por haber triunfado en el teatro, por ser popular. Gran autor es Valle-Inclán, que no consiguió conectar con el espectador de su tiempo, y gran autor es también Arniches, que sí lo consiguió.

Para apreciar con justicia el teatro de Arniches disponemos ya de algunas bases sólidas: la biografía (Vicente Ramos), el estudio del lenguaje (Manuel Seco) y de la crítica (Juan A. Ríos Carratalá). No cabe ya ignorar o plantear inadecuadamente estas tres perspectivas.

A partir de ellas, se impone una nueva visión. Ante todo, con un estudio filológico: ediciones anotadas, fijación de textos, variantes. Además, situando su obra —como es inexcusable— en el contexto escénico de la época: actores, compañías, locales, modos de interpretar, ensayos, estrenos, críticas, autocríticas, escenografías, cartelera...

Habría que desmontar en gran medida ese fácil comodín del presunto *costumbrismo* de Arniches. El propio autor fue el primero en negarlo:

> En contra de lo que mucha gente supone, la vida no es teatral: ni sus hechos ni sus personajes ni sus frases son teatro. Su teatralidad la llevan en potencia, en bruto, precisando que el autor amolde unos hechos con otros, que combine frases y dichos, que pula, recorte y vitalice el diálogo. En esta labor, el autor teatral recoge del pueblo unos materiales que luego le devuelve, aumentados con su observación y trabajo. Por eso existe esa reciprocidad mutua entre el pueblo y el sainetero, cuando éste ha tenido el acierto de retocar la fisonomía del modelo sin que el interesado lo advierta[12].

Lo confirma el testimonio admirativo de un autor de hoy, tan alejado del realismo fotográfico como Francisco Nieva. Ante todo, señala cómo «esta deformación de algunos personajes de Arniches está llevada a su término con tal fruición...». Además, su relación con la realidad es más compleja de lo que pudiera parecer a primera vista:

> No cabe duda de que su manejo de prototipos, extraídos del teatro popular más que de la observación directa [...] le permitía infinidad de combinaciones abstractas en vista de una infalible comicidad verbal y situacional. Queda entendido que, como prototipos que son, nosotros no conocemos sino que reconocemos a los personajes[13].

Algo semejante hay que decir de su lenguaje. Durante mucho tiempo, una crítica bastante miope elogiaba a Arniches como mero reproductor del habla popular madrileña. El propio autor reaccionó contra esta simplificación. Cuan-

---

[12] En V. Ramos, *op. cit.* en nota 2, pág. 150.

[13] Francisco Nieva, «Fondos y composiciones plásticas en Arniches», en Carlos Arniches, *Teatro,* Madrid, Taurus, 1967, págs. 59-60.

do un periodista, J. Pastor Williams, le pregunta si el pueblo ha tomado su lenguaje, responde así:

> Efectivamente, es cierto. Por ejemplo, ese dicho, ya popularísimo, de «servidor y peón». Y, como él, muchísimos más, que la gente repite ya de memoria, por estar incorporados al lenguaje corriente y familiar[14].

En la misma línea va la declaración de uno de sus actores preferidos, Valeriano León:

> El lenguaje de Arniches ha sido imitado por los madrileños castizos. El arte se vale de la vida, pero luego es el arte quien crea la vida[15].

Era lógica esta reacción frente a los que veían en Arniches un puro fonógrafo que reproducía lo que oía, pero esta postura tenía también su riesgo. El equilibrio definitivo lo da Manuel Seco, en 1970, en un estudio ejemplar. Recordemos una de sus conclusiones:

> Arniches usa el lenguaje hablado por el pueblo madrileño, y, en las particularidades ideadas por el propio dramaturgo, éste secunda —exagerándolas diestramente para los efectos cómicos que persigue— las tendencias del hablante popular. Arniches crea, sin duda, pero dentro de los moldes mismos que usa el pueblo para crear él por sí. Lo cual viene a ser un realismo más real que aquel que se limita a repetir fotográficamente los objetos tal como son, ya que los da no sólo como hechos, sino haciéndose, en su pleno vivir[16].

Para conocer de veras cómo era Carlos Arniches y su teatro, al margen de tópicos y deformaciones, me parece esencial recurrir a sus propias palabras. Varias conversaciones con famosos periodistas, reunidas luego en volúmenes mis-

---

[14] *El luchador*, Alicante, 8 de julio de 1935.
[15] Vicente Ramos, *op. cit.* en nota 2, pág. 151.
[16] Manuel Seco, *op. cit.* en nota 5, págs. 4 y 20.

celáneos, pueden ofrecernos el mejor camino para una cabal comprensión.

Ante todo, de su biografía, desde sus difíciles comienzos. Asi se lo contó a Luis Uriarte:

> De Alicante, mi pueblo natal, marché a Barcelona, en cuya ciudad me dediqué a dependiente de comercio. ¡Un horterilla de catorce o quince años! Mataba los ratos de ocio dándole que le das a la pluma, y conseguí escribir en *La Vanguardia*... Vine a Madrid a los diez y ocho años... Bueno, para qué le voy a contar. Diga usted lo peor de lo peor, amigo Uriarte, y no mentirá. ¡Las pasé negras, moradas, encarnadas y de todos los colores! Entonces fue cuando escribí la *Historia del reinado de don Alfonso XII,* que me valió la cruz de Carlos III... y unas pesetejas que me vinieron como pedrada en ojo de boticario[17].

Y su primer estreno, contado a López Pinillos:

> Por aquellos días conocí a mi paisano Cantó, que me leyó una obra que le iban a estrenar. Le dije que no me gustaba, discutimos, le impresionaron algunas de mis razones, y charlando y disputando amistosamente, convinimos en colaborar.
>
> —¿Y qué fue lo primero que estrenaron ustedes?
>
> —*Casa editorial.* El triunfo sonó de tal modo que Fiscowich me regaló la edición de la obra y los demás editores me ofrecieron dinero para administrar lo que produjese yo en lo sucesivo[18].

Va buscando Arniches su propio camino dentro de los géneros teatrales entonces en boga:

> Trabajé y procuré afinar mi trabajo. Así, de las revistas, un poco burdas o un poco inocentes, pasé a los juguetes cómicos, donde ya era preciso hilvanar un asunto y adobarlo con algunas gotas de observación [...] comencé a ex-

[17] Luis Uriarte, *El retablo de Talía,* 1ª. serie, Madrid, Imprenta Española, 1918, págs. 43-44.

[18] José López Pinillos, Pármeno, *Cómo se conquista la notoriedad,* Madrid, Pueyo, 1920, págs. 207-208.

plotar una mina tan rica como la de las revistuelas, y que me daba más honra. Y no me conformé con esto. En *Los aparecidos* hay varias escenas de sainete [...] Gustó y se elogió y, animado por los elogios, pensé en cultivar el sainete [...] ¡Si supiera usted cómo trabajé, con qué fe, con qué alegre ardor, en aquella época!... Prescindí de mis colaboradores, estudié a los saineteros, empecé a observar con simpatía y amor a la gente baja y así, con un entusiasmo como nunca lo he sentido, compuse *El santo de la Isidra*[19].

Como autor de un teatro popularísimo, obtuvo Arniches un gran rendimiendo económico. Me parece interesante recordar algunos datos aportados por el propio autor:

> Desde hace quince años, vengo cobrando, por lo menos, doce mil duros anuales. Yo calculo que habré ganado entre un millón y millón y medio de pesetas[20].

El santo de la Isidra fue una de las obras que obtuvo más éxito:

> La victoria fue tan colosal, que se representó el sainete cuatrocientas noches seguidas en Madrid [...] En provincias le dieron tantos miles de representaciones, que en los tres primeros años me produjo dieciocho mil duros. Y desde entonces comencé a ganar anualmente unos diez mil[21].

Lo confirma en su charla con *El Caballero Audaz:*

> A mí me han llamado durante largo tiempo «El Rey del Trimestre». Desde el año 88 hasta ahora calculo haber cobrado en la Sociedad de Autores millón y medio de pesetas. Bastantes años he salido por catorce o quince mil duros [...] Este mes último, por ejemplo, es el que más he cobrado durante mi vida de autor: unas diez mil pesetas. El actual también se aproximará a esa suma.
>
> —Y dígame usted, Carlos, ¿cuál es la obra que más dinero le ha dado?

---

[19] *Ibídem*, pág. 209.
[20] Luis Uriarte, *op cit.*, pág. 42.
[21] José López Pinillos, *op. cit.*, pág. 211.

—*El santo de la Isidra*, que me habrá producido más de veinte mil duros[22].

Las declaraciones de Arniches nos informan también de cuál era su verdadero carácter. Frente a lo que podría imaginarse, era un hombre melancólico:

> Me llaman el *Rey del chiste*... ¡No deja de tener gracia! La tristeza de mi carácter contrasta rudamente con la alegría de mis obras: soy un reyezuelo cuyos chistes brotan de un temperamento asaz melancólico...[23]

Sentía pánico por los estrenos:

> Comedia o sainete de Arniches, ya se sabía que, contadas rarísimas excepciones, era éxito lisonjero a la vista, y, sin embargo, yo no conocí autor más miedoso en las noches de estreno. El primer acto solía pasarlo en su casa o en un café próximo al teatro, adonde los amigos tenían que ir a buscarle, tan pronto como oían los primeros aplausos, y así y todo, cuando las calurosas ovaciones del público le obligaban a presentarse en escena, rodeado de los personajes a los que acababa de dar vida, se le veía pálido y azorado, como pidiendo perdón y disculpándose por lo que «había hecho» más que agradeciendo las sinceras manifestaciones en su honor[24].

Arniches iba al cine casi todas las noches, si no tenía estreno. También le gustaba el fútbol y llegó a ser Vicepresidente de la Federación Nacional. Aparte de eso, no tenía grandes aficiones:

> ¡Si no tengo afición a nada!... ¡Si le digo que soy un raro! [...] ¡Si le digo que soy un romántico, un sentimental![25].

---

[22] El Caballero Audaz, *Galería*, Madrid, ECA, 1943, págs. 359-360.
[23] Luis Uriarte, *op. cit.*, pág. 41.
[24] Diego de San José, *Gente de ayer (Retablillo literario de los comienzos de siglo)*, Madrid, Reus, 1952, pág. 143.
[25] Luis Uriarte, *op. cit.*, págs. 45-46.

Escribía Arniches de pie, ante un alto pupitre, a lápiz. Al explicarlo, aprovecha para hacer uno de sus típicos chistes:

> Una vez concebido el argumento, lo escribo en forma narrativa, como si me lo contase a mí mismo, y después lo voy dialogando. Mi tablero mesita, mis tacos de cuartillas, mi sacapuntas, mis lápices... ¿Le sorprende? Es que yo soy muy nervioso y, desde una enfermedad que tuve, no puedo escribir a pluma; tengo que servirme de lapiceros muy afilados, de los cuales preparo seis o siete de antemano, y, cuando se rompe la punta de uno, cojo otro, y así hasta que se termina la de todos, y los vuelvo a sacar punta, y otra vez a empezar... ¡Hay que acostumbrarse a sacar punta a las cosas![26].

Cuando colaboraba con García Álvarez, escribían juntos, vestidos como madrileños populares, en una buhardilla decorada por el escenógrafo Martínez Garí.

Como era habitual en el teatro de entonces, colaboró Arniches con muchos autores: Cantó, López Silva, Abati, Paso, Fernández Shaw... Enrique García Álvarez fue su preferido: «Yo, con el que he trabajado más a gusto ha sido con García Álvarez.» Por eso, le resultó muy penosa la separación.

No es fácil entender cómo funcionaba en la práctica esta colaboración, tan frecuente entonces, y cuál era el reparto de la tarea creativa. Arniches nos da un dato muy concreto sobre su caso:

> Mi costumbre ha sido siempre dialogar las obras; en cambio, no he podido hacer jamás ni un verso ni un cantable[27].

Dentro de la tradición del realismo y el naturalismo, el escritor se inspira en la observación de la realidad:

> Copio del natural buenamente y, para copiar, frecuento sitios muy poco aristocráticos, donde no siempre me reci-

---

[26] *Ibídem*, págs. 44-45.
[27] El Caballero Audaz, *op. cit.*, pág. 360.

ben con una cortesía versallesca. Conozco los barrios bajos tan bien como un chulo organillero y en ciertos rincones estoy como el pez en el agua. Cuando el frío invita a tomar el sol, me voy al campillo de Gil Imón, o a la cuesta de las Descargas y me siento en un banco, y escucho a las comadres; y cuando el calor o la lluvia no me dejan corretear, me refugio en dos magníficos observatorios. Uno está en la calle del Peñón. Es una taberna sórdida, poco limpia y baja de techumbre, a la que van casqueros, peones de mano y gente que suele malear. El otro está en la calle del Salitre, y es una taberna también, pero un poquito mejor. La frecuentan zapateros, carpinteros, albañiles, fontaneros... Yo voy a las dos con mala ropa, una capa deslucida y un sombrero veterano, y pido —para no catarlo, naturalmente— vino con seltz, y me paso las horas muertas oyendo a los que retrataré en mis cuartillas.

No es esto muy distinto a lo que había hecho don Benito Pérez Galdós, antes de escribir *Misericordia...* En todo caso, esa observación no supone que Arniches reproduzca automáticamente lo que oye:

> Yo no me fío de los chistes callejeros, porque ninguno de los que he embutido en mis diálogos ha hecho reír al público, y procuro olvidar los que oigo[28].

Parte Arniches —repitámoslo una vez más— del mundo del sainete, que domina como pocos. Así lo proclama hasta un crítico de ideología opuesta a la suya, Luis Araquistain:

> ... el sainete de buena cepa, cuyo magisterio hay que reconocerle a don Carlos Arniches...[29].

A partir de ahí, su creación teatral se va abriendo a horizontes más amplios. El propio autor nos explica así su evolución:

---

[28] López Pinillos, *op. cit.*, págs. 211-212 y 213.
[29] Luis Araquistain, *La batalla teatral*, Madrid, CIAP, 1930, pág. 66.

Carlos Arniches escribiendo ante su pupitre.

> Toda mi primera época, y durante muchos años, el momento del auge del género breve, escribía, muchas veces en colaboración, bien sainetes, bien libretos para zarzuelas. Obtenía grandes éxitos; era lo que el público entonces exigía, y yo no me apuraba por superarme, por más que muchas veces me acometieran deseos de elevar mi producción. Y vino el momento del género grande, y yo, espontáneamente, evolucioné. Pero no me resignaba a realizar la comedia común, como todos, sino que quería hacer algo mío, que tuviera mi sello; y de ahí que me decidiera a crear la tragedia grotesca, ese género de un tono especial, del que son los títulos de todos mis últimos éxitos[30].

Con los sainetes y el género chico, Arniches seguía una tradición; con la tragedia grotesca, abre un nuevo tipo de teatro. Se puede hablar, por eso, de un «Arniches trágico»[31]; o, mejor, tragicómico, conforme a la importantísima tradición que encabeza en nuestro teatro *La Celestina.*

Obedecía esta evolución a un proceso personal pero también a la situación de nuestro teatro, que buscaba fórmulas nuevas. Así lo ha definido Pedro Salinas:

> El género chico languidece ya hacia 1910. Todo, fatiga del público, agotamiento de los recursos, novedad de las condiciones sociales, le condenan a desaparición. Y entonces Arniches desarrolla una potencialidad de dramaturgo que hasta entonces se había constreñido a estas obras menores y ahora adopta formas nuevas —el sainete exento y la farsa grotesca—, que logran un doble efecto: atraer sobre su autor una consideración más atenta y valorativa derivada de las virtudes literarias, mucho más densas, de estas obras largas y, subsidiariamente, hacer beneficiar a todo el periodo «género chico» de Arniches de una consideración y aprecio que salvan su labor de esa especie de vasto olvido, de esa caída en el anónimo que ha sufrido casi todo el resto de zarzuelas y sainetes. No hay en la segunda etapa artística de Arniches mayores dotes de observación, mayor destreza dramática ni fuerza expresiva que en la primera. Lo

---

[30] *La Nación,* Buenos Aires, 10 de enero de 1937.

[31] Manfred Lentzen, *Carlos Arniches: Vom «género chico» zur «tragedia grotesca»,* Génova-París, Minard-Lib. Droz, 1966.

que sin duda le eleva sobre ella es una concepción de lo dramático más amplia y profunda y un sentido de la construcción más completo y delicado[32].

Al entrar en el terreno estético de lo grotesco, se aproxima Arniches a algunos de los mejores intentos de renovación de nuestro teatro. Ante todo, aunque pueda parecer sorprendente, al esperpento de Valle-Inclán, que llegó a compararlo con Shakespeare:

> La estética teatral de Valle era, en efecto, muy diferente a la de Arniches. Heredero de la renovación simbolista en la escena, el primero proponía una dramática muy poco convencional, y, por ello mismo, de difícil aceptación por el público de entonces, muy atenido a los convencionalismos del momento. Y, con todo, Valle no dejaba de admirar propuestas diferentes a la suya; en una ocasión hizo explícitos elogios de una zarzuela de Arniches, *Alma de Dios*, que llegaba a comparar con las farsas de Shakespeare. Y todos recordamos que había pedido y obtenido, del alicantino, permiso para convertir su drama *La cara de Dios* en el folletín largo tiempo olvidado que se escribió ya en 1900, unos meses después del estreno de la obra[33].

Y no sólo hay que limitar esto al ámbito teatral español. Cada vez resulta más frecuente comparar a Arniches con el expresionismo escénico alemán, los títeres italianos de Podrecca, que actuaron con éxito en Madrid[34], la gran revolución de Pirandello[35]... Yo mismo he señalado el posible pa-

---

[32] Pedro Salinas, «Del género chico a la tragedia grotesca. Carlos Arniches», en *Literatura española siglo XX*, Madrid, Alianza Editorial, 7ª. ed., 1985, págs. 126-131.

[33] Luis Iglesias Feijoo, «Grotescos: Valle-Inclán y Arniches», en Juan A. Ríos Carratalá, *Estudios sobre Carlos Arniches*, Alicante, Instituto de Cultura Juan Gil Albert, 1994, pág. 54. *Vid.* también H. Martínez, *El arte grotesco en las tragedias grotescas de Arniches y los esperpentos de Valle-Inclán*, Ann Arbor, UMI, 1984.

[34] *Vid.* Dru Dougherty y Mª. Francisca Vilches, *La escena madrileña entre 1918 y 1926. Análisis y documentación*, Madrid, Fundamentos, 1990.

[35] Vicente Ramos, *op. cit.* en nota 2.

ralelismo con el sainete napolitano de Eduardo de Filippo, tan profundo en su indagación grotesca de la realidad[36].

Lógicamente, esta evolución de Arniches atrajo el interés de los críticos y escritores más prestigiosos. Ante todo, de Pérez de Ayala (de ello me ocuparé a propósito de *La señorita de Trevélez).* También de Azorín, Baroja, Pedro Salinas, García Lorca, Luis Buñuel, Marañón, Martínez Sierra, Manuel Machado, Enrique de Mesa, Melchor Fernández Almagro, José Bergamín... Para este último, la tragedia grotesca representa «una forma enteramente nueva y creo que única en el teatro español»[37].

Esta forma nueva reenvía, lógicamente, a una nueva visión del mundo, próxima a la actitud crítica que solemos simbolizar en el 98. Así la define, por ejemplo, Enrique Llovet:

> La tragicomedia grotesca expresa nítidamente, sin rodeos, de forma bien explícita, la participación de Arniches en el dolor por la injusticia y en el dolor por España. Lo que entra a borbotones en el texto de la tragicomedia es una feroz protesta contra los caciques, los chulos, los señoritos prepotentes, los mandones cerriles, los soberbios, los crueles, los fanáticos, los vagos, los injustos, los falsos patriotas, los envidiosos, los sucios[38].

A partir de ahí, no faltaron las polémicas sobre si Arniches era o no un autor «comprometido». Vistas desde hoy, estas discusiones no me parecen especialmente fecundas. El sentido común nos dice que Arniches no fue un revolucionario pero sí un reformista; o, mejor, un regeneracionista, como tantos españoles de buena fe, en su tiempo, con todos los méritos pero también las limitaciones que eso puede suponer[39].

---

[36] Andrés Amorós, «Vigencia escénica de Arniches: *¡Que viene mi marido!*», en *op. cit.* en nota 33, pág. 19.

[37] José Bergamín, «Arniches o el teatro de verdad», *Primer Acto,* núm. 40, Madrid, febrero 1963, págs. 5-10. (Reeditado en Arniches, *Teatro,* Madrid, Taurus, 1967, págs. 17-29.)

[38] Enrique Llovet, en VV. AA, *Carlos Arniches,* Alicante, Ayuntamiento, 1967.

[39] Francisco Ruiz Ramón, *Estudios de teatro español clásico y contemporáneo,* Madrid, Fundación Juan March, Cátedra, 1978, pág. 158.

Una visión amplia de nuestra historia cultural, la de Pedro Laín, ha podido encontrar en Arniches una vena poética que lo emparenta con el «dolorido sentir» de los hombres del 98:

> Ahora, cesa por completo lo grotesco y con tenue pero indudable ternura se insinúa lo poético. ¿Acaso no es poética, casi machadianamente poética, la expresión verbal de la comedia, cuando por boca de esta joven nos recuerda las tristes, anhelantes muchachas que en los pueblos viejos y polvorientos de España ven pasar y perderse a lo lejos, mientras pasean por el andén de la estación, el tren en que podrían viajar y nunca viajan? [...] Arniches, hombre nacido en 1866 —dos años después que Unamuno— y miembro a su manera de la generación del 98...[40].

Mi opinión personal es muy clara y muy simple[41]: la teatralidad es el gran mérito de Arniches, lo que garantiza su vigencia actual, más allá de los estudios académicos. Gracias a ella, el teatro de Arniches sigue estando vivo, no se reduce a historia literaria o recuerdo nostálgico.

Esta teatralidad nacía de su forma de trabajar, que culminaba en los ensayos: «Los ensayos me cansan, porque pongo en ellos toda el alma, y hasta hago los papeles, cuando es preciso. Por eso, mis obras resultarán malas o regulares, pero siempre bien ensayadas».

Es éste, sin duda, el punto básico para distinguir al hombre de teatro del escritor que adopta la forma dialogada. Nos los confirma Diego San José:

> No fueron pocas las obras que, en el mismo ensayo general, se llevó para rehacer, casi por completo, el último acto, con gran desesperación de los empresarios[42].

Desde su perspectiva estrictamente escénica, así lo han afirmado hombres de teatro como Francisco Nieva, José Luis Alonso o José Osuna:

---

[40] Pedro Laín Entralgo, «Carlos Arniches», en *Más de cien españoles*, Barcelona, Planeta, 1981, pág. 50.

[41] Resumo aquí mi artículo citado en nota 36.

[42] Diego San José, *op. cit.*, pág. 143.

> Clásicos como Arniches trabajaban con el enorme interés de «gustar». Se entregaban a su oficio con verdadera pasión. Conocían muy bien lo que era el teatro y lo concebían a la perfección, dominando al público y sus reacciones, a las que tenían muy en cuenta. («Aquí se ríen» o «Aquí se reían», recordaban, y lo celebraban ellos mismos.) Tal vez algo de eso se ha perdido y se hace teatro un poco de espaldas al público [...]. En cuanto a Arniches, de técnica teatral, lo sabía todo. La dominaba como al público y procedía con un sentido de neta teatralidad[43].

Lo confirma también un estupendo actor de hoy, Juan José Otegui, al representar por vez primera una obra suya:

> Cada frase de Arniches —jamás prescindible o gratuita— supone una fiel y coherente pincelada para retratar al personaje[44].

Los ensayos, el director, los actores... Al margen de lo que opinemos los estudiosos, ésa es la prueba de fuego para calibrar la teatralidad de un autor.

Ahora bien, la teatralidad de Arniches se produce dentro de un sistema escénico muy diferente del actual. Diferentes eran los locales, la escenografía, el modo de interpretar y dirigir... sobre todo, la conexión del teatro con la sociedad. Sin nostalgias ni sentimientos apocalípticos, no cabe imaginar hoy a un autor que mantenga con su público una relación como la de Arniches.

Dejemos —hipotéticamente, al menos— el ámbito académico y situémonos por un momento en la práctica escénica de hoy. Un empresario de local o de compañía, uno de los poquísimos que todavía existen, tiene un hueco en su programación y le propongo una obra de Carlos Arniches. Para montarla hoy, ¿con qué problemas concretos nos vamos a encontrar? Al menos, con cinco.

Ante todo, el *reparto*. Salvo en un Centro Dramático Na-

---

[43] José Osuna en Carlos Arniches, *La venganza de la Petra*, Madrid, Vox, La Quincena Teatral, 1980, págs. 7-8.
[44] Juan José Otegui, *ibídem*, pág. 9.

cional o Autonómico, por obvias razones económicas es impensable que hoy pueda afrontarse una obra con una veintena de papeles. Pero en eso no está solo Arniches: la misma dificultad encontraríamos con una obra de Valle-Inclán, Shakespeare y prácticamente todo lo que consideramos «teatro clásico».

En segundo lugar, la *longitud* de la obra. Salvo excepciones ocasionales (el *Mahabarata* de Peter Brook, las *Comedias bárbaras* de Valle-Inclán), el público español de hoy tolera difícilmente obras teatrales que superen el par de horas.

Lo más importante no es la longitud del texto sino el *ritmo* de las obras: la historia camina hoy con una velocidad muy distinta a la que tenía en la época de Arniches y eso se refleja en la vida cotidiana. La estética del vídeo-clip acostumbra hoy a los jóvenes a un ritmo frenético, que poco tiene que ver con los diálogos de Arniches.

Ya en su época se repitió bastantes veces que los *actos finales,* de Arniches —como los de Jardiel Poncela— bajaban bastante. La solución que adoptó José Luis Alonso para el montaje de *Los caciques* me parece —aunque algunos no estén de acuerdo— de una sensatez absoluta, desde el punto de vista escénico:

> Oía repetir con insistencia a todos los que la habían visto e incluso representado algo que yo mismo pensé al leerla: «Colosal comedia, pero el tercer acto baja mucho.» «¡Graciosísima! ¡Qué lástima que el tercer acto...!» Y yo pensé: «Pues lo mejor es que no haya *apenas* tercer acto.» Le hice grandes cortes y lo uní al segundo, para que quedase a modo de un epílogo[45].

Al fondo de todo esto se encuentra el problema estético básico: en el montaje, ¿hemos de ver a Arniches *allá lejos,* como un testimonio de una época pretérita, que contemplamos quizá con benévola nostalgia, o sigue teniendo algo que decir al espectador de hoy? Es el problema eterno en el

---

[45] José Luis Alonso, *Teatro de cada día,* Madrid, Asociación de Directores de Escena de España, 1991, pág. 250.

montaje de los clásicos: responden a un momento histórico, reflejan una sociedad, pero también la trascienden porque son —como se ha dicho de Shakespeare— nuestros contemporáneos.

Un director de escena sensible tendrá que atender, a la vez, a las dos perspectivas. Esa fue —recurro una vez más a su testimonio, verdaderamente privilegiado— la intención de José Luis Alonso:

> Mi intención era no presentar a Arniches como una estampa de la época [...] Yo quería entroncar, mezclar, traer a Arniches a nuestros días. Para cumplir estos propósitos no podía dar a la representación un tono realista. Tenía que acentuar los contornos, cargar las tintas, «agrotescar» las situaciones, pero con algo *muy nuestro.* (Por eso mi idea fija era Mingote.) Y que los actores no «vivieran» la historia (realismo) para no quedarnos en 1920, sino que nos la «contaran» (distancia) y así nos situamos en 1963[46].

El éxito arrollador —en España y en América— de aquel montaje de *Los caciques* demostró que el gran director no andaba descaminado y que supo combinar, con talento teatral, ambos ingredientes.

A los estudios de los críticos y profesores debe unirse la tarea de los hombres de la escena, con variedad de montajes, para que podamos sentir la vigencia actual del teatro de Carlos Arniches.

II. La señorita de Trevélez

Corresponde esta obra al año 1916, en plena Guerra Mundial. En ese año, se produce la ofensiva aliada en el Somme, con la aparición de los carros de combate, el Mariscal Pétain defiende Verdún, es asesinado Rasputín y el Papa Benedicto XV reitera sus exhortaciones a la paz.

Como es bien sabido, la Guerra produce un gran impac-

---

[46] *Ididem,* pág. 251.

to entre los intelectuales españoles, que se dividen en aliadófilos y germanófilos[47]. A muchos de ellos, esta Guerra les hace tomar conciencia de una serie de problemas sociales y políticos, refuerza su liberalismo. Unos años después, todo esto desembocará en su actuación pública a favor de la Segunda República.

Una consecuencia lateral de esa Guerra, para la cultura española, es el fallecimiento, ese año, del músico Enrique Granados, al ser atacado el barco «Sussex», en el que volvía de Nueva York, del estreno de *Goyescas*. También mueren ese año José Echegaray, el Premio Nobel ridiculizado por Valle-Inclán y otros noventayochistas, y, en Nicaragua, Rubén Darío, el gran renovador de la lírica hispana.

En 1916, se multiplican en nuestra patria los conflictos sociales, por el encarecimiento de la vida. Los directores de los principales periódicos se unen contra la Huelga General, promovida por la UGT.

En el terreno cultural, se conmemora el III Centenario de la muerte de Cervantes: es elegido el proyecto del escultor Coullaut Valera para el monumento que se erigirá en la madrileña Plaza de España.

En este año de 1916 se publica la *Introducción al psicoanálisis*, de Sigmund Freud. En nuestro país, nada menos que *El espectador*, de Ortega; las *Figuras de la Pasión del Señor*, de Gabriel Miró; *La ciudad alegre y confiada*, de Benavente; *Los cuatro jinetes del Apocalipsis*, de Blasco Ibáñez; las tres *Novelas poemáticas de la vida española*, de Pérez de Ayala; *El Rastro*, de Ramón Gómez de la Serna; el *Diario de un poeta recién casado*, de Juan Ramón Jiménez.

La señorita de Trevélez se estrena en el madrileño Teatro de Lara el 14 de diciembre de 1916 (no el 14 de abril, como se dice, por error, en algún estudio). En ese mes, a pesar de las proposiciones de paz, se ha producido la invasión de Ru-

---

[47] *Vid.* Fernando Díaz-Plaja, *Francófilos y germanófilos*, Barcelona, Dopesa, 1974. Guillermo Díaz-Plaja, «La guerra europea», en *Estructura y sentido del Novecentismo español*, Madrid, Alianza Editorial, col. Alianza Universidad, 1975, págs. 87-89. José Carlos Mainer, «Aliadófilos y germanófilos (1914-1919)», en *La Edad de Plata (1902-1939). Ensayo de interpretación de un proceso cultural*, Madrid, Cátedra, 1981, págs. 145-147.

manía. La prensa madrileña se ocupa de nacimientos e inocentadas, lamenta la cogida del torero *Celita*, elogia al equipo del Real Madrid, que juega contra el Foot-ball Club L'Étoile, de Suiza, que había empatado a dos con el Athletic de Bilbao. En la alineación madridista figuraban nombres tan famosos como René Petit, gran medio centro, Eduardo Teus, luego periodista deportivo de prestigio, y Santiago Bernabeu, que llegará a ser Presidente del club en su etapa más gloriosa.

En los días del estreno, la cartelera teatral madrileña ofrece varias obras «de Pascuas», como era entonces habitual[48]. El teatro era entonces un verdadero «vicio nacional»[49]. Al año siguiente, Emilio Román Cortés contabiliza, en Madrid, 24 teatros y 215 obras[50].

En diciembre de 1916, se ofrece una representación extraordinaria del cuarto acto del *Tenorio* en el Teatro Eslava, con Catalina Bárcena como Don Juan, Irene Alba es «una frenética Don Luis» y Luisita Puchol, «el malhumorado Don Gonzalo».

En esas fechas, ocupa el escenario del Teatro de la Princesa la gran Margarita Xirgu, con su creación de *La mujer desnuda,* de Bataille, y la reposición de *Marianela,* de Galdós. El Eslava presenta un juguete cómico de su director, Gregorio Martínez Sierra, *Para hacerse amar locamente;* la Comedia, *El río de oro,* de Paso y Abati, con los grandes actores cómicos Zorrilla, Bonafé y Espantaleón; Apolo, la obra lírica *El asombro de Damasco;* Infanta Isabel, *Vivos y frescos,* de Romeo y Polo; el Español estrena *Los maridos alegres,* de Hennequin y Weber, alternando con *El velón de Lucena,* de Paso y Abati, con el graciosísimo Mesejo; en el Cómico, triunfa la popular pareja de Loreto Prado y Enrique Chicote con *La cogida del castizo,* de A. Caamaño (que firma sus críticas taurinas como «El Barquero»).

---

[48] *Vid.* mis *Luces de candilejas* citado, pág. 71.

[49] José García Templado, *El teatro anterior a 1939,* Madrid, Cincel, 1980, pág. 10.

[50] E. Román Cortés, *Desde mi butaca. Crítica de los estrenos teatrales del año 1917,* Madrid, Imprenta Artística Sáez Hermanos, 1917.

Abundan, a la vez, las programaciones «mixtas»: en el Romea, cine y varietés, con la gran Pastora Imperio. El Price alterna *La malquerida* con el espectáculo navideño *El nacimiento del Mesías*. En el Príncipe Alfonso puede verse el juguete cómico *La tía de Carlos* (con la butaca a 2,50 pesetas) y el cinedrama bufo *Nick Homedes*. La prensa nos informa del accidente de un gran actor: al fallar el truco de un aeroplano que vuela sobre los espectadores, «el Sr. Vilches tuvo la desgracia de aterrizar involuntariamente en el patio, fracturándose un hueso en la butaca número 2 de la fila 17».

Se iba extendiendo ya el nuevo arte, el cinematógrafo. Los cines Gran Vía y Salón Doré presentaban *Heroísmo de amor*, con Francesca Bertini, la gran trágica italiana. El «Gran Teatro. Palacio del Cinematógrafo» ofrecía *A la capital* y *El pirata del aire*, cada una de ellas en cuatro partes. Subrayaba la propaganda que «ambas han sido proyectadas ante Sus Majestades con éxito brillantísimo» y anunciaba el próximo estreno de *Fedora*, con la Bertini. (Muchos años después, el gran Billy Wilder elegirá este mismo título para la preciosa película en que evoca el misterio de una diva del cine mudo.)

En el Lara, *La señorita de Trevélez* se presentaba a las 5,30 y 9,45. (Antes, a las 4,30, *El sexo débil.)* En días alternos, se representaban dos comedias en dos actos, *Doña María Coronel* y *Jarabe de pico*.

Éste fue el reparto de *La señorita de Trevélez* la noche del estreno:

Flora de Trevélez	Srta. Alba (L.)
Maruja Peláez	Srta. Herrero
Soledad	Sra. Illescas
Conchita	Srta. Ponce de León
Don Gonzalo de Trevélez	Sr. Thuillier
Numeriano Galán	Sr. Isbert
Marcelino Córcoles	Sr. Ramírez
Picavea	Sr. Manrique
Tito Guiloya	Sr. Mihura
Torrija	Sr. Ariño
Pepe Manchón	Sr. Peña
Peña y Menéndez	Sr. Mora

Criado	Sr. Pacheco
Don Arístides	Sr. Balaguer
Lacasa	Sr. Mora (J.)
Quique	Sr. Gómez
Nolo	Sr. Rubio

Al día siguiente, el crítico teatral de *ABC*, después de resumir el argumento de la obra, enjuicia así su desenlace:

> Este emotivo final no necesita, a nuestro juicio, de la réplica de Don Marcelino, un poco sentenciosa y dogmática, en torno a la moraleja de la comedia. El público, ya percatado de ello, no ha menester de más abundantes consideraciones, y, así, el efecto que tan hábilmente se prepara en la escena anterior ganará en sobriedad y en humana y natural expresión.
>
> *La señorita de Trevélez*, huelga decir, por lo que habréis podido apreciar, entre líneas, que obtuvo un éxito grandísimo y que el público —perdón por lo vulgar de la frase, en gracia a lo gráfico— se «hinchó» de reír, y que en el último tercio del acto tercero Arniches supo ganar fácilmente su emoción con sus admirables recursos de gran autor. Todos los actos fueron estrepitosamente reídos y celebrados, y Arniches —que ha escrito una de sus mejores comedias— llamado a escena innúmeras veces a la terminación de los actos.
>
> Ya hemos dicho en repetidas ocasiones que la compañía de Lara es insuperable.
>
> Como ellos no dan motivo para que cambiemos de *cliché*, hoy tenemos que decir lo propio, porque los de Lara hicieron la comedia de Arniches estupendamente.

Ésta es la opinión que merecen al crítico los intérpretes:

> Leocadia Alba, para la que todo adjetivo ya va siendo insuficiente, supo, y ya es difícil, superarse a sí misma en el papel de la jamona de Trevélez. ¡Qué gracia tan justa, tan natural, la suya!
>
> Emilio Thuillier compuso, dijo y caracterizó su personaje con nobleza y cómica expresión, y ya hemos anticipado con cuán admirable arte acertó a llegar al corazón del público en las últimas escenas del acto tercero. Su éxito personal fue tan grande como merecido.

LA SEÑORITA DE TREVELEZ

FARSA CÓMICA EN TRES ACTOS

ORIGINAL DE

CARLOS ARNICHES

Estrenada en el TEATRO LARA de Madrid, la noche del 14 de Diciembre de 1916

MADRID
R. Velasco, Impresor, Marqués de Santa Ana, 11, dup.
TELÉFONO, NÚMERO 551
1916

Isbert, que cada vez se acerca más a un gran maestro de lo cómico, a Mariano de Larra, estuvo sencillamente delicioso en el héroe por fuerza. Ramírez, que no ha tenido mucha suerte en el reparto, defendió su papel con su reconocido talento. Manrique, acertadísimo; completando Mihura y Mora la excelente labor, a la que prestaron su interesante concurso las señoritas Herrero, Illescas y Ponce de León, que ayer se nos mostró como una gratísima revelación de actriz.

Mignoni ha pintado para esta obra un jardín de elegantes entonaciones. Enhorabuena a todos.

La crítica de *ABC* solía ir ilustrada, entonces, por unas caricaturas del gran dibujante Fernando Fresno[51]; a manera de *comic*, tres viñetas, una para cada uno de los actos, acompañadas de unos versitos humorísticos. Así rezaban los del primer acto:

En un casino, sus socios
suelen divertir sus ocios
gastando bromas pesadas
y diciendo animaladas.
Flora de Trevélez es
moza de cincuenta y tres (1)
y hermana de un don Gonzalo
que tiene un genio muy malo.

(1) Abriles.

Y Numeriano Galán,
un cacho de mazapán,
de quien fingen un mensaje
pintando un amor salvaje.

Las aleluyas del segundo acto:

Lo cierto es que Numeriano,
una noche de verano,
se encuentra (¡suerte traidora!)
futuro esposo de Flora.

---

[51] *Vid.* A. Amorós, *Caricaturas teatrales de Fresno (1907-1949)*, Madrid, Ministerio de Cultura, INAEM, 1989.

Y por más que se defiende,
Galán no se desentiende,
y ve acercarse el final
con un pánico cerval.

Y las del tercero y último:

Cuando don Gonzalo intenta
matar a treinta o cuarenta
se deshace al fin el lío.
(Galán.—¡¡Ay, gracias, Dios mío!!)

Saltando en el tiempo, quiero referirme a dos reposiciones de la obra en los últimos años. La primera tuvo lugar en el Centro Cultural de la Villa, en Madrid, en 1979, dirigida por José Osuna —responsable también de otros montajes de Arniches— e interpretada por Irene G. Caba, Antonio Garisa, Lucio Romero, Félix Dafauce y Ángel Caiceo.

El conocido crítico teatral Lorenzo López Sancho se mostró entonces particularmente duro con la obra *(ABC,* 28 de octubre de 1979):

Ante todo, no comparte «los desmedidos elogios que en su tiempo le prodigó Pérez de Ayala». Además, «el crítico cree honesto declarar su poco gusto por Arniches». Éstas son las razones: «... Hoy nos aparezca como envejecido, inservible, el teatro de Arniches en la mayoría de las obras por estas dos causas: extinción de un lenguaje artificial caído en desuso y desaparición de la sociedad que de un modo bastante inocente el escritor alicantino describía».

Sobre esta obra, opina lo siguiente:

> *La señorita de Trevélez* carece de importancia en el aspecto lingüístico, sus chistes son hoy irrelevantes a causa de su vieja técnica oral, abandonada por todos los actores de nuestro tiempo, y su trama resulta inocente, propia de una sociedad pueblerina hoy no encontrable, con personajes arquetípicos, de mínima complejidad humana. Perdonen los arnichistas, pero en el panorama del teatro español, esta pieza puede perfectamente ser omitida sin deterioro ni del autor ni del género.

En cuanto al montaje, en tono de farsa: «con azúcar está peor». Y la conclusión: «El público ríe, lo que significa que todavía existe un público para este Arniches.»

En medio del coro casi unánime de elogios que ha merecido la obra, me ha parecido curioso recordar esta censura: ya se sabe, las palabras vuelan pero lo escrito permanece.

Doce años después, repone la obra el Centre Dramatic de la Generalitat Valenciana, con un costoso montaje. Lo más llamativo, quizá, es que se confía la dirección escénica a John Strasberg, hijo del famoso Lee Strasberg, gran figura del Actor's Studio de Nueva York. (Evidentemente, suponía eso la intención de «universalizar» el montaje, prescindiendo de costumbrismos localistas.)

Éste fue el reparto:

Menéndez	Pepe Gil
Tito Guiloya	Juli Cantó
Manchón	Berna Llobell
Torrija	Manuel Ochoa
Marcelino Córcoles	Julio Salvi
Pablito Picavea	Juanjo Prats
Soledad	Amparo Ferrer Báguena
Criado	Álvaro Báguena
Don Gonzalo de Trevélez	Manuel de Blas
Numeriano Galán	Pep Molina
Flora de Trevélez	Imma Colomer
Quique	Chema Cardeña
Conchita	Pepa Juan
Maruja Peláez	Cristina Rodríguez
D. Arístides	Pepe Sobradelo
Peña	Fernando Folgado
Lacasa	Juan Mandli

Se ocupó de escenografía, vestuario e iluminación Simón Suárez, con bien ganado prestigio en el teatro y la ópera.

El espectáculo estaba expresamente dedicado «a la memoria de José Luis Alonso», el gran director que logró alguno de sus mejores éxitos con obras de Arniches.

En el programa de mano, el director de escena, John Strasberg, comenta, entre otras cosas, lo siguiente:

> Sé que no soy el único que piensa que a Arniches no se le considera ni se le respeta como merece. La confusión que parece existir parte del hecho de que su forma de escribir, su inteligencia y su humor, su dominio del lenguaje, parece estar en contradicción con la profundidad con que penetra en la naturaleza de las personas y la sociedad reflejadas en su arte [...] En el teatro, su trabajo ha sido tratado casi siempre desde el punto de vista de la estructura verbal, la inteligencia y la brillantez que entretenían al público con la música de las palabras, ignorando la seriedad del argumento.

Curiosamente, *seriedad* es una palabra que empleó Ramón Pérez de Ayala en su apasionada defensa de esta obra... Después, Strasberg sitúa a Arniches en lo que un cursi al uso llamaría, hoy, «el contexto internacional» : al lado de las obras del teatro del «periodo victoriano tardío, que trataron de desenmascarar la sociedad en que vivían, una sociedad que se consideraba distinta de la que en realidad era».

La conclusión es que este montaje intentaba presentar «a Arniches en su complejidad, no sólo una u otra de sus facetas».

En el mismo programa, el responsable de la iniciativa, como Director del Centre Dramatic, Antoni Tordera, defiende su elección porque, en esta obra, «emerge un tratamiento de lo grotesco con la misma talla exquisita de los grandes dramaturgos españoles del siglo XX. Lo ridículo que, bien mirado, produce un dolor íntimo, lo cursi ramoniano y por eso mismo entrañable. Y es que Arniches, con su Don Gonzalo, "último vestigio de la bohemia artística" y su Doña Florita la soltera, pertenece a la raza noble de nuestros hombres de teatro de este siglo».

Se presentó el espectáculo en Madrid en el Teatro María Guerrero, sede del Centro Dramático Nacional, y fue recibido con verdadero entusiasmo por la crítica. Todos subrayaron el magnífico trabajo del actor Manuel de Blas y la original inventiva del director de escena: por ejemplo, en su forma de resolver el problema del espacio escénico en el primer acto, con los personajes fingiendo dirigirse —como en un espejo— al público.

Esta vez, Lorenzo López Sancho no ponía pegas a la obra. Su crítica se titulaba «Arniches en su justa medida con el exacto montaje» *(ABC,* 19 de octubre de 1991):

> El éxito de Arniches ahora nos enseña que [...] retorna el gusto por el hombre, el interés por los aspectos menos solicitados del ser humano.

Viéndola como una «pieza de teatro de costumbres», compara López Sancho a los bromistas con los «cabezas rapadas» de hoy y concluye, elogiando el montaje, que «los personajes no son la caricatura de los personajes de Arniches sino los personajes mismos, tal como el autor los ponía en pie».

Bajo el título «Arniches perdura» *(El País,* 20 de octubre de 1991), Eduardo Haro Tecglen comenta:

> Una obra maestra de 1916, una obra de primer orden [...] Sigue haciendo reír a carcajadas al público. Sigue haciendo meditar levemente, con su mensaje sencillo [...] Funciona un teatro que, probablemente, hoy no se podría ya escribir así [...] La representación: como en los viejos tiempos. Cualquier otra forma sería imposible.

Enrique Centeno *(Diario 16,* 18 de octubre) reivindica esta obra como ejemplo de «El otro Arniches»:

> Frente a *Los caciques* y *La venganza de la Petra,* que se quedaban exclusivamente en la vis cómica, no sólo porque quizá sea su mejor obra sino porque Strasberg muestra las distintas caras de lo grotesto y lo cómico, de la ternura y la carcajada, del sarcasmo y la crítica social...

No diría yo que *Los caciques* se queda exclusivamente en la vis cómica...

Javier Villán exalta la «Conmovedora ternura» *(El Mundo,* 19 de octubre) de esta obra, aunque pone reparos a la opinión de Pérez de Ayala, porque considera que Arniches no tiene ninguna obra maestra. El acierto de este montaje, para él, reside en «reavivar los tejidos del sentimentalismo victimado».

Para Mauro Armiño, se trata de «Un viejo autor vivo» *(El Sol,* 19 de octubre) y considera que ésta es «su obra más redonda, habla de aquella España de siempre [...] que incubó la nuestra de ahora, donde pervive el defecto zaherido». Al revés que Villán, opina que el montaje quizá se haya excedido en la utilización de lo grotesco.

Florentino López Negrín opina que «El talento escénico» *(El Independiente,* 19 de octubre) se opone aquí al servicio de «una invitación a la reflexión de orden ético».

En la revista *El Público* (núm. 82, enero-febrero 1991) Nel Diago titula su comentario «Revalorización de una obra maestra» y afirma rotundamente:

> Todos, tirios y troyanos, están de acuerdo en calificar a *La señorita de Trevélez* como una de las joyas de la literatura dramática española del siglo XX [...] Un espectáculo regocijante pero de gran sensibilidad [...] Auténtico teatro.

Me ha parecido interesante rescatar estos fragmentos periodísticos. Conviene ya, dentro de la crítica, remontarse en el tiempo a alguno de los estudios que suscitó la obra, desde su estreno.

Juan Antonio Ríos nos sitúa —creo— en la perspectiva más adecuada:

> El estreno en 1916 de *La señorita de Trevélez* supone uno de los momentos más brillantes de la trayectoria de Arniches. Un tanto incomprendida por el cambio de dirección que suponía, no fue una comedia que tuviera demasiado éxito de público, ni tampoco pasó a formar parte del repertorio de obras que periódicamente se reponían. El mismo autor no parece apreciarla demasiado cuando hace referencias a sus obras. Pero, desde la publicación del comentario crítico que le dedicara Ramón Pérez de Ayala, ha concentrado buena parte de la atención de quienes se han acercado a la producción de Arniches. Las reposiciones teatrales en estas dos últimas décadas, las reediciones de su texto, el paso al cine en dos afortunadas versiones (Edgar Neville, 1935 y Juan Antonio Bardem, 1956) y su última emisión televisada (1985) han dado prueba de una vitalidad e interés

ya subrayados por casi todos los críticos. Un interés que la convierte, en mi opinión, en la cumbre de su trayectoria[52].

El testimonio de Juan A. Ríos garantiza, creo, que no es la pasión por Ramón Pérez de Ayala la que me lleva a destacar la importancia de su crítica sobre Arniches. A partir de Ayala, no hay ya excusa para seguir considerando al alicantino un escritor menor, sainetero o costumbrista.

Con las críticas recogidas en *Las máscaras,* Pérez de Ayala adoptó una posición muy personal y polémica: rebajar el mérito de Benavente, el autor más considerado entonces, y exaltar enormemente a Pérez Galdós y Arniches, que —por razones distintas— poseían menor crédito: el primero, como autor dramático; el segundo, por humorístico y popular.

Algo hubo en Pérez de Ayala, sin duda, de animadversión personal hacia Benavente: recuérdese el personaje Bobadilla, que lo retrata, en *Troteras y danzaderas*[53]. Los dos se habían distanciado por su distinta actitud política —y también moral, para el asturiano— ante la Guerra Mundial. Además de eso, Pérez de Ayala veía en Benavente el ejemplo de un teatro absolutamente antiteatral: lo contrario de lo que él propugnaba y ejemplificaba en Galdós y en Arniches.

Polémicas al margen, no cabe negar la inteligencia ni la intuición de Pérez de Ayala: él supo ver por vez primera la auténtica grandeza de Arniches. Ante todo, negando que sus obras sean género *chico,* pasatiempo baladí:

> Son del único género grande que hay en arte: el género de la verdad, la humanidad y el ingenio.

Esta obra, en concreto, suscitó en él un elogio que puede parecer hiperbólico:

---

[52] Juan A. Ríos Carratalá, *Arniches,* Alicante, Caja de Ahorros Provincial, El escritor alicantino y la crítica, 1990, pág. 50.

[53] *Vid.* mi estudio *Vida y literatura en «Troteras y danzaderas»,* Madrid, Castalia, Literatura y Sociedad, 1973, págs. 85-90.

> Una de las comedias de costumbres más serias, más humanas y más cautivadoras de la reciente dramaturgia hispana, y, en consecuencia, una comedia hondamente triste [...] Cuando, a la vuelta de los años, algún curioso de lo añejo quiera procurarse noticias de ese morbo radical del alma española de nuestros días, la crueldad engendrada por el tedio, la rastrera insensibilidad para el amor, para la justicia, para la belleza moral, para la elevación de espíritu, pocas obras literarias le darán idea tan sutil, penetrativa, pudibunda, fiel e ingeniosa como *La señorita de Trevélez.*

Todavia añade Ayala dos observaciones que deseo subrayar. Apunta por primera vez lo que luego seguirá casi toda la crítica, el carácter de auténtico protagonista del hermano de Florita:

> El señor Trevélez es eje de la obra de Arniches, aunque otra cosa diga el título de ella, y su carácter va desarrollándose puntualmente en la experiencia espiritual del espectador, a tiempo que, ante la experiencia sensible, se le está mostrando, sin cesar, en caricatura.

A propósito de esta obra, por último, se plantea Pérez de Ayala el problema teórico del humorismo y cree hallar aquí «una de las maneras de humorismo: lo cómico romántico»[54]. Me parece una observación muy sutil, que sitúa esta obra —y a su autor— en uno de los ámbitos más atractivos del teatro contemporáneo, relacionable, por ejemplo, con Chejov o con el Lorca de *Doña Rosita la soltera.*

En esta línea de la estimación intelectual de Arniches, me he referido ya al agudo y esquinado Bergamín, que negó su realismo, emparentándolo con los más altos nombres de la escena mundial:

> Sus valores teatrales [...] pueden serlo, y estarlo, vigentes todavía; ni más ni menos que los del teatro barroco de Lope y Calderón, que los de Molière o Shakespeare (o de

[54] La crítica de Pérez de Ayala se titula «*La señorita de Trevélez*» y se publicó en *Las máscaras* (1917-1919). Puede leerse en *Obras Completas,* III, Madrid, Aguilar, 1966, págs. 321-326.

cualquier otro teatro de verdad) [...] No es un realismo teatral el de Arniches, es más bien un irrealismo creador, poético, como el de Galdós o el de Cervantes, sus maestros[55].

En su monografía sobre el escritor alicantino, Douglas R. McKay agrupa en un capítulo «tres obras mayores de protesta»: la crítica política de *Los caciques,* la crítica social de *La heroica villa* y la crítica moral de *La señorita de Trevélez.* Sobre esta obra, opina que «si antes no hubiera escrito nada Arniches, su nombre se alinearía junto a Costa, Giner de los Ríos...»[56].

Aunque se publicaron en un periódico, con motivo de la última reposición, los dos artículos que le dedicó Lázaro Carreter rebasan claramente el ámbito periodístico. En el primero de ellos, explica por qué lo considera un clásico:

> Cuando ya no existe el blanco al que iba dirigida, la obra adquiere la trascendencia que en sus orígenes no parecía poseer [...] Una de las obras dramáticas españolas de más permanente vigencia [...] Si toda o la mayor parte de la obra de Arniches estuviera a la altura de ésta, sería preciso hermanarlo con el genio galo[57] [Molière].

En el segundo, considera que «es el más vivo de los autores coetáneos» y que esto se debe a lo que da título a su artículo: «El conceptismo de Arniches»:

> La clave de tal pervivencia es, no hay duda, el lenguaje. Y precisamente por la técnica conceptista a que lo somete el estupendo autor [...] Precisamente el método para hacer grotesco lo trágico es la agudeza verbal[58].

Quiero concluir este repaso a la crítica —y pido perdón al lector por la pesadez— con la opinión de Juan A. Ríos

---

[55] *Op. cit.* en nota 37, págs. 19-20.
[56] Douglas R. McKay, *Carlos Arniches,* Nueva York, ed. Twayne, 1972, pág. 83.
[57] Fernando Lázaro Carreter, «Arniches clásico» en *Blanco y Negro,* Madrid, 3 de noviembre de 1991.
[58] Fernando Lázaro Carreter, «El conceptismo de Arniches», en *Blanco y Negro,* Madrid, 10 de noviembre de 1991.

Carratalá, que hoy es el incansable animador de empresas para la exaltación de Arniches.

En su opinión, no se trata, en sentido estricto, de una tragedia grotesca ni una farsa cómica —como la llamó su autor— sino de «una comedia donde el elemento cómico propio de la farsa es una constante que se debe añadir a la tristeza y amargura de su balance final. En esta supuesta "farsa" nos reímos con el ingenio de los diálogos, repletos de réplicas brillantes y muy propias del humor arnichesco. Pero por debajo de ese humor farsesco discurre el drama de dos personajes, los hermanos Trevélez, ridículos y al mismo tiempo conmovedores».

Señala también el profesor alicantino otro elemento, habitualmente olvidado por la crítica, la parodia de rasgos que proceden de otros géneros teatrales:

> Cada vez que aparece Tito Guiloya, verdadero urdidor de la trama, presenta a ésta como una «farsa» (Acto I) o como un «drama romántico» (Actos II y III)[59].

Aludía Juan A. Ríos —lo he mencionado hace poco— a «dos afortunadas versiones» cinematográficas. La primera es la de Edgar Neville, un personaje extraordinario, tanto en la literatura[60] como en el cine[61], con obras maestras como *Mi calle* y *Duende y misterio del flamenco.* Entre otras cosas, llegó a ser gran amigo de Charles Chaplin: «Decía de él que era el mejor conversador que había conocido en su vida»[62].

Al borde de la guerra civil, realiza Neville la versión cinematográfica de *La señorita de Trevélez* por estas razones:

> Me gusta porque es un asunto tremendamente humano y absolutamente español, mucho más que las flamenquerías

[59] J. A. Ríos, *op. cit.* en nota 52.

[60] *Vid.* Mª. Luisa Burguera Nadal, *Edgar Neville: entre el humorismo y la poesía,* Málaga, Diputación Provincial, Biblioteca Popular Malagueña, 1994.

[61] Julio Pérez Perucha, *El cinema de Edgar Neville,* Valladolid, Semana Internacional de Cine, 1982.

[62] Jesús García de Dueñas, *¡Nos vamos a Hollywood!,* Madrid, Nickel Odeón, 1993, pág. 214.

y que las monjas. Como se trata sencillamente de la tragedia de la solterona de provincias, que es la más irremediable de todas las solteronas, Arniches hizo una tragedia grotesca que me encanta y que hace tiempo quería llevar al cinema [...] Yo le he añadido una segunda parte al argumento, y parece ser que le ha complacido mucho a don Carlos. Como hay trama desde el principio al fin, creo que la película, además de tener calidad, será taquillera»[63].

Al estudiar las adaptaciones cinematográficas de obras de Arniches, Juan de Mata Moncho Aguirre enjuicia así ésta:

El origen teatral no supuso una rémora al pasar al cine. Su versión de *La señorita de Trevélez* (1936) mantuvo la casi totalidad de personajes masculinos, aunque, salvo el de Florita que permaneció intacto, retocó los personajes femeninos, con la sustitución de la joven y bonita doncella de los Trevélez (Soledad) por una sobrina de la misma familia (Araceli). Ésta lo encarnaba una joven Antoñita Colomé cuya gracia y belleza formaban el perfecto contraste con la madurez estereotipada de María Gámez en el de la solterona cursi, siendo su función ofrecer el punto de atracción inicial del presumible seductor. Digamos, en honor de María Gámez, procedente del teatro, que había llevado la obra por España, y en 1956 volvería a aparecer en la segunda versión cinematográfica, *Calle Mayor*, incorporando a la madre de Betsy Blair (Isabel/Florita)[64].

También es positivo el juicio de A. Barbero, en su estudio del paso a la pantalla de obras de teatro españolas:

En la película estaba todo lo que Arniches había puesto en su tragicomedia: realidad, ambiente, emoción, ternura en el matiz sentimental, gracia en el diálogo y garbo en el movimiento escénico [...] Estaba todo lo que habíamos aplaudido en el teatro, pero traducido al cine, con valor de

---

[63] Antonio de Jaén en *Cinegramas*, Madrid, 29 de marzo de 1936.

[64] Juan de Mata Moncho Aguirre, «Arniches, un autor multiadoptado por las cinematografías de Hispanoamérica», en *Estudios sobre Carlos Arniches*, ed. citada en nota 33, pág. 239. En este artículo he encontrado las citas de Antonio de Jaén y A. Barbero, que reproduzco.

imagen, sin que el micrófono se apoderara en ningún momento del papel protagonista[65].

Años después, en 1956, realizó Juan Antonio Bardem su película *Calle Mayor,* con argumento y guión del propio director, «libremente inspirado en *La señorita de Trevélez* de Carlos Arniches». Los productores fueron Cesáreo González y Manuel J. Goyanes. Como se trataba de una coproducción con Francia, de esta nacionalidad eran —además de algún actor— el fotógrafo Michel Kelber y el músico Joseph Kosma (el autor de la maravillosa canción *Les feuilles mortes,* con letra del poeta Jacques Prévert), en colaboración con el español Isidro B. Maiztegui.

Los principales intérpretes eran la americana Betsy Blair (consagrada poco antes en *Marty,* con Ernest Borgnine) y el asturiano José Suárez, además de Yves Massard, Luis Peña, Dora Doll, Alfonso Goda, Manuel Alexandre, José Calvo, Matilde Muñoz Sampedro, María Gámez y Lila Kedrova (luego famosa por su intervención en *Zorba el griego).*

Tengamos en cuenta que, el año anterior, Bardem había logrado el Premio de la Crítica Internacional del Festival de Cannes con su polémica *Muerte de un ciclista.* Se separaba así de su imagen, nacida de la colaboración con Berlanga en *Esa pareja feliz* y *Bienvenido Mr. Marshall,* y afirmaba su propia línea, muy crítica y politizada.

Hace poco ha reeditado Bardem su guión de *Calle Mayor*[66]. En el prólogo, menciona las circunstancias en que tuvo lugar el rodaje:

> Empezamos a rodar interiores a primeros de enero de 1956 en los Estudios Chamartín de Madrid y a primeros de febrero salimos a exteriores, trasladándonos a Palencia. El 9 de febrero tuvo lugar en Madrid un choque entre grupos falangistas [...] Al mismo tiempo hubo incidentes importantes en las Universidades de Madrid y Barcelona [...] El Gobierno declaró el Estado de Excepción por primera vez des-

---

[65] A. Barbero, «El teatro español en la pantalla mundial», en *Revista Internacional del Cine,* núm. 4, septiembre 1952, pág. 23.

[66] Juan Antonio Bardem, *Calle Mayor,* Madrid, Alma-Plot, 1993.

pués de la guerra [...] El 11 de febrero viajó a Palencia y me detuvo a mí, cortando por tanto el rodaje de la película. El equipo regresó a Madrid. Me soltaron a final de mes y el rodaje pudo reanudarse un mes después. Primero fuimos a Cuenca y luego, en vez de volver a Palencia, terminamos la película en Logroño.

También nos cuenta el director algunos de los problemas que tuvo con la Censura:

> Manuel J. Goyanes, productor de la película, mi querido Manolo, me telefoneaba angustiado desde Madrid, pidiéndome que no sacase ningún rótulo de tiendas o bares. ¿Por qué? Porque la obsesión de la Censura en ese momento consistía en demostrar dos cosas: que la película no pasaba en España y que no pasaba en 1956. Y la cara de los hombres y mujeres que yo mostraba, ¿qué? Evidentemente, las gentes de Logroño o Cuenca no pueden confundirse con holandeses o suecos. No importaba. La Censura ya se encargaría de que yo hiciese un prólogo para anunciar eso precisamente. «La historia que van ustedes a ver no tiene unas coordenadas geográficas precisas». «Puede pasar en cualquier parte, en cualquier país».

Vista desde hoy, *Calle Mayor* me parece una película más que estimable. Evidentemente, Bardem ha reducido muchísimo el aspecto humorístico de la obra de Arniches y ha primado su almendra trágica. A la vez, subraya el conflicto social que hay detrás de esta historia sentimental: la monótona existencia de las viejas ciudades españolas, la rutina, la sensación de ahogo, el qué dirán... Una puesta al día de las pesimistas novelas del 98. Una película triste, iluminada por los ojos y la sonrisa de esa maravillosa «fea» que era Betsy Blair.

En cuanto a la versión televisiva, el realizador fue Gabriel Ibáñez y los principales intérpretes, Alicia Hermida, José Bódalo, Luis Varela, Jaime Blanch y Antonio Medina. Forma parte del fondo de «Programas para la educación» que ofrece Radiotelevisión Española[67].

---

[67] Catálogo de Teatro, Alicante, Caja de Ahorros del Mediterráneo, Centro de Recursos Audiovisuales, 1993, pág. 17.

Volvamos ya a la obra teatral de Carlos Arniches. Está localizada en «una capital de provincia de tercer orden. Época actual». Esta «ilustre» Villanea posee un evidente valor simbólico: la pequeña ciudad, dominada por los chismes, la ignorancia, la mediocridad...

Como dijo Galdós de su Orbajosa, en *Doña Perfecta,* no está al Norte ni al Sur, al Este ni al Oeste, sino en cualquier rincón de esta España, dormida en el pasado. Es un eslabón más de una ilustre cadena literaria: Vetusta (Clarín), Pilares (Pérez de Ayala), Oleza (Gabriel Miró)... Con esta elección, se sitúa claramente Arniches en la línea de lo que solemos llamar el Regeneracionismo.

Dividida la obra en tres actos, como era entonces habitual, cada uno de ellos posee su espacio escénico: un casino de provincias; un jardín, de noche; el gimnasio, en casa de Don Gonzalo.

Además de la verosimilitud, los tres poseen también el valor de claros signos escénicos. Sobre todo, el casino. Han pasado ya años desde *Pepita Jiménez* y aquella «deliciosa inactividad», en las tertulias de las noches perfumadas de Cabra, se ha ido pudriendo hasta convertirse en un ámbito mortecino, casi arqueológico, con muebles viejos, cortinas raídas y periódicos a los que nadie se molesta ni siquiera en cortar la faja... Es el ámbito natural del inmovilismo, de la maledicencia, de la broma cruel. No hace falta subrayar la notoria inutilidad del presunto gabinete de lectura.

Menos tradicional de lo que parece, Arniches se plantea una ruptura escénica bastante atrevida: por los balcones del foro se ven las ventanas de la casa vecina. Además de propiciar algún chiste escénico (el personaje que utiliza el periódico sólo como observatorio), es un recurso interesante. Plantea, eso sí, no pocos problemas de realización, que hoy se pueden resolver más fácilmente gracias a los avances de la técnica escénica y también a la mayor libertad a que está acostumbrado el público teatral. (Recuérdese, por ejemplo, que John Strasberg lo resolvía sin atenerse al verismo.) A la vez, permite una ampliación del ámbito escénico muy sugestiva.

Un solo detalle: la primera vez que aparece en escena

Florita, «ridícula pintarrajeada y sonriente», lo hace asomándose entre las persianas. Es algo que rima bien con su timidez y, a la vez, permite mantener un clima de cierto misterio, evitando la cruda luz de los focos —y de la realidad.

También se desdibujan sus rasgos con la luz de la luna y las «luces artísticamente combinadas» del Segundo Acto. El jardín nocturno, con su «poético rincón», es el ámbito adecuado para ese mundo posromántico y modernista que se va a parodiar.

En el Acto Tercero, penetramos en el *sancta santorum* de Don Gonzalo: no es un gabinete o un despacho, como hubiera sido esperable, sino un «cuarto gimnasio».

Como he recordado en otra ocasión, refleja eso una situación social: el auge del *sport* —así se llamaba, entonces— se incrementa especialmente a partir de la segunda década del siglo, en sintonía con una nueva sensibilidad: estimación positiva de lo juvenil, lo lúdico, lo *moderno,* la vanguardia... ha surgido un nuevo ideal del hombre y de la mujer que, entre otras actividades, hacen deporte. En nuestro país, debió de influir mucho el ejemplo del rey Alfonso XIII, deportista activo[68].

A la vez, este espacio visualiza el patético esfuerzo de Don Gonzalo por mantener la apariencia de una juventud ya perdida. Y permite también buenas situaciones cómicas, con la unión —como en el nombre de un club argentino— de gimnasia y esgrima.

Uno de los elementos esenciales de cualquier obra literaria —aunque sea difícil definirlo— es el tono. Aquí, evidentemente, lo básico es la unión de lo trágico y lo cómico, sugerida explícitamente muchas veces: «Esta broma puede acabar en tragedia [...] Una broma de este jaez con mi hermana sería trágica para todos.» Al final, Don Gonzalo suaviza resignadamente la tensión: «Quedémonos en el ridículo; no demos paso a la tragedia.»

En ese sentido, los personajes muestran una doble faz, según la perspectiva que adoptemos, comenzando, por su-

---

[68] *Luces de candilejas,* citada en nota 10, págs. 247-248.

puesto, por la protagonista. Los maldicientes califican a Florita de «esperpento», como si quisieran anticipar la cercanía a Valle-Inclán que ve hoy buena parte de la crítica. También se habla de «estafermo», de «pliego de aleluyas»...

Plantea esto una opción escénica fundamental. Si recordamos un estudio en el que Gonzalo Sobejano ve «elegía y sátira» en *Luces de bohemia*[69] y lo aplicamos a esta obra, ¿a qué vertiente se inclinará más el montaje, a lo cómico o a lo melancólico? A las dos cosas, por supuesto, sería la respuesta ideal; pero, en la práctica, resulta casi imposible evitar el escorarse hacia una u otra banda. Es ésta —si no me equivoco— una decisión básica del director de escena, que condicionará de modo decisivo todo su trabajo.

Dicho más sencillamente: coexisten en la obra elementos claramente cómicos con otros, de una evidente seriedad. Entre los primeros, ante todo, los nombres significativos. Numeriano se apellida Galán y se juega con el sentido teatral de la palabra: «¡Hubiera sido una boda de un Galán con una característica!» En realidad, a él la que le atrae es la joven criadita: «... que me gusta la Soledad».

El nombre de la protagonista se ha elegido también para hacer un chiste: «¡Acuérdate que tuvo a Martínez cuatro meses en cama de una estocada, sólo porque le llamó la jamona de Trevélez!», aludiendo a los jamones de este pueblo granadino.

Le divierte siempre a Arniches jugar con el doble sentido de las palabras. Un personaje habla «*por encima* de El Baluarte»: asomándose encima del periódico y superficialmente. Una carta femenina, perfumada, «Huele a *heno*»: a jabón Heno de Pravia o a establo. La *cortedad* («vergüenza») de Florita «es muy larga». «Un papel *sin doblez*»: «Sin malicia» pero con muchos dobleces. Un retablo está *estofado* porque se ha adornado con oro pero también se alude a un guiso popular. Los *ejecutantes* de la música son los que la asesinan. Etcétera.

---

[69] Gonzalo Sobejano, «*Luces de Bohemia*, elegía y sátira», en *Forma literaria y sensibilidad social*, Madrid, Gredos, Campo Abierto, 1967, páginas 224-241.

Muchas veces, Arniches rompe las expectativas, creadas por una situación o una frase, degradándola, como si pinchara un globo: una venganza misteriosa se realiza con «un espetón de ensartar riñones». El que se abrasa de amor se convierte en «torrezno», como los cerdos.

Insiste el autor en la parodia del lenguaje cursi, libresco, que abusa de los pronombres pospuestos: «... yo cegueme, pero ella insistióme y complacíla...».

La pobre Florita emplea un lenguaje de novela sentimental: «habla con un léxico tan empalagoso que para estar a su altura me veo negro». Numeriano se contagia y abusa de los esdrújulos: «Si alguien nos sorprendiera arrinconados y extáticos, podría macular tu reputación incólume, y eso molestaríame.»

Es éste un recurso cómico que domina también con brillantez Muñoz Seca, tanto en el verso *(La venganza de don Mendo)* como en la prosa *(La oca, Anacleto se divorcia)*[70].

En general, hay aquí una parodia de un posromanticismo puramente libresco y superficial: «Se trata de representar un drama romántico». Por eso se alude a *Locura de amor* y a héroes sentimentales como Lovelace y Bayardo.

Los dardos irónicos del autor alicantino apuntan también a la gran renovación poética realizada, desde comienzo de siglo, por modernistas y simbolistas. Se habla de Ofelia —pintada por los prerrafealitas, no lo olvidemos—, del estilo *Liberty,* de D'Annunzio. Flora hace el comentario poético: «La felicidad es un pájaro azul...».

Al lado de todo esto, la parte seria es la crítica del Guasa Club, compuesto por «mozos vanos», pollos insustanciales: el triste recuelo, sin grandeza alguna, del negro café de nuestra picaresca.

Para el dramaturgo, la causa es la falta de educación de esta juventud; ante todo, de educación de la sensibilidad. De este modo, se alinea Arniches con la venerable corriente del Regeneracionismo: Joaquín Costa, Giner de los Ríos... Y, en concreto, con lo que propugnan —en esos mis-

---

[70] *Vid.* A. Amorós, «Muñoz Seca y el astrakán», en *Cuadernos de Música y Teatro,* núm. 1, Madrid, SGAE, 1987.

mos años, no lo olvidemos— los novecentistas: Pérez de Ayala, Gabriel Miró, Ortega, Juan Ramón...

Claro está que estos jóvenes insensibles pueden llevar a cabo sus bromas crueles porque cuentan con la complicidad pasiva de una sociedad que les ríe las gracias y no se atreve a oponerse a ellos: eso representa en la obra el personaje de Don Marcelino.

Al estudiar *Troteras y danzaderas,* señalaba yo que uno de los mayores logros de Pérez de Ayala es haber logrado dar vida artística a un héroe tragicómico: Teófilo Pajares, el poeta modernista, es una figura humana contradictoria, en la que coexisten rasgos de gran interés y dignidad con otros, plenamente ridículos. Partiendo de un muñeco grotesco, va sufriendo un proceso creciente de humanización y profundización[71]. Es la primera versión que nos da Pérez de Ayala de este tipo de personaje; a lo largo de sus novelas irán apareciendo otras figuras tan cómicas y entrañables como Belarmino, Felicita Quemada, Tigre Juan...

No es raro que Pérez de Ayala defendiera ardientemente *La señorita de Trevélez:* Don Gonzalo pertenece a esta misma familia de personajes. Sin la preparación intelectual del escritor asturiano, el alicantino ha logrado una creación igualmente admirable. Al final de la obra, Don Gonzalo nos descubre un fondo que no podíamos imaginar: por amor a su hermana (Unamuno diría: por *com-pasión),* Don Gonzalo ha aceptado y hasta promovido que todos le consideren un ser ridículo.

La cursi Florita trasluce también una condición trágica: la de la mujer condenada a la soltería, en una sociedad en la que el matrimonio es la única salida que podría encontrar. Con los rasgos grotescos que le añade Arniches, es —como ha señalado Antoni Tordera— una hermana de la Doña Rosita de García Lorca, que consumió su juventud esperando a un amor que nunca llega.

Por una vez, no recurre Arniches a ningún fácil recurso para que la obra acabe felizmente: dados los antecedentes, sería un final postizo, artificial. Asoma la tesis, muy pesimis-

---

[71] A. Amorós, *Vida y literatura...,* citada, págs. 238-244.

ta: «Guiloya no es un hombre, es el espíritu de la raza, cruel, agresivo, burlón, que no ríe de su propia alegría sino del dolor ajeno.»

Pero es una tesis muy noble: «La manera de acabar con este tipo tan nacional de guasón es difundiendo la cultura. Es preciso matarlos con libros, no hay otro remedio.»

Su raíz está en la esperanza de los ilustrados: «Cuando estos jóvenes sean inteligentes, ya no podrán ser malos...» No sé si hoy nos atreveríamos a afirmarlo tan rotundamente.

Existe, incluso, un asomo de autocrítica: «¿Qué ideales van a tener estos jóvenes que en vez de estudiar e ilustrarse se quiebran el magín y consumen el ingenio buscando una absurda similitud entre las cosas más heterogéneas y desemejantes?» ¿No es esto lo que hace a veces, también, el escritor alicantino, lo que Lázaro Carreter llama «el conceptismo de Arniches»? Aquí, el dramaturgo parece asomar un poco su cabeza y entonar su *mea culpa.*

Es bueno reírse, sí, pero no a costa de los demás. Ésta es la lección —tan sencilla, tan indiscutible— que nos da Arniches. Por eso, renuncia a lo que hubieran agradecido tantos espectadores: un arreglo final.

La solución para esta sociedad —nos dice— sólo puede producirse a largo plazo. Mientras tanto, seguirán sufriendo los personajes como Florita y Don Gonzalo, ridículos y patéticos, a la vez.

Las bromas que nos han hecho reír encerraban una almendra amarga. La dura vida española ha sacrificado a unos inocentes. No hay arreglo posible. Una vez más, han talado los árboles de nuestro *jardín de los cerezos.* Florita seguirá soñando con su amor perdido y Don Gonzalo, fingiendo optimismo, para ocultar su dolor. A este sabor sutil, más amargo que dulce, es a lo que llama Pérez de Ayala humorismo romántico.

III. *«¡Que viene mi marido!»*

Un par de años posterior es la otra obra de Arniches que se recoge en este volumen. En concreto, *¡Que viene mi marido!* se estrena en el madrileño Teatro de la Comedia el 9 de marzo de 1918 y su autor la subtitula —ésta, sí— «tragedia grotesca».

El año del estreno es el del final de la Primera Guerra Mundial: el 11 de noviembre de 1918 se afirma el armisticio; abdica el Kaiser Guillermo II y es ejecutado el Zar Nicolás II; surgen nuevas naciones como Checoslovaquia, Finlandia, Yugoslavia, los Países Bálticos, Hungría, Polonia y Rumanía.

En España, en ese año, se han sucedido varios Jefes de Gobierno: Maura, con un Gobierno Nacional, Romanones, García Prieto... Los parlamentarios catalanes piden ya una autonomía integral de Cataluña.

En la literatura española, es el momento del movimiento ultraísta, con las revistas *Grecia* y *Cervantes,* y se publican libros como *Mare Nostrum* de Blasco Ibáñez, *Pombo* de Ramón Gómez de la Serna e *Impresiones y paisajes,* de Federico García Lorca.

En la programación del Teatro de la Comedia, *¡Que viene mi marido!* sucede a *El verdugo de Sevilla,* de Muñoz Seca y García Álvarez.

En esas fechas, se anuncia la contratación de la pareja lírica formada por Emilio Sagi Barba y Luisa Vela (padres del también cantante Luis Sagi Vela) para el Teatro Apolo. En la Princesa, se realiza el beneficio de María Guerrero con el estreno de *Los cachorros,* de Benavente. La Zarzuela alterna las «sesiones vermouths», por la tarde, con *La canción del olvido,* por la noche. En el Español, el beneficio de Carmen Cobeña con *La malquerida.* Actúan en el Romea *la Argentinita* y Teresita España. Se va a estrenar en el Eslava *El hijo pródigo,* de Jacinto Grau, con Catalina Bárcena, decorados de Mignoni y trajes de Fontanals. En el «Gran Teatro, Palacio del Cinematógrafo» triunfa la película *Fuerza y nobleza,* con el campeón de boxeo Jack Johnson.

En esa cartelera madrileña aparece *¡Que viene mi marido!* Este fue el reparto del estreno, tal como se recoge en la primera edición:

Carita.. Sra. Jiménez
Doña Tomasa.................................... Sra. Siria
Elena.. Sra. Villa

La Hipólita	Srta. Suárez
Genoveva	Srta. Redondo
Doña Polonia	Srta. Andrés
Socorrito	Srta. León
Señá Matea	Srta. Rey
Niña 1.ª (13 años)	N. N.
Idem 2.ª (11 id.)	N. N.
Bermejo	Sr. Bonafé
Don Valeriano	Sr. Zorrilla
Don Segundo	Sr. Espantaleón
Luis	Sr. González
Hidalgo	Sr. Asquerino
Señor Palomo	Sr. Del Valle
Señor Cárceles	Sr. Pereda
Saturnino	Sr. Riquelme
Ramón	Sr. García
Niño 1.º (9 años)	N. N.
Idem 2.º (7 íd)	N. N.

La acción en Madrid, actualmente.

Subrayemos la presencia de grandes actores cómicos: Bonafé, Zorrilla, Espantaleón... Alguno de ellos ha prolongado triunfalmente su carrera en el cine español.

He tenido ocasión de manejar un ejemplar de la primera edición de la obra, con dedicatoria autógrafa del autor «A mi querido amigo Juan Bonafé con toda mi gratitud y en ofrecimiento de *una compensación*», quizá por haberle atribuido el personaje de Bermejo: en mi opinión, un gran papel, para un actor tragicómico.

En el diario *ABC* (10 de marzo de 1918), Floridor dedica la mayor parte de su crítica —como era frecuente, entonces— a glosar el argumento de la obra:

> Conocimos a cierto desesperado sujeto, que fue un constante candidato a suicida; pero bastaba que intentase cualquier eliminación violenta, para que su propósito fracasara del modo más ridículo.
>
> Al fin, convencido de que no había nacido para suprimirse, a pesar de su buena disposición, mantenida con una admirable insistencia, se retiró cristianamente del mundo, despreciando las pompas fúnebres, y murió, pasados unos

cuantos años, en un lugarejo, y de la enfermedad más vulgar: de sexagenario.

Pues de la misma madera, si el caso llegara, es Bermejo, el héroe de la tragedia grotesca —más lo segundo que lo primero— que Arniches ha escrito y estrenado anoche.

Bermejo es, por naturaleza, refractario a la muerte, y, obligado a ingerir el más eficaz de los tóxicos, estamos seguros de que, a lo sumo, le haría el efecto de una limonada purgante.

Cuando una conspiración familiar trama contra él, con la piadosa idea de suprimirle, porque Bermejo va siendo un estorbo para la felicidad de aquellas interesadas gentes, es de la más absoluta ineficacia.

Por otra parte, Bermejo debe morir de un modo perfectamente garantizado, porque a ello se comprometió al casarse *in articulo mortis* con una joven desconocida, para que así pudiera entrar la contrayente en posesión de una herencia de tres millones, herencia que, por una cláusula precisa, no podía disfrutar hasta su viudez.

Por tan ingenioso procedimiento burlábase la voluntad del testador, y la joven viuda entraba en posesión de los millones y del amado esposo que hacía tiempo eligiera.

Pero Bermejo, que gustoso se había prestado a facilitar esta combinación, por no desairar a su médico de cabecera, lejos de morirse, como todos suponían, confiados en el pronóstico de los doctores, recobra la salud, y, con la salud, unas ganas locas de vivir, y de vivir principescamente, abusando de su ventajosa situación y de su frescura, porque Bermejo es una especie de Cercedilla. Y a un sujeto así, ¡vayan ustedes a convencerle de que, para quedar como hombre de palabra y no ser un obstáculo a la felicidad de una familia, debe desaparecer de este mundo, por el procedimiento más rápido!

Y en esta lucha, manteniéndose Bermejo siempre a la defensiva, porque la ofensiva ya imaginarán ustedes quiénes la sostienen, transcurre la farsa, hasta que al final se descubre cómo Bermejo es un sinvergüenza y por un ingenioso recurso se soluciona tan embrollado asunto.

La obra, que hasta tiene su moraleja, para que nada falte, aunque no la creemos necesaria, fue reída, celebrada y carcajeada en grande, porque como gracia de acción, de situación y de frase, no hay más que pedir. Si peca, es por exceso; pero con una poda prudente, sobre todo en el acto segundo, donde se impone la tijera, y con suprimir, porque nada ponen ni quitan, algunos chistes, *¡Que viene mi marido!* quedará como una de las obras del teatro cómico más divertidas, por la originalidad del asunto y por la gracia del diálogo.

Zorrilla y Bonafé, o Bonafé y Zorrilla, ¡vaya una parejita!, hicieron las delicias del auditorio. En lo cómico no conocemos nada mejor. Muy bien Carmelita Jiménez, que dio singular encanto a su papel. Ana Siria, González, Espantaleón y Asquerino avalaron el conjunto, siempre irreprochable en la Comedia.

Hasta aquí la crítica del *ABC.* Me parece interesante recordar también la opinión del gran crítico de la época, Enrique Díez Canedo:

Solamente el anuncio de una obra nueva del señor Arniches en el cartel de la Comedia desarrugó los ceños e hizo que los habituales de aquel teatro se dispusieran a recibirla con palmas. No salieron, ciertamente, defraudados en sus esperanzas la noche del estreno, y si se han sacrificado después unas cuantas escenas, la obra será digna de verdadero encomio.

Porque el defecto principal que en ella se advertía era la extensión innecesaria de algunas escenas, que alargaba considerablemente el acto segundo y aun el tercero; y como en determinados momentos las situaciones se repetían, el corte estaba indicado. Otro defecto, grave en verdad tratándose de un autor de la talla de Arniches, consiste en el aprovechamiento de toda frase que el diálogo sugiere, sin sobriedad ni selección. El que ha escrito *La señorita de Trevélez* bien puede darse el lujo de desdeñar algún juego de palabras inoportuno, por su misma facilidad.

Dicho esto, sólo hemos de hacer elogios de la nueva producción. El asunto, desenfadadamente planteado, da lugar a una serie de escenas de indudable valor teatral. El diálogo nunca pierde la chispeante gracia característica de las producciones de Arniches. Hasta, para que la farsa resulte a gusto de todos, hay su moraleja correspondiente: la felicidad no está en los goces que el dinero puede ofrecer, sino en la vida honrada de los que son fieles a sus sentimientos y se atienen a sus propios medios. Los tipos principales y los episódicos, como el del catedrático sordo, por ejemplo, están muy bien trazados.

Si a esto se añade que los actores de la Comedia, y en especial el señor Zorrilla, admirable de gesto y de figura, representan muy acertadamente la obra, podremos asegurar que se hará vieja en los carteles. No creemos que su suerte desmerezca de la de otras farsas que, como *El rayo,* para no citar más que una, son manifiestamente inferiores a la recién estrenada tragedia grotesca del señor Arniches[72].

La obra se repuso en Madrid, en la posguerra española, a la vez que los alemanes luchaban contra Rusia, se producía el desembarco aliado en Grecia y triunfaban en los ruedos españoles Domingo Ortega y *Manolete.* Las butacas del teatro costaban, entonces, 4 y 5 pesetas. El *ABC* (6 de octubre de 1944) daba así la noticia:

Ayer fue repuesta en Maravillas, con éxito, la farsa grotesca de Carlos Arniches titulada *¡Que viene mi marido!* Anita Paso, Amparo Bori, Manuel y Luis Domínguez, Rafael Fuster y restantes elementos de la compañía interpretaron la obra a satisfacción del público, que rió mucho con los incidentes y lances cómicos y prodigó sus aplausos.

Todavía volvió a reponerse en fecha mucho más próxima, en el año 1989. En esta ocasión, compartía ya la cartelera teatral con La Cuadra y *Aspirina para dos,* de Woody Allen, y acababa de estrenarse la película *Opera prima,* que marcó el origen de la «nueva comedia» madrileña. La obra de Arniches, dirigida por José Osuna, se presentó en el Teatro Fígaro, a cargo de la denominada «Compañía Popular Madrileña», encabezada por Francisco Piquer, Pedro Peña, Ana María Morales, Raquel Daina (antes, actriz de revista, en el papel de Hipólita) y Luisa Fernanda Gaona.

Existen dos versiones cinematográficas de esta obra, realizadas las dos en Méjico. La primera, con el mismo título

---

[72] La crítica de Díez Canedo apareció en *España,* 14 de marzo de 1918, y fue recogida luego en *Artículos de crítica teatral, El teatro español de 1914 a 1936,* II, México, Mortiz, 1968, pág. 207-208.

de Arniches, el año 1939, con guión y dirección de Chano Urueta, y estos intérpretes: Arturo de Córdova, Joaquín Pardavé, Domingo Soler, Emma Roldán, Beatriz Ramos, Julián Soler, Carlos López Moctezuma y Conchita Gentil Arcos.

La segunda, en 1959, con el título *Sobre el muerto las coronas,* dirigida por José Díaz Morales e interpretada por Antonio Espino «Clavillazo», Marina Camacho, Isabel Blanco, Oscar Ortiz de Pinedo, Jorge Reyes, Dacia González y Amparo Arozamena[73].

También tengo noticia de una versión televisiva, realizada por Gabriel Ibáñez e interpretada por Pablo Sanz, Luis Varela, Fedra Lorente, Asunción Villamil y Antonio Medina[74].

En cuanto a la crítica reciente, baste con mencionar que Juan A. Ríos cree que esta obra «es en realidad una farsa [...] Funciona perfectamente como farsa cómica [...] Pero sólo es una farsa destinada al entretenimiento del espectador [...] Estamos más cerca de un vodevil que de una tragedia, aunque sea grotesca [...] Todo se soluciona mediante un final feliz puramente teatral, tan artificioso como la propia situación desarrollada a lo largo de la obra. No hay lugar para la tragedia, para conmoverse con el personaje al que "le hacen la autopsia y engorda". Sólo encontramos uno de los mejores ejemplos de la capacidad de Arniches para el teatro cómico y como tal hay que valorar una obra que en la tragedia grotesca apenas encuentra explicación»[75].

Mi valoración de la obra posee algunos matices más positivos. Ante todo, la situación teatral de la que parte me parece magnífica: todos hablan de Bermejo, todos ponderan su *inmortalidad,* todos —incluido el público— temen que se presente. Pero el *fresco* (personaje habitual del teatro cómico de la época) se retrasa esta vez: no aparece hasta el Acto Segundo. Es una aparición demorada, preparada, en un ambiente de misterio.

Al final, sucede lo que temíamos o esperábamos: aparece

---

[73] *Op. cit.* en nota 64, págs. 249 y 251.

[74] *Op. cit.* en nota 67, pág. 16.

[75] J. A. Ríos, *op. cit.* en nota 52, pág. 60.

en escena el *resucitado,* confirmando que no consigue morirse, por mucho que lo intente; para un actor tragicómico, es una escena con unas posibilidades extraordinarias.

Se basa todo esto en una vieja situación del teatro de humor de todos los países: la herencia con una condición extravagante; por ejemplo, en la vieja historia, llevada muchas veces a la pantalla, de las siete sillas iguales...

Al lado de Bermejo, sin verlo, sin sospechar que está vivo, reza por él la joven Carita. (Otra buena situación cómica: el que ve cómo rezan por él, le encargan la esquela y una corona de flores.) Ella se cree viuda sin haber estado casada y es, simplemente, una joven enamorada (pero de otro). Por codicia, todos han dispuesto su destino trágico, no tan lejano al de *La señorita de Trevélez.*

Adorna todo esto Arniches con situaciones de irresistible comicidad: la familia de vecinos curiosos que no logra enterarse de lo que pasa, a la que todos entregan toda clase de objetos; la madre anciana y los niños que quedan depositados en casa de esta familia...

Contribuyen a esta comicidad una serie de afortunados personajes secundarios: el profesor de Derecho que habla en latín, con irresistible verbosidad; la presunta esposa, que lo hace con castizas ultracorrecciones; el amigo ingenioso, que sirve de motor para todo el enredo...

Utiliza Arniches ampliamente el ingenio verbal, los juegos de palabras. Ante todo, los referidos a los nombres de los personajes. El amigo ingenioso debe apellidarse Hidalgo, para unir las dos palabras: «El ingenioso Hidalgo». Las amigas que esperan, Botella, para que Carita no retrase su mutis: «Ya sabes lo que son las de Botella cuando se destapan». El protagonista *resucitado* no puede llamarse más que Lázaro. La protagonista tiene un semblante triste: «No me gusta a mí esa Carita.» Los vecinos pesados se van, al fin: «Los Palomos volaron.» El tío querido: «¡Ay, tío de mi corazón! ¡Ay, tío Segundo de mi alma!» El vecino pedante: «Nuestro vecino Cárceles, que es Catedrático de Derecho.»

Son frecuentes los chistes basados en una frase hecha: «Yo estaba en la tienda tranquilamente recibiendo una partida de pellejos de aceite [...] Y con tanto susto y con tanto escándalo, abandonamos el pellejo, que se salió todo, y me dejé la tienda que aquello es una balsa de aceite.»

Con un viejísimo recurso cómico, los personajes tartamudean, por el miedo:

> LOS TRES *(con ansiedad).*—¿Quién es?
> GENOVEVA *(que tartamudea).*—El papa...
> VALERIANO.—¿Eh?
> GENOVEVA.—El papa... el papanadero.

Una frase interrumpida da lugar a un equívoco:

> BERMEJO.—¿Dan ustedes su aquiescencia?
> VALERIANO.—Adelante.
> BERMEJO.—¡Ah, señora!... *(Da un traspiés, vacila y se sostiene en una silla).*—¡Ah, señores!... Se puede pasar...
> VALERIANO.—Ya hemos dicho que adelante.
> BERMEJO.—Gracias, no es eso. Se puede pasar en la vida por trances amargos...

Muchas veces juega Arniches con el doble sentido de una palabra. Por ejemplo, *ingenio*: «¿Tú te acuerdas lo bruto que era? Pues ahora resulta que tenía un ingenio enorme, en el Camagüey...»

Sablazo: «Nada, que no tenemos más que dos dilemas, que decía mi suegra: o una puñalada o un sablazo.»

Meter la pata: «Acabe usted de aserrar la pata de la librería [...] ¿Y qué te parece que haga, meto la pata o la dejo en el aire?»

Se divierte especialmente Arniches mezclando diversos niveles lingüísticos: Segundo es asturiano. Saturnino mezcla el castellano con el francés. Palomo es redicho. La Hipólita incurre en frecuentes —y graciosísimas— ultracorrecciones. Casi todos usan la pronunciación popular de palabras extranjeras. Bermejo utiliza con brillantez un lenguaje libresco lleno de adjetivos: «¿Se me podría suministrar una fútil y exigua copa de Jerez, marca indistinta? [...] Una sutil detonación, una leve espiral de humo que se pierde en el aire azul, una postura trágica sobre el verde césped, el guarda que aparece atónito... y sobre todo esto la muerte, batiendo sus alas augustas en la tarde radiante. Y al fin, como único rastro, el amable juez, el humilde depósito, la piadosa gacetilla.»

Frente a toda esta retórica, Don Segundo es el portavoz del autor y expresa su opinión con sencillez implacable: «Cuando contó con la codicia humana, no erró en la cuenta.»

Por debajo de esta brillante superficie, nos encontramos con una estructura teatral firmemente anudada, en la que no queda ningún cabo suelto. Algunas escenas, muy breves, sirven sólo para eso. Por ejemplo, la VII del Acto Primero contesta a una posible objeción del espectador razonable: si los dos jóvenes, Carita y Luis, se quieren, ¿por qué no se casan?

Lo aclara Arniches casi con la nitidez de un problema matemático. Luis no se quiere casar porque no le parece justo obligar a su esposa a una vida de pobreza. Además, si él se pusiera enfermo, ¿quién no pensaría que su muerte tendría la compensación de dejarla rica? Cabe otra posibilidad, que se casen y renuncien a la herencia. Tampoco lo acepta Luis: ¿Y si él se muere, privándole a ella y a sus hijos de la fortuna?

No resulta fácil *pillar* a Arniches en una inconsecuencia o inverosimilitud. Su habilidad técnica es enorme. Pero toda esta *carpintería* oculta una posible ambigüedad, muy atractiva: cuando se justifica tanto algo, ¿no se nos estarán ocultando las verdaderas razones?

Llegamos así a lo que me interesa más, de cara a un montaje escénico actual: la necesidad de una *lectura* que, sin desvirtuar lo esencial, conecte con el espectador de hoy. Algo semejante a lo que hicieron, por ejemplo, con obras de Galdós, Luis Buñuel (con *Tristana)* y Francisco Nieva (con *Casandra).*

Esta obra, ¿es sólo una farsa cómica, como opina Juan A. Ríos? Un montaje actual, ¿no podría subrayar otras vetas? Hablo de *subrayar,* no de *inventarse,* porque esas vetas —si no me equivoco— existen, efectivamente, en el texto de la obra.

Me parece evidente el valor grotesco que tiene el juego con la muerte, de tan larga tradición hispana: Bermejo pide perdón por no haberse muerto, ruega que recen por su salud cuando sabe que todos lo están haciendo, en realidad, por su muerte...

El final de la obra incluye el subtítulo del nuevo género: «Y aquí da fin la grotesca tragedia...»

Evidentemente, hay en ella una situación cómica: un *fresco* que engaña a una familia honrada. Pero también existe un fondo trágico: todos los miembros de la familia —salvo Carita y el bondadoso tío Segundo— son, quizá, peores que el *fresco* porque se mueven sólo por la más negra codicia y subordinan al dinero la felicidad de la joven.

Desde esta óptica, nos encontramos con un humor negro, casi quevedesco: el del pobre hombre que tiene que fingirse moribundo para poder sobrevivir.

Se abre así —creo— un horizonte de ambigüedad que enriquece enormemente la figura de Bermejo, el moribundo resucitado: ¿quiere suicidarse o no? Que le guste la buena vida, ¿es indignante, como todos afirman, o es algo perfectamente natural, que todos compartimos?

Nos lleva eso a una ambigüedad sugerida de modo muy sutil: le gusta su mujer, joven, guapa, compasiva... ¿A quién no? Arniches, en cambio, dibuja al novio *oficial* como un personaje tonto, interesado, sin rasgos llamativos. ¿No es mucho más humano (y atractivo) el pícaro Bermejo, siempre *humillado y ofendido*?

Siente horror Carita ante el marido que el destino —y la codicia de su familia: no lo olvidemos— le han concedido. Eso, por lo menos, es lo que vemos en la escena. Por debajo de eso, ¿qué es lo que ella va sintiendo por él, conforme avanza la obra? Aunque ninguno lo confiese, ¿hasta dónde llega, en lo hondo, la relación entre los dos?

Son preguntas, sólo preguntas, que no contradicen la básica comicidad. Pero sí la enriquecen, me parece. ¿Hará falta recordar la gran lección de Chejov de que lo esencial no es lo que se dice sobre las tablas sino el subtexto?

Una hipótesis más: si Unamuno presenciara un montaje que subrayara esta línea, ¿no vería en él la confirmación de que la cercanía de la muerte añade sabor a la vida?

El final de la obra es *feliz*, aparentemente convencional: desaparece el *fresco* (no sabemos dónde irá a parar), alcanzan su amor los novios y toda la familia consigue —¡por fin!— el dinero de la apetecida herencia. Pero, por debajo del final rápido, cómico, con una lección moral, a cargo de Don Segundo, existe, implícita, una almendra amarga: a lo largo de la obra, el sinvergüenza ha ido convirtiéndose, quizá, en un personaje digno. ¿Hace falta recordar lo que antes dije del hermano de la señorita de Trevélez y el héroe tragicómico?

Por eso, se imponen —creo— algunas preguntas: ¿Es éste un final feliz o un final atroz? Los que han triunfado, ¿son de verdad los *buenos*? ¿Qué va a ser, en el futuro, del oficialmente *malo*? En su situación, ¿quién actuaría de modo distinto? Por eso, ¿quién se atreverá a condenarlo?

No creo haber desquiciado ni *trascendentalizado* abusivamente esta obra. Recordemos, una vez más, las sabias palabras de José Luis Alonso: «Lo más admirable de Arniches es que *está de vuelta*, se burla de todo, con una burla que nos deja en muchas ocasiones un regusto amargo»[76].

Permítaseme un juego final: imaginemos que este texto, sin cambiarle una coma, lo leyéramos creyendo que lo escribió Eduardo de Filippo, lo interpretó Totó y lo va a montar, con el Piccolo Teatro de Milán, Giorgio Strehler... En ese caso, ¿nos extrañaría sentir esa almendra amarga, por debajo de la carcajada?

No se trata, por supuesto, de que lo trágico sea superior a lo cómico, ni al revés, sino de algo muy sencillo: algunas obras de Carlos Arniches poseen —creo— una ambigüedad, una complejidad de relaciones entre los personajes, una sutileza de matices mucho mayor de lo que hasta ahora hemos apreciado, por culpa de los tópicos y los prejuicios.

Me gustaría que esta edición contribuyese, en alguna medida, a ver a Arniches a esta nueva luz: en la lectura y en las tablas.

---

[76] José Luis Alonso, *op. cit.* en nota 45.

Esta edición

Me baso en el texto de las primeras ediciones. Para *La señorita de Trevélez*, la de Madrid, Imprenta R. Velasco, 1916 (que ha editado también Manuel Seco). Para *¡Qué viene mi marido!*, la de Madrid, Sociedad de Artistas Españoles, Imprenta R. Velasco, 1918.

En ambos casos, he tenido en cuenta otras ediciones posteriores para incorporar alguna variante y corregir erratas.

Bibliografía

1. Ediciones de «La señorita de Trevélez»

Madrid, Imprenta R. Velasco, 1916.
Varias ediciones de la Sociedad de Artistas Españoles, sin año.
Madrid, col. La Novela Teatral, II, 21, 1917.
En *Teatro escogido,* vol. II, Madrid, Estampa, 1932.
En *Teatro Completo,* vol. II, Madrid, Aguilar, 1948.
Buenos Aires, Espasa-Calpe, Austral, 1954. (Hay varias ediciones posteriores).
Madrid, Taurus, 1967. (Con *La heroica villa* y *Los milagros del jornal.* Incluye textos de Pío Baroja, Pérez de Ayala, José Bergamín, Francisco García Pavón, José Monleón...)
Madrid, Salvat-Alianza, 1969. (Con *Es mi hombre,* prólogo de Enrique Llovet.)
Madrid, Espasa-Calpe, Austral, 1993. (Con *El amigo Melquiades,* edición y prólogo de Manuel Seco.)

2. Ediciones de «¡Que viene mi marido!»

Madrid, Sociedad de Artistas Españoles, Imprenta R. Velasco, 1918.
Madrid, La Novela Cómica, III, núm. 129, 1918.
Barcelona, Maucci, sin año.
Madrid, La Novela Teatral, VII, núm 302, 1922 y 1936.
Barcelona, ed. Cisne, Teatro Selecto, Biblioteca Joyas Literarias, núm. 17, 1936.
En *Teatro Completo,* vol. II, Madrid, Aguilar, 1948.
Barcelona, Biblioteca Teatral, núm. 146, 1951.

ALONSO, José Luis, *Teatro de cada día,* Madrid, Asociación de Directores de Escena de España, 1991.

AMORÓS, Andrés, *Vida y literatura en «Troteras y danzaderas»,* Madrid, Castalia, Literatura y Sociedad, 1973.

— *La zarzuela de cerca,* Madrid, Espasa-Calpe, Austral, 1987.

— «Muñoz Seca y el astrakán», en *Cuadernos de Música y Teatro,* Madrid, SGAE, núm. 1, 1987.

— *Caricaturas teatrales de Fresno (1907-1949),* Madrid, Ministerio de Cultura, INAEM, 1989.

— *Luces de candilejas. (Los espectáculos en España, 1898-1939),* Madrid, Espasa-Calpe, Austral, 1991.

ARAQUISTAIN, LUIS, *La batalla teatral,* Madrid, CIAP, 1930.

BARBERO, A., «El teatro español en la pantalla mundial», *Revista Internacional del Cine,* núm. 4, septiembre 1952.

BARDEM, Juan Antonio, *Calle Mayor,* Madrid, Alma Plot, 1993.

BERENGUER CARISOMO, Arturo, *El teatro de Carlos Arniches,* Buenos Aires, Gráfico Argentino, 1963.

BERGAMÍN, José, «Reencuentro con Arniches o el teatro de verdad», en Arniches: *Teatro,* Madrid, ed. Taurus, 1967. (Publicado con el título «Arniches o el teatro de verdad» en *Primer Acto,* Madrid, núm 40, febrero 1963).

— El Caballero Audaz: *Galería,* Madrid, ECA, 1943.

DÍAZ-PLAJA, Fernando, *Francófilos y germanófilos,* Barcelona, Dopesa, 1974.

DÍAZ-PLAJA, Guillermo, *Estructura y sentido del Novecentismo español,* Madrid, Alianza Editorial, Alianza Universidad, 1975.

DÍEZ CANEDO, Enrique, *El teatro español de 1914 a 1936, Artículos de crítico teatral,* México, Mortiz, 1968.

DOUGHERTY, Dru y LIMA, R., *Dos ensayos sobre teatro español de los 20,* Murcia, Universidad, 1984.

DOUGHERTY, Dru y VILCHES, Mª Francisca, *La escena madrileña entre 1918 y 1926. Análisis y documentación,* Madrid, Fundamentos, 1990.

DE LA FUENTE BALLESTEROS, Ricardo, *Introducción al teatro español del siglo XX (1900-1936),* Valladolid, Aceña, 1987.

GARCÍA PAVÓN, Francisco, «Arniches, autor casi comprometido», en Arniches: *Teatro,* Madrid, Taurus, 1967.

García Templado, José, *El teatro anterior a 1939,* Madrid, Cincel, 1980.

Guerrero Zamora, Juan, «Arniches en el espejo múltiple del grotesco», *Revista del Instituto de Estudios Alicantinos,* núm. 6, 1971.

Laín Entralgo, Pedro, *Más de cien españoles,* Barcelona, Planeta, 1981.

Lázaro Carreter, Fernando, «Arniches clásico», *Blanco y Negro,* Madrid, 3 de noviembre de 1991.

— «El conceptismo de Arniches», *Blanco y Negro,* Madrid, 10 de noviembre de 1991.

Lentzen, Manfred, *Carlos Arniches. Vom «género chico» zur «tragedia grotesca»,* París-Génova, Minard, Lib. Droz, 1966.

López Estrada, Francisco, «Notas del habla de Madrid. El lenguaje en una obra de Carlos Arniches», *Cuadernos de Literatura Contemporánea,* Madrid, núm. 9-10, 1943.

López Pinillos, José, *Cómo se conquista la notoriedad,* Madrid, Pueyo, 1920.

Llovet, Enrique, «Prólogo» a Arniches: *La señorita de Trevélez,* Madrid, Salvat-Alianza, 1969.

Mainer, José Carlos, *La Edad de Plata (1902-1939). Ensayo de interpretación de un proceso cultural,* Madrid, Cátedra, 1981.

Martínez, H., *El arte grotesco en las tragedias grotescas de Arniches y los esperpentos de Valle-Inclán,* Ann Arbor, UMI, 1984.

McKray, D. R., *Carlos Arniches,* Nueva York, Twayne, 1972.

Moncho Aguirre, J., *Cine y literatura. La adaptación literaria en el cine español,* Valencia, Consellería de Cultura, 1986.

Monleón, José, *El teatro del 98 frente a la sociedad española,* Madrid, Cátedra, 1975.

Montero Padilla, José, «Introducción» a Arniches, *Del Madrid castizo. Sainetes,* Madrid, Cátedra, Letras Hispánicas, 10.ª edición, 1992.

Nieva, Francisco, «Fondos y composiciones plásticas en Arniches», en Arniches, *Teatro,* Madrid, Taurus, 1967.

Oliva, César, *El teatro desde 1936,* Madrid, Alhambra, 1989.

Olmo, Lauro, «Unas palabras en homenaje a Carlos Arniches», en Arniches: *Teatro,* Madrid, Taurus, 1967.

Osuna, José, «Prólogo», en Arniches: *La venganza de la Petra,* Madrid, Vox, La Quincena Teatral, 1980.

Pastor Williams, J., «Conversación con don Carlos Arniches», *El Luchador,* Alicante, 8 de julio de 1935.

PÉREZ DE AYALA, Ramón, «La señorita de Trevélez», en *Las máscaras, Obras Completas,* III, Madrid, Aguilar, 1966.

PÉREZ PERUCHA, J., *El cinema de Edgar Neville,* Valladolid, Semana Internacional del Cine, 1982.

PRADO, ÁNGELES, *La literatura del casticismo,* Madrid, Moneda y Crédito, 1973.

RAMOS, Vicente, *Vida y teatro de Carlos Arniches,* Madrid, Alfaguara, 1966.

RÍOS CARRATALÁ, Juan A., *Carlos Arniches y el cine,* Alicante, Caja de Ahorros Provincial-Instituto Juan Gil Albert, 1986.

— *Arniches,* Alicante, Caja de Ahorros Provincial, El escritor alicantino y la crítica, 1990.

— *Estudios sobre Carlos Arniches,* Alicante, Instituto de Cultura Juan Gil Albert, 1994. Incluye trabajos de Andrés Amorós, Serge Salaün, M.ª Francisca Vilches de Frutos, Luis Iglesias Feijoo, Manfred Lentzen, Nancy J. Membrez, M.ª Victoria Sotomayor, José A. Pérez Bowie, Pilar Nieva de la Paz, Josep Lluis Sirera, Javier Huerta, Ricardo de la Fuente, Carlos Serrano, Mariano de Paco, Nel Diago, Juan A. Ríos y Juan de Mata Moncho.

RODRIGUEZ MÉNDEZ, José María, *Comentarios impertinentes sobre el teatro español,* Barcelona, Península, 1972.

ROMÁN CORTÉS, E., *Desde mi butaca. Crítica de los estrenos teatrales de 1917,* Madrid, Imprenta Artística Sáenz Hermanos, 1918.

ROMERO TOBAR, Leonardo, «La obra literaria de Arniches en el siglo XIX», *Segismundo,* Madrid, II, 2, 1966.

ROMO ARREGUI, J., «Carlos Arniches, bibliografía», *Cuadernos de Literatura Contemporánea,* Madrid, núm. 9-10, 1943.

RUIZ IRIARTE, Víctor, *Tres maestros: Arniches, Benavente y Valle-Inclán,* Madrid, Real Escuela Superior de Arte Dramático, 1965.

RUIZ LAGOS, Manuel, «Sobre Arniches: sus arquetipos y su esencia dramática», *Segismundo,* Madrid, II, 2, 1967.

RUIZ RAMÓN, Francisco, *Historia del teatro español. Siglo XX*, Madrid, Cátedra, 1975.

— *Estudios de teatro español clásico y contemporáneo,* Madrid, Fundación Juan March-Cátedra, 1978.

SALINAS, Pedro, «Del género chico a la tragedia grotesca. Carlos Arniches», en *Literatura Española siglo XX*, Madrid, Alianza Editorial, 7.ª, 1987.

SAN JOSÉ, Diego de, *Gente de ayer. (Retablillo literario de los comienzos de siglo)*, Madrid, Reus, 1952.
SECO, Manuel, *Arniches y el habla de Madrid*, Madrid, Alfaguara, 1970.
— «Introducción» a su edición de Arniches, *El amigo Melquiades. La señorita de Trevélez*, Madrid, Espasa-Calpe, Austral, 1993.
SENABRE, Ricardo, «Creación y deformación en la lengua de Arniches», *Segismundo*, Madrid, II, 2, 1966.
TORRENTE BALLESTER, Gonzalo, *Teatro español contemporáneo*, Madrid, Guadarrama, 2.ª, 1957.
URIARTE, Luis, *El retablo de Talía, 1.ª serie*, Madrid, Imprenta Española, 1918.
VALENCIA, Antonio, *El género chico. (Antología de textos completos)*, Madrid, Taurus, 1962.
VV. AA., *Carlos Arniches*, Alicante, Ayuntamiento, 1967. Incluye textos de Juan Emilio Aragonés, Vicente Ramos, José Monleón, Enrique Llovet y Gaspar Peral.
VV. AA., *Arniches y el teatro*, Catálogo de la Exposición celebrada en Alicante, Centro Cultural de la Generalidad Valenciana, 27 de marzo a 30 de abril de 1995.

La señorita de Trevélez

Farsa cómica en tres actos

Estrenada en el teatro Lara, de Madrid,
la noche del 14 de diciembre de 1916

PERSONAJES

FLORA DE TREVÉLEZ
MARUJA PELÁEZ
SOLEDAD
CONCHITA
DON GONZALO DE TREVÉLEZ
NUMERIANO GALÁN
MARCELINO CÓRCOLES
PICAVEA
TITO GUILOYA
TORRIJA
PEPE MANCHÓN
PEÑA
MENÉNDEZ
CRIADO
DON ARÍSTIDES
LACASA
QUIQUE
NOLO

La acción en una capital de provincia de tercer orden.
Época actual.
Derecha e izquierda, las del actor.

Acto primero

Sala de lectura de un Casino de provincias. En el centro, una mesa de forma oblonga, forrada de bayeta verde. Sobre ella periódicos diarios prendidos a sujetadores de madera con mango, y algunas revistas ilustradas españolas y extranjeras, metidas en carpetas de piel muy deterioradas, con cantoneras metálicas. Pendientes del techo, y dando sobre la mesa, lámparas con pantallas verdes. Junto a las paredes, divanes. Alrededor de la mesa, sillas de rejilla.

Al foro, dos balcones grandes, amplios; por cada uno de ellos se verá, toda entera, la ventana correspondiente de una casa vecina. Dichas ventanas tendrán vidrieras y persianas practicables. Las puertas de los balcones del Casino también lo son.

En la pared lateral derecha del gabinete de lectura, una puerta mampara con montante de cristales de colores.

En la pared izquierda, puertas en primero y segundo término, cubiertas con cortinas de peluche raído, del tono de los divanes. Todo el mobiliario, muy usado.

En el lateral derecha, en segundo término, una mesita pequeña con algunos periódicos que todavía conservan la faja, papel de escribir y sobres. Entre la mesa y la pared, una silla. En lugar adecuado, un reloj.

Es de día. Sobre la pared de la casa frontera da un sol espléndido.

ESCENA PRIMERA

MENÉNDEZ; *el* CRIADO *de enfrente.*
Luego, TITO GUILOYA. MANCHÓN *y* TORRIJA

(Al levantarse el telón, aparece MENÉNDEZ *con el uniforme de ordenanza del Casino y zapatillas de orillo, durmiendo, sentado detrás de la mesita de la derecha. Se escucha en la calle el pregón lejano de un vendedor ambulante, y más lejana aún, la música de un piano de la vecindad, en el que alguien ejecuta estudios primarios. Un* CRIADO, *en la casa de enfrente, limpia los cristales de la ventana de la derecha. La otra permanecerá cerrada. El* CRIADO, *subido a una silla y vistiendo delantal de trabajo, canturrea un aire popular mientras hace su faena. Por la puerta primera izquierda aparecen* TITO GUILOYA, MANCHÓN *y* TORRIJA. *El primero es un sujeto bastante feo, algo corcovado, de cara cínica, biliosa y atrabiliaria. Salen riendo.)*

MANCHÓN.—¡Eres inmenso!
TORRIJA.—¡Formidable!
MANCHÓN.—¡Colosal!
TORRIJA.—¡Estupendo!
TITO.—Chist... *(Imponiendo silencio.)* ¡Por Dios, callad! *(Señalándole y en voz baja. Andan de puntillas.)* Menéndez en el primer sueño.
TORRIJA.—¡Angelito!
MANCHÓN.—*(Riendo.)* ¿Queréis que le dispare un tiro en el oído para que se espabile?
TORRIJA.—¡Qué gracioso! Sí, anda, anda...
TITO.—*(Deteniendo a* MANCHÓN, *que va a hacerlo.)* Es una idea muy graciosa, pero para otro día. Hoy no conviene. Y como dice el poeta: ¡Callad, que no se despierte! Y ahora... *(Se acercan.)* Ved el reloj... *(Se lo señala.)*
TORRIJA.—Las once menos cuarto.
TITO.—Dentro de quince minutos...
MANCHÓN.—*(Riendo.)* ¡Ja, ja, no me lo digas, que estallo de risa!
TITO.—Dentro de quince minutos ocurrirá en esta destartalada habitación el más famoso y diabólico suceso que pudieron inventar imaginaciones humanas.
TORRIJA.—¡Ja, ja, ja!... ¡Va a ser terrible!

MANCHÓN.—¿De manera que todo lo has resuelto?

TITO.—Absolutamente todo. Los interesados están prevenidos, las cartas en su destino, las víctimas convencidas, nuestra retirada cubierta. No me quedó un cabo suelto.

TORRIJA.—¿De modo que tú crees que esta broma insigne, imaginada por ti...?

TITO.—Va a superar a cuantas hemos dado, y las hemos dado inauditas. Va a ser una broma tan estupenda que quedará en los anales de la ciudad como la burla más perversa de que haya memoria. Ya lo veréis.

TORRIJA.—Verdaderamente, a mí, a medida que se acerca la hora me va dando un poco de miedo.

MANCHÓN.—¡Ja, ja!... ¡Tú, temores pueriles!

TORRIJA.—¡Hombre, es una burla tan cruel!...

TITO.—¡Qué más da! La burla es conveniente siempre; sanea y purifica; castiga al necio, detiene al osado, asusta al ignorante y previene al discreto. Y sobre todo, cuando, como en esta ocasión, escoge sus víctimas entre la gente ridícula, la burla divierte y corrige.

MANCHÓN.—Eres un tipo digno de figurar entre los héroes de la literatura picaresca castellana.

TORRIJA.—¡Viva Tito Guiloya!

TITO.—Yo, no, compañeros... Sea toda la gloria para el *Guasa Club,* del que soy indigno presidente y vosotros dignísimos miembros.

MANCHÓN.—¡Silencio! *(Escucha.)* Alguien se acerca.

TORRIJA.—*(Que ha ido a la puerta derecha.)* ¡Don Marcelino..., es don Marcelino Córcoles!

TITO.—¡Ya van llegando! Ya van llegando nuestros hombres. Chist... Salgamos por la escalera de servicio.

MANCHÓN.—Vamos.

TITO.—Compañeros: Empieza la farsa. Jornada primera[1].

TODOS.—¡Ja, ja, ja!... *(Vanse de puntillas, riendo, por la segunda izquierda.)*

---

[1] Puede haber aquí un eco humorístico del comienzo del famoso prólogo de *Los intereses creados* (1907), de Benavente: «He aquí el tinglado de la antigua farsa...» (edición de F. J. Díaz de Castro, Madrid, Espasa-Calpe, col. Austral, 1990, pág. 69).

ESCENA II

MENÉNDEZ, *y* DON MARCELINO *por primera derecha.*

DON MARCELINO.—*(Entrando.)* Nadie. El salón de lectura, desierto, como siempre. Es el Sahara del Casino. Menéndez, dormido, como de costumbre; pues, ¡vive Dios!, que no veo señal de lo que en este anónimo y misterioso papel se me previene. Anoche lo recibí, y dice a la letra... *(Leyendo.)* «Querido Córcoles: Si quieres ser testigo de un ameno y divertido suceso, no faltes mañana, a las once menos cuarto, al salón de lectura del Casino. Llega y espera. No te impacientes. Los sucesos se desarrollarán con cierta lentitud, porque la broma es complicada. Salud y alegría para gozarla.—X.» ¿Qué será esto?... Lo ignoro; pero está la vida tan falta de amenidad en estos poblachos, que el más ligero vislumbre de distracción atrae como un imán poderoso. Esperaré leyendo. Veamos qué dice la noble prensa de la ilustre ciudad de Villanea[2]. *(Busca.)* Aquí están los periódicos locales, *El Baluarte, La Muralla, La Trinchera.* ¡Y todo esto para defender a un cacique!... *El Grito, La Voz, El Clamor, El Eco*[3]. Y estotro para

---

[2] Villa*m*ea es el nombre de dos municipios de las provincias de Lugo y Orense (además de otros, en Portugal). También existen Villameá*n*, en Pontevedra, y Villamean*a*, en Oviedo.

[3] Existió *El Baluarte de Sitges,* un semanario de la Lliga; convertido en diario en 1917, presta su título a *La Veu* de Cataluña. *La Voz,* «diario independiente de la noche», fue fundado por Urgoiti en 1920. Igual que *El Sol,* pretendía representar el periodismo «moderno» frente a la «prensa vieja» como *ABC* y otros. Hubo también otras *voces: La Voz del Campesino* (Jerez de la Frontera, 1916), con el mismo título (Valls, 1913), *La Voz de Guipúzcoa, La Voz de Galicia* (La Coruña, 1882), *La Voz de la Patria* (Barcelona, 1898), *La Voz del Trabajo* (Madrid, 1913), *La Voz de la Tradición* (Barcelona, 1911)... *El Eco del Pueblo* (Madrid y Oviedo, 1910) fue un órgano del sindicalismo católico. También existió *El Eco de Navarra,* en el que escribió el joven Manuel Aznar.

decir las cuatro necedades que se le ocurran al susodicho cacique... *(Deja los periódicos con desprecio.)* ¡Bah! Me entretendré con las ilustraciones[4] extranjeras. *(Coge una y lee.)* U, u, u, u, u... (DON MARCELINO *al leer produce un monótono ronroneo que crece y apiana alternativamente y que no tiene nada que envidiar al zumbido de cualquier moscón.* MENÉNDEZ *sacude el aire con la mano como espantándose una mosca. Las primeras veces* DON MARCELINO *no lo advierte y sigue con su ronroneo. Al fin observa el error de* MENÉNDEZ.) ¿Qué hace ése?... *(Llamándole.)* Menéndez... *(Más fuerte.)* ¡Menéndez!

MENÉNDEZ.—*(Despertando.)* ¿Eeeh?

DON MARCELINO.—No sacudas, que no te pico.

MENÉNDEZ.—¡Caramba, señor Córcoles! Hubiera jurado que era un moscón. *(Se despereza.)*.

DON MARCELINO.—Pues soy yo. Dispensa.

MENÉNDEZ.—Deje usted; es igual.

DON MARCELINO.—Tantísimas gracias.

MENÉNDEZ.—Pero ¿cómo tan de mañana? ¿Es que no ha tenido usté clase en el *Estituto*?

DON MARCELINO.—Que los chicos no han querido entrar hoy tampoco.

MENÉNDEZ.—¿Pues?...

DON MARCELINO.—Es el cumpleaños del Gobernador Civil.

MENÉNDEZ.—¡Hombre! ¿Y cuántos cumple?

DON MARCELINO.—El año pasado cumplió cincuenta y cuatro; este año no sé, porque es una cuenta que le gusta llevarla a él solo. ¿Ha venido el correo de Madrid?

MENÉNDEZ.—Abajo estará.

---

[4] *Ilustraciones:* cuando Arniches escribe esta obra, se está produciendo el gran auge de las revistas gráficas: «En los años que antecedieron y siguieron a la primera guerra mundial de 1914 habría que situar, probablemente, la etapa más brillante del periodismo gráfico español. Por entonces se hallaban en pleno auge dos grandes revistas semanales, de bien fundamentado arraigo popular: *Blanco y Negro,* fundada en 1891 por Torcuato Luca de Tena, y *Nuevo Mundo,* que lo había sido por José del Perojo en 1894 (...) Aún conservaba el prestigio de una lozana veteranía *La Ilustración Española y Americana* y estaban en la sazón del éxito otras dos publicaciones diferentes a las tres anteriores: *Alrededor del Mundo* y *Por esos Mundos»* [Pedro Gómez Aparicio, *Historia del periodismo español. (De las guerras coloniales a la Dictadura),* Madrid, Ed. Nacional, 1974, pág. 542].

DON MARCELINO.—Pues anda a subirlo, hombre.
MENÉNDEZ.—Es que, como a mí no me gusta moverme de mi obligación...
DON MARCELINO.—No, y que además tú, cuando te agarras a la obligación no te despierta un tiro.
MENÉNDEZ.—*(Haciendo mutis.)* ¡Qué don Marcelino, pero cuidao que es usté *muerdaz!*[5]. *(Vase segunda izquierda.)*

ESCENA III

DON MARCELINO. *Luego,* PICAVEA, *puerta derecha.*

DON MARCELINO.—Bueno, y cualquiera que me vea a mí con este periódico en la mano cree que yo sé alemán; pues no, señor. Es que me entretengo en contar las *pes,* las *cus* y las *kas* que hay en cada columna. ¡Un diluvio! ¡Qué gana de complicar! ¡Para qué tantas consonantes, señor! Es como añadirle espinas a un pescado. *(Entra* PABLITO PICAVEA, *mozo vano y elegante, con una elegancia un poco provinciana. Entra anheloso, impaciente. Es sujeto rápido de expresión y de movimientos.)*
PICAVEA.—Buenos días, don Marcelino. *(Deja el bastón y el sombrero, mira por el balcón de la izquierda, consulta su reloj, lo confronta con el del salón y empieza a revolver entre los periódicos.)*
DON MARCELINO.—Hola, Pablito. ¡Qué raro!... ¡Tú por el gabinete de lectura!
PICAVEA.—Que no tengo más remedio.
DON MARCELINO.—Ya decía yo.
PICAVEA.—*(Rebuscando entre los periódicos.)* ¿Está *El Baluarte?*[6].
DON MARCELINO.—Sí, aquí lo tienes. *(Se lo da, cada vez más asombrado.)* ¡Pero tú leyendo un periódico! ¡No salgo de mi asombro!

---

[5] *muerdaz:* diptonga *mordaz* por influencia de *muerde.*
[6] Entre los varios citados anteriormente, elige este periódico para jugar con su título. Lo mismo hará luego con *El Eco* y *La Voz.*

PICAVEA.—Que no tengo más remedio. Quiero enterarme de una cosa.

DON MARCELINO.—¿Ciencias, política, literatura?

PICAVEA.—¡Ca, hombre! ¡Que quiero enterarme de una cosa que va a pasar en la casa de enfrente; y para ello cojo el periódico; ¿entiende usted? Le hago un agujero como la muestra *(se lo hace)* y por él, sentado estratégicamente, averiguo cuándo se asoma Solita, la doncella de los Trevélez. *(Hace cuanto dice colocándose frente a la ventana de la derecha y mirando a ella por el roto del periódico.)*

DON MARCELINO.—¡Ah, granuja! ¡Conque Solita! ¡Buen bocadito!

PICAVEA.—Eso no es un bocadito, don Marcelino; eso es un banquete de cincuenta cubiertos.

DON MARCELINO.—Con brindis y todo... Pero lo que no me explico es lo del agujero que haces en el diario...

PICAVEA.—Muy sencillo. Como Solita tiene relaciones con el criado de la casa, que es un animal con un carácter que se pega con su sombra, yo vengo, agujereo la sección de espectáculos, y a la par que atisbo, evito el peligro de una sorpresa y la probabilidad de un puñetazo, ¿usted me comprende?

DON MARCELINO.—¡Ah, libertino!

PICAVEA.—¡Si viera usted los *Baluartes* que llevo agujereados!

DON MARCELINO.—Eres un mortero del cuarenta y dos.

PICAVEA.—Calle usté... ¡Ella!... La absorbo como una vorágine, don Marcelino. ¡Verá usté qué demencia!

DON MARCELINO.—Yo os observaré desde aquí. *(Coge un periódico.)* Me conformaré con *El Eco.*

PICAVEA.—No, que es muy pequeño, coja usted *La Voz.*

DON MARCELINO.—Cogeré *La Voz. (Coge el periódico «La Voz». Mete los dedos, arranca un trozo de papel, hace un agujero y mira.)*

ESCENA IV

DICHOS, *y* SOLEDAD, *por ventana derecha.*

(Con unos vestidos y una mano de mimbre se asoma a la ventana y comienza a sacudir, cantando el couplet[7] *de «Ladrón..., ladrón...»*[8].)

PICAVEA.—*(Por encima de «El Baluarte».)* ¡Chits..., Solita!
SOLEDAD.—*(Dejando de sacudir y cantar.)* ¡Hola, don Pablito, usted!
PICAVEA.—Perdona que te hable por encima[9] de *El Baluarte...,* pero hasta vista así, por encima, me gustas...
SOLEDAD.—Que me mira usted con buenos ojos...
PICAVEA.—Gracias. Oye, eso que cantabas de ladrón..., ladrón, digo yo que no sería por mí, ¿eh?
SOLEDAD.—Quia. Usted no le quita nada a nadie...
PICAVEA.—Eso de que no le quito nada a nadie, es mucho decir.
SOLEDAD.—Digo en metálico.
PICAVEA.—En metálico, no te quitaré nada, pero en ropas y efectos no te descuides. *(Ríen.)*

---

[7] «La ortografía couplet se mantiene en España durante todo el primer cuarto de siglo, hasta su definitiva hispanización» (Serge Salaün, *El cuplé [1900-1936],* Madrid, Espasa-Calpe, col. Austral, 1990, pág. 15). Recuérdese el famoso poema de Manuel Machado: «El couplet... pues yo no sé / ni nadie tal vez sabrá / lo que es el couplet. ¿Será / alguna cosa el couplet?»

[8] *Ladrón:* letra y música de Juan Martínez Abades, fue una creación de la madrileña Adelita Lulú, que en la segunda década del siglo fue estrella en Apolo y en las «soirées fémina» de la Zarzuela. La primera estrofa de este cuplé dice así: «A todos contando vas / que yo estoy chalá por ti / y todos saben que estás / viviendo a costa de mí. / Si un duro puedes gastar / es porque te lo doy yo / y aún me llevas a empeñar / cuanto me pillas, gachó». El estribillo decía: «¡Ladrón!... ¡Ladrón! / No mereces otro nombre. / ¡Ladrón!... ¡Ladrón! / ¿Dónde empeñaste, mal hombre, / los pendientes y el mantón?» (*Vid.* Álvaro Retana, *Historia de la canción frívola,* Madrid, Tesoro, 1967, pág. 156).

[9] Juega con las dos acepciones: la segunda vez, *por encima* significa «superficialmente».

SOLEDAD.—¿Y qué, leyendo la sección de *espetáculos*?[10].
PICAVEA.—Sí, aquí echando una miradita a los teatros.
SOLEDAD.—¿Y qué hacen esta noche en el Principal?
PICAVEA.—*(Con gran malicia.)* En el principal no sé lo que hacen. En el segundo izquierda sé lo que harían.
DON MARCELINO.—(¡Muy bueno, muy bueno!)
SOLEDAD.—¿Y qué harían, vamos a ver?
PICAVEA.—«Locura de amor»[11].
SOLEDAD.—¿Y eso es de risa?
PICAVEA.—Según como se tome. A la larga, casi siempre. Y oye, Solita, ¿vendrías tú conmigo al teatro una noche?
SOLEDAD.—De buena gana, pero donde usté va no podemos ir los pobres, don Pablito.
PICAVEA.—Es que yo, por acompañarte, soy capaz de ir contigo al gallinero.
SOLEDAD.—¡Ay, quite usted, por Dios!... Una criada en el gallinero y con un pollo[12]..., creerían que lo iba a matar...
DON MARCELINO.—*(Riendo.)* (¡Muy salada, muy salada!)
SOLEDAD.—(*Por* DON MARCELINO.) ¡Ay!, pero ¿qué voz es esa?
DON MARCELINO.—*(Asomando por encima del periódico.) La Voz de la Región...*, una cosa de Lerroux[13], pero no te asustes...
PICAVEA.—Oye, Solita...
SOLEDAD.—Mande...
PICAVEA.—No dejes de salir esta tarde, que tengo gana de estrenar dos piropos que se me han ocurrido.
SOLEDAD.—¡Ay, sí!... A ver, adelantánteme usté uno al menos.

---

[10] *Espetáculos:* Arniches simplifica el grupo culto, igual que antes en *Estituto* (también con disimilación de la vocal átona inicial) y luego en *letorcitos.*

[11] *Locura de amor* es el título de la célebre obra (1855) de Tamayo y Baus, convertida, en la posguerra, en película de Cifesa, con la estrella Aurora Bautista. En los años de *La señorita de Trevélez* la seguía representando, entre otros, la compañía de María Guerrero y Fernando Díaz de Mendoza.

[12] *Pollo* suele ser irónico; reforzado, *pollo pera,* «joven afectadamente elegante».

[13] Alejandro Lerroux (1864-1949) es el político español que pasó de la demagogia populista al Partido Radical-Socialista. Entre 1933 y 1935 fue más de una vez Presidente del Gobierno, acentuando su derechismo. Al estallar la guerra civil huyó a Portugal y regresó a España en 1947.

PICAVEA.—Verás. *(Se asoma y habla en voz baja.)*

SOLEDAD.—*(Riendo.)* ¡Ja, ja, ja!... *(Sale el* CRIADO *y furioso y violento coge a* SOLEDAD *de un brazo.)*

CRIADO.—¡Maldita sea!... Adentro.

SOLEDAD.—¡Ay, hijo... ¡Jesús!

PICAVEA.—*(Cubriéndose con «El Baluarte».)* ¡Atiza!

DON MARCELINO.—*(Idem con «La Voz».)* ¡El novio!

CRIADO.—¡Hale pa dentro!

SOLEDAD.—¡Pues, hijo, qué modales!

CRIADO.—Y más valía que en vez de estar de palique con los sucios del casino...

DON MARCELINO.—*(Detrás de «La Voz».)* Socios.

CRIADO.—*Sucios...* Te estuvieras en tu obligación. Pa adentro.

SOLEDAD.—¡Pero, hijo, Jesús, si estaba sacudiendo!

CRIADO.—Ya sacudiré yo, ya... ¡Y menudo que voy a sacudir!

DON MARCELINO.—¡Qué bruto!

PICAVEA.—*(Sujetándole el periódico.)* No levante usted *La Voz,* que le va a ver por debajo.

CRIADO.—Y en cuanto yo consiga verle la jeta a uno de esos *letorcitos,* va a ir pa la Casa de Socorro, pero que deletreando. ¡Ay, cómo voy a sacudir! ¡A cuatro manos! *(El* CRIADO *cierra los cristales. Se les ve discutir acaloradamente. Él dirige miradas y gestos amenazadores al Casino. Al fin hace una mueca de ira y cierra maderas y todo.)*

DON MARCELINO.—¡Qué hombre más bestia!

PICAVEA.—Habrá usted comprendido la utilidad de *El Baluarte.*

DON MARCELINO.—Como que a mí me ha dado un susto que he perdido *La Voz.*

ESCENA V

DON MARCELINO *y* PABLITO PICAVEA.

PICAVEA.—Bueno, pero al mismo tiempo habrá usted comprendido también que a ese monumento de criatura le he puesto verja.

DON MARCELINO.—¿Cómo verja?

PICAVEA.—Que esa chiquilla es de mi absoluta pertenencia, vamos.

DON MARCELINO.—*(Sonriendo irónicamente.)* Hombre, Pablito, no quisiera quitarte las ilusiones, pero tampoco quiero que vivas engañado.

PICAVEA.—¿Yo engañado?

DON MARCELINO.—Las mismas coqueterías que ha hecho Solita contigo, se las vi hacer ayer tarde con el más terrible de tus rivales; con Numeriano Galán, para que lo sepas.

PICAVEA.—¡Con Numeriano Galán!... ¡Ja, ja, ja! ¡Ella con Galán! ¡Ja, ja, ja! *(Ríe a todo reír.)* ¡Galán con... ja, ja, ja!

DON MARCELINO.—Pero ¿de qué te ríes?

PICAVEA.—*(Con misterio. Cambiando su actitud jovial por una expresión de gran seriedad.)* Venga usted acá, don Marcelino. *(Le coge de la mano.)*

DON MARCELINO.—*(Intrigado.)* ¿Qué pasa?

PICAVEA.—Que esa mujer no puede ser de nadie más que mía. Óigalo usted bien, ¡mía!

DON MARCELINO.—¡Caramba!

PICAVEA.—Es un acuerdo de Junta General.

DON MARCELINO.—¿Cómo de Junta General?... No comprendo...

PICAVEA.—Va usted a comprenderlo enseguida. ¿No nos oirá nadie?

DON MARCELINO.—Creo que no.

PICAVEA.—Usted sabe, don Marcelino, que yo pertenezco al *Guasa Club,* misterioso y secreto Katipunán[14] formado por toda la gente joven y bullanguera del Casino, para auxiliarnos en nuestras aventuras galantes, para fomentar francachelas y jolgorios y para organizar bromas, chirigotas y tomaduras de pelo de todas clases. Como nos hemos constituido imitando esas sociedades secretas de películas, nos reunimos con antifaz y nos escribimos con signos.

---

[14] Anota Manuel Seco: «*Katipunán,* durante las postrimerías de la dominación española en Filipinas, era el consejo supremo de los conspiradores tagalos para la independencia de las islas» (en su edición, pág. 124).

DON MARCELINO.—Sí, alguna noticia tenía yo de esas bromas, pero, vamos...

PICAVEA.—Pues bien, a Numeriano Galán y a mí nos gustó Solita a un tiempo mismo y empezamos a hacerla el amor[15] los dos. Yo, como él no es socio del *Guasa Club*, denuncié al tribunal secreto su rivalidad para que me lo quitaran de en medio, y a la noche siguiente Galán encontró clavada con un espetón de ensartar riñones[16], en la cabecera de su cama, una orden para que renunciara a esa mujer; no hizo caso y se burló de la amenaza, y en consecuencia ha sido condenado a una broma tan tremenda que, si nos sale bien, no sólo abandonará a Solita, dejándome el campo libre, sino que tendrá que huir de la ciudad renunciando hasta a su destino de oficial de Correos; no le digo a usted más.

DON MARCELINO.—¡Demontre! ¿Y qué broma es esa?

PICAVEA.—No puedo decirla, pero dentro de unos instantes y en esta misma habitación, verá usted a Galán debatirse lloroso, angustiado e indefenso en la tela de araña que le ha tejido el *Guasa Club*, y lo comprenderá usted todo.

DON MARCELINO.—Os tengo miedo. Recuerdo la broma que le disteis al pintor Carrasco el mes pasado, y se me ponen los pelos de punta.

PICAVEA.—Aquello no fue nada; que le hicimos creer que su marina titulada «Ola, ola»... había sido premiada con segunda medalla en la Exposición de Pinturas.

DON MARCELINO.—¡Una friolera!... Y el pobre hombre asistió tan satisfecho al banquete que le disteis para festejar su triunfo. ¡Sois tremendos!

PICAVEA.—¡Damos cada broma!... ¡Ja, ja, ja!... *(Empieza a tocar en la calle un cuarteto de músicos ambulantes la despedida del bajo de «El Barbero de Sevilla», que canta un individuo*

---

[15] «*Hacer el amor* no tenía el significado fisiológico que hoy tiene: no admitía la preposición *con*, se construía con *a*, y suponía el arte de halagar a la pretendida, intentando ganar su afecto e ilusionarla...» (Rafael Lapesa, «La lengua», en *La edad de plata de la cultura española*, tomo XXXIX de la *Historia de España Menéndez Pidal*, Madrid, Espasa-Calpe, 1994, pág. 34.)

[16] La conjura, inspirada en una película de misterio, se degrada por el instrumento elegido: un hierro o caña para asar.

con muy mala voz y peor entonación.) ¡Hombre, a propósito!

DON MARCELINO.—¿Qué pasa?

PICAVEA.—¿Oye usted eso?... ¿Oye usted esa música?... Otra broma nuestra.

DON MARCELINO.—¿También esa música?

PICAVEA.—También. Esa música está dedicada a don Gonzalo de Trevélez, nuestro vecino. Es la hora en que se afeita, y como se afeita solo, hemos gratificado a un cuarteto ambulante para que todos los días, a estas horas, vengan a tocarle una cosa que le recuerde al barbero[17].

DON MARCELINO.—¡Hombre, qué mala intención!

PICAVEA.—Verá usted cómo se asoma indignado.

DON MARCELINO.—Ya está ahí.

PICAVEA.—*(Riendo.)* Ja, ja, ja... ¡No lo dije!... ¡Y a medio afeitar!... ¡Verá usted, verá usted!

ESCENA VI

DICHOS *y* DON GONZALO. *Luego,* MENÉNDEZ.

DON GONZALO.—*(Que se asoma por la ventana de la izquierda de la casa vecina. Aparece despeinado, con un peinador puesto, media cara llena de jabón y una navaja en la mano.)* ¡Pero hoy también el *Barbero!...* ¡Caramba, qué latita! ¡Quince días con lo mismo, y a la hora de afeitarme! Esto parece una burla. *(Mirando a la calle y en voz alta.)* Chist..., ejecutantes. *(Más alto.)* Ejecutantes...[18]. Tengan la bondad de evadirse[19] y continuar el concierto extramuros... ¿Qué?... ¿Que si no me gusta la voz del bajo? No, señor. Eso no es voz de bajo; ¡es voz de enano, todo lo más! *(Como siguiendo la conversación con alguien de abajo.)* Y como me estoy afeitando y desentona de una forma que me crispa,

---

[17] Puede aludir a tacañería de Don Gonzalo, que se afeita solo por no pagar a un barbero, como entonces era frecuente.

[18] Doble sentido de *ejecutantes:* al ejecutar la música, la asesinan.

[19] *Evadirse:* cultismo redicho por «marcharse, largarse».

me he dado un tajo que se me ven las muelas... ¿Cómo?... ¿Que si las postizas?... ¡Hombre, si no hubiera señoritas en los balcones, ya le diría yo a usted!... Pero ahora le bajará un criado el adjetivo que merece esa estupidez, para que se lo repartan entre los cinco del cuarteto. ¡So sinvergüenzas!... ¡No, señor, no echo de menos al barbero!... Vayan muy enhoramala, rasca-intestinos![20].

DON MARCELINO.—No les hagas caso, Gonzalo.

PICAVEA.—Desprécielos usted, don Gonzalo.

MENÉNDEZ.—*(Que se ha asomado también.)* Ya se van.

DON MARCELINO.—Y no es el cuarteto de ciegos[21].

DON GONZALO.—¡No, es un cuarteto de cojos!... Unos cojos que se atreven con todo. Ayer ejecutaron un andante de Mendelsson. ¡Figúrate cómo les saldría el andante!

DON MARCELINO.—¡Despréciales!

DON GONZALO.—*(Gesto de desprecio.)* ¡Aaaah!... (DON MARCELINO *y* PABLITO *entran del balcón.* PABLITO, *dando suelta a una risa contenida, habla en voz baja con* DON MARCELINO.)

DON GONZALO.—*(A* MENÉNDEZ *y en tono confidencial.)* Chist... Menéndez.

MENÉNDEZ.—Mande usted, don Gonzalo.

DON GONZALO.—¿He tenido cartas?

MENÉNDEZ.—Cinco.

DON GONZALO.—Masculino o... *(Gesto picaresco.)*

MENÉNDEZ.—Tres masculinas y dos o... *(Imita el gesto.)* Una de ellas perfumada.

DON GONZALO.—¿A qué huele?

MENÉNDEZ.—A heno[22].

---

[20] *Rasca-intestinos:* variante de *rasca-tripas,* «malos músicos».

[21] Eran frecuentes, en la época, los mendigos que tocaban algún instrumento; muchas veces, ciegos o inválidos. Recuérdese un testimonio, sólo un año posterior a esta obra: «El negro Fidel con sus rifas. El del clarinete y el violín. El de la ocarina» (A. Velasco Zazo, *El Madrid de Alfonso XIII,* Madrid, 1917, pág. 127).

[22] Recuérdese la broma de Muñoz Seca en *La venganza de Don Mendo:* «Para lavar el baldón, / la mancha que nos agravia, / Conde Nuño, henos de Pravia» (edición de Salvador García Castañeda, Madrid, Cátedra, Letras Hispánicas, 1988, pág. 127). Aquí puede tener un doble sentido: la carta huele a jabón perfumado... o, simplemente, a cuadra.

DON GONZALO.—Ya sé de quién es. No me la extravíes, que me matas. ¿Y la otra?
MENÉNDEZ.—Tiene letra picuda.
DON GONZALO.—De la de Avecilla.
MENÉNDEZ.—Viene dirigida al señor Presidente del Real Aero-Club de Villanea.
DON GONZALO.—Sí, sí..., ya sé... Ésa puedes extraviármela si te place. Es pidiéndome un donativo para un ropero. El ropero de San Sebastián. ¡Figúrate tú, San Sebastián con ropero![23]. ¡Nada, es la monomanía actual de las señoras! Empeñadas en hacer mucha ropa a los pobres, y ellas cada vez con menos.
MENÉNDEZ.—Que no quieren *pedricar* con el ejemplo.
DON GONZALO.—Se dice predicar, querido Menéndez; de hablar bien a hablar mal hay gran *diferiencia.* Hasta luego. *(Entra y cierra la ventana.)*
MENÉNDEZ. Adiós, don Gonzalo. Otro *muerdaz. (Vase izquierda.)*

ESCENA VII

DON MARCELINO *y* PABLITO PICAVEA

(Reanudan su conversación en voz alta.)

DON MARCELINO.—Vamos, no seas terco.
PICAVEA.—Nada, que no insista usted. No despego mis labios.
DON MARCELINO.—Anda, dime. ¿Qué broma es la que preparáis a Galán? Que tengo impaciencia...
PICAVEA.—¿No dice usted que ha sido invitado misteriosamente a presenciarla?... Pues un poco de calma... *(atendiendo),* que poca será..., porque, si no me equivoco... *(Va a mirar hacia la derecha.)* Sí... ¡Él es!... ¡Galán!...
DON MARCELINO.—¿Galán?...

---

[23] En la iconografía habitual, San Sebastián es martirizado casi desnudo.

PICAVEA.—Ya está aquí la víctima. Aquí la tenemos. Va usted a satisfacer su curiosidad. ¡Pobre Galán, ja, ja!

DON MARCELINO.—Pero...

PICAVEA.—¡Dejémosle solo!... ¡Ay de él!... ¡Ay de él!... Por aquí. Pronto. *(Vase primera izquierda.)*

ESCENA VIII

NUMERIANO GALÁN *y* MENÉNDEZ

NUMERIANO.—*(Sale por la derecha. Entra y mira a un lado y a otro.)* Personne..., que dicen los franceses cuando no hay ninguna persona. Faltan tres minutos para la hora: ¡hora suprema y deliciosa![24]. La ventana frontera, cerrada todavía. Me alegro. Colocaré las puertas de los balcones en forma propicia para la observación. *(Las entorna.)* ¡Ajajá! Y ahora a esperar a mi víctima, como espera el tigre a la cordera: cauteloso, agazapado y voraz. ¡Manes de don Juan, acorredme![25]. *(Pausa.)*

MENÉNDEZ.—*(Por segunda izquierda.)* ¡Caray! *(Andando a tientas.)* Pero ¿quién ha cerrao?

NUMERIANO.—Chist, por Dios, querido Menéndez... *(deteniéndole),* que es un plan estratégico. No me abras el balcón, que me lo fraguas.

MENÉNDEZ.—Pero, don Numeriano, ¿y no se puede saber por qué ha entornado usted?

NUMERIANO.—¿Que por qué he entornado?... ¡Ah, plácido y patriarcal Menéndez!... Tú sí, tú puedes saberlo. Ven, que voy a abrir mi pecho a tu cariñosa amistad.

MENÉNDEZ.—Abra usted.

NUMERIANO.—Menéndez, yo te debo a ti...

MENÉNDEZ.—Trescientas cuarenta y cinco pesetas de bocadillos.

NUMERIANO.—Y un cariño muy grande, porque si no me

---

[24] Parodia de la retórica de algunos poemas pos-románticos.

[25] Considerándose discípulo del Tenorio, Galán adopta un lenguaje retórico.

quisieras, ¿cómo me ibas a haber dado tantos bocadillos?...

MENÉNDEZ.—Que le tengo a usted ley[26].

NUMERIANO.—Pues por eso, como sé que me quieres... y que te alegras de mis triunfos amorosos...

MENÉNDEZ.—Por de contado...

NUMERIANO.—Voy a hacerte una revelación sensacional.

MENÉNDEZ.—¡Carape!

NUMERIANO.—Sensacionalísima.

MENÉNDEZ.—¿Ha caído la viuda?

NUMERIANO.—Ha tropezado nada más, pero no es eso. Atiende. Muchos días, efusivo Menéndez, ¿no te ha chocado a ti verme entrar a deshora en este salón de lectura?

MENÉNDEZ.—Mucho, sí, señor.

NUMERIANO.—Pues bien, al entrar yo en el salón de lectura, ¿tú no leías nada en mis ojos?

MENÉNDEZ.—No señor; yo casi nunca leo nada.

NUMERIANO.—Pero ¿no te chocaba verme huraño, triste y solo, metido en ese rincón?

MENÉNDEZ.—Sí, señor; pero yo decía: será que le gusta la soledad.

NUMERIANO.—Y eso era, perspicaz Menéndez, que me gusta la Soledad...[27]; pero no la de aquí, sino la de ahí enfrente.

MENÉNDEZ.—¡La doncellita de los Trevélez!...

NUMERIANO.—La misma que viste y calza... de una manera que conmociona.

MENÉNDEZ.—Entonces, ahora me explico por qué teniendo usté tanta ilustración aquí dentro...

NUMERIANO.—No hacía más que tonterías ahí fuera.... como señas, sonrisitas, juegos de fisonomía... ¿Lo comprendes ahora?

MENÉNDEZ.—¡Ya lo creo!... ¡Menudo pimpollo[28] está la niña!

---

[26] *Ley:* «cariño». Así aparece, por ejemplo, en Galdós *(Fortunata y Jacinta)* y en Pérez de Ayala *(Tigre Juan).*

[27] El empleo de nombres significativos es uno de los procedimientos humorísticos habituales de Arniches.

[28] *Pimpollo,* frecuente en Arniches, es un piropo que alude a la juventud de la persona designada.

NUMERIANO.—¡Qué Soledad más apetecible! ¿Verdad, Menéndez?

MENÉNDEZ.—Es una Soledad pa no juntarse con nadie, don Numeriano.

NUMERIANO.—Para no juntarse con nadie más que con ella.

MENÉNDEZ.—Natural.

NUMERIANO.—A mí, Menéndez, esa chiquilla me inspira un sentimiento de deseo, un sentimiento de pasión, un sentimiento de...

MENÉNDEZ.—*(Dándole la mano.)* Acompaño a usted en el sentimiento.

NUMERIANO.—Muchas gracias, incondicional Menéndez. Pues bien, por conseguir los favores de esa monada, andábamos a la greña Pablito Picavea y yo.

MENÉNDEZ.—¿Y qué?

NUMERIANO.—Que lo he arrollado... ¡Que esa bizcotela[29] ya es mía!

MENÉNDEZ.—Arrea.

NUMERIANO.—Aquí tengo los títulos de propiedad. *(Saca una carta.)* Atiende y deduce... Por la tarde la[30] pedí relaciones y por la noche me trajo el cartero del interior esta expresiva y seductora cartita. Juzga. «Señorito Numeriano: De palabra no me he atrevido esta tarde a darle una contestación aparente porque no me dejó el reparo.» ¡El reparo!..., ¡qué monísima!... «Pero si usted quiere que le diga lo que sea, estése mañana a las once en el salón de lectura del Casino, y si tiene valor una servidora, se asomará y se lo dirá; aunque sé que es usted muy mal portao[31] con las mujeres...» ¡Mal portao!... ¡Me ha cogido el flaco![32].

MENÉNDEZ.—¡La fama que *vola!*[33].

---

[29] *Bizcotela:* «bizcocho ligero» (otro piropo cursi).

[30] El laísmo es habitual en el habla popular madrileña y en Arniches. (Ya no lo volveré a señalar).

[31] *Bien portado:* «elegante, guapo». Aquí la frase significa: «se porta muy mal».

[32] *Flaco:* «debilidad, predilección». Igual que *punto flaco.*

[33] *Vola:* puede ser fonética popular, sin diptongo, pero también un deseo de Menéndez de ponerse al nivel culto de Numeriano.

NUMERIANO.—*(Sigue leyendo.)* «No falte. Saldré a sacudir... No vuelva...» *(Vuelve la hoja.)* «No vuelva a asomarse hasta mañana, porque mi señorita está escamada. Sulla. Ese.» ¡Sulla! *(Guardándose la carta.)* ¡Ah, estupefacto Menéndez, este *sulla* no lo cambio yo por una dolora de Campoamor, porque estas cuatro letras quieren decir que esa fruta sazonada y exquisita ha caído en mi implacable banasta.

MENÉNDEZ.—¡Pero qué suerte tiene usté!

NUMERIANO.—*(Por sus ojos.)* ¡Le llamas suerte a estas dos ametralladoras!

MENÉNDEZ.—¡Hombre!

NUMERIANO.—Lo que hay es que tengo una mirada que es para sacar patente. La fijo cuarenta segundos en un puro y lo enciendo. No te digo más. Y hay días que los enciendo de reojo.

MENÉNDEZ.—De modo que viene usted a la cita.

NUMERIANO.—Di más bien que a la toma de posesión.

MENÉNDEZ.—Poquito que va a rabiar el señor Picavea.

NUMERIANO.—El señor Picavea y todos esos imbéciles del Guasa Club, que hasta me amenazaron con no sé qué venganzas si no abandonaba mi conquista... ¡Abandonarla yo!... Cuando es ella la que... ¡ja, ja, ja!

MENÉNDEZ.—¿Y a qué hora es la cita?

NUMERIANO.—¿No lo has oído? A las once. Faltan sólo unos segundos.

MENÉNDEZ.—Pues miremos a ver... *(Dan las once en el reloj.)*

NUMERIANO.—¡Ya dan!... ¡Estoy emocionado!... *(A* MENÉNDEZ, *que mira.)* ¿Ves algo?

MENÉNDEZ.—No..., aún nada... ¡Pero calle!... Sí..., los visillos se menean.

NUMERIANO.—*(Mira.)* Es verdad, algo se mueve detrás.

MENÉNDEZ.—¿Será ella?...

NUMERIANO.—Sí, ella, ella es, veo su silueta hermosísima. Aparta, Menéndez. *(Se retoca y acicala.)*

MENÉNDEZ.—Salga usted.

NUMERIANO.—Sí, voy a salir; porque hasta que no me vea no se asoma.

MENÉNDEZ.—Ya va a abrir, ya va a abrir...

NUMERIANO.—Ahora verás aparecer su juvenil y linda carita..., ahora verás cómo fulgen sus ojos africanos[34]. ¡Fíjate!... *(Sale.)* ¡Ejem, ejem!... *(Tose delicadamente. Se abre la ventana poco a poco, y asoma entre las persianas la cara ridícula, pintarrajeada y sonriente de la* SEÑORITA DE TREVÉLEZ.)

ESCENA IX

DICHOS *y* FLORITA

FLORA.—*(Después de mirar con rubor a un lado y a otro.)* Buenos días, amigo Galán.
NUMERIANO.—*(Aterrado.)* (¡Cielos!)
MENÉNDEZ.—(¡Atiza! ¡Doña Florita!)
NUMERIANO.—Muy buenos los tenga usted, amiga Flora.
FLORA.—Es usted cronométrico.
NUMERIANO.—¿Un servidor?
FLORA.—Y no tiene usted idea de todo lo que me expresa su puntualidad.
NUMERIANO.—¿Mi puntualidad?... (¿Sabrá algo?)
MENÉNDEZ.—*(Muerto de risa.)* (¡Qué plancha!)
NUMERIANO.—*(A* MENÉNDEZ.) (No te rías, que me azoras.)
FLORA.—*(Acariciando las flores de un tiesto.)* ¡Galán!
NUMERIANO.—Florita.
FLORA.—*(Con rubor.)* He recibido eso.
NUMERIANO.—¿Que ha recibido usted eso?... *(¿Qué será eso?)*
FLORA.—Lo he leído diez veces, y a las diez su fina galantería ha vencido mi natural rubor.
NUMERIANO.—¿A las diez?... De modo que dice usted que a las diez mi fina... (¿Pero de qué me hablará esta señora?) Florita, usted perdone, pero no comprendo, y yo desearía que me dijese de una manera breve y concreta...
FLORA.—*(Con vivo rubor.)* ¡Ah, no, no, no, no!... Eso es mu-

[34] *Ojos africanos:* «grandes, oscuros». Recuérdese la popular canción de *El dúo de la Africana:* «Africana gitana / nacida muy cerca / del puente de Triana».

cho pedir a una novicia en estas lides... Hágase usted cargo..., mi cortedad[35] es muy larga, Galán.
NUMERIANO.—Bueno, pero por muy larga que sea una cortedad, si a uno no le dicen claramente las cosas...
FLORA.—Sí, pero repare usted que hay gente en los balcones...
NUMERIANO.—Ya lo veo, pero qué importa eso para...
FLORA.—Y como yo presumía que no podríamos hablar sin testigos, le he escrito en este papel unas líneas que expresarán a usted debidamente mi gratitud y mi resolución.
NUMERIANO.—¿Dice usted que su gratitud y su...?
FLORA.—*(Tirando el papel, que cae en la habitación.)* Ahí va mi alma.
NUMERIANO.—*(Esquivando el golpe.)* (Caray, de poco me deja tuerto.)
FLORA.—Galán..., en el texto de esa carta voy yo misma. Léalo, compréndala y júzguele[36]. *(Entorna.)*
NUMERIANO.—Bueno, pero...
FLORA.—Voy tal cual soy: sin malicia, sin reserva, sin doblez. *(Cierra.)*
NUMERIANO.—¡Pero, Florita!
FLORA.—*(Abre.)* Sin doblez. Adiós, Galán. *(Cierra.)*

ESCENA X

NUMERIANO GALÁN *y* MENÉNDEZ

NUMERIANO.—*(A* MENÉNDEZ, *que está muerto de risa en una silla.)* ¡Dios mío!... Ay, Menéndez, pero ¿qué es esto?
MENÉNDEZ.—*(Señalando la carta que está en el suelo.)* Parece un papel.
NUMERIANO.—No, eso ya lo sé; mi pregunta es abstracta: digo: ¿qué es esto?, ¿qué me pasa a mí?, ¿por qué en vez de Solita sale ese estafermo[37] y me arroja una carta?

---

[35] *Cortedad:* «encogimiento, vergüenza». La retórica cursi de Florita permite el chiste.
[36] Efecto cómico de la acumulación de pronombres enclíticos.
[37] *Estafermo:* era, en el juego antiguo, el muñeco giratorio que golpeaba a los jugadores, si no pasaban ligeros. Aquí, equivale a «esperpento, persona muy fea».

MENÉNDEZ.—¡Qué sé yo! Ábrala, léale y averígüelo.
NUMERIANO.—Tienes razón. Veamos. *(Coge el papel y empieza a desdoblarlo, tarea dificilísima por los muchos dobleces que trae.)* ¡Caramba, y decía que sin doblez!...[38]. ¿Y qué viene aquí dentro?
MENÉNDEZ.—Ella ha dicho que venía su alma.
NUMERIANO.—Pues es una perra gorda.
MENÉNDEZ.—Que la ha metido pa darle impulso al papel.
NUMERIANO.—Veamos qué trae la perra. *(Leyendo.)* «Apasionado Galán.»
MENÉNDEZ.—¡Atiza!
NUMERIANO.—¡Yo apasionado! *(Lee.)* «Después de leída y releída su declaración amorosa...»
MENÉNDEZ.—¡Repeine!
NUMERIANO.—¡¡Pero qué dice esta anciana!! *(Lee.)* «Y sus entusiastas elogios a mi belleza estética, que sólo puedo atribuir a una bondad insólita...» (¡qué tía más esdrújula!)[39], «consultéle a mi corazón, pedíle consejo a mi hermano como usted indicóme...» (¡cuerno!), «y mi hermano y mi corazón, de consuno, decídenme a aceptar las formales relaciones que usted me ofrenda...» ¡Me ofrenda!... ¡Mi madre!
MENÉNDEZ.—¿Pero usted la ha *ofrendido*?[40].
NUMERIANO.—¡Yo qué la voy a *ofrender*, hombre! *(Lee.)* «Ah, Galán, el amor que usted me brinda es una suerte...» (¡Pero Dios mío, si yo no la he brindado ninguna suerte a esta señora!) «Es una suerte, porque prendióse en mi alma con tan firmes raíces, que nadie podrá ya arrancarlo; y si quieren hacer la prueba, háganla cuanto antes; ¡ah, Galán! ¿Se lo digo todo en esta carta?... Yo creo que sí.»

---

[38] Otra vez el doble sentido, físico y espiritual.
[39] La acumulación de esdrújulos produce un efecto cómico, es un recurso frecuente en el teatro de humor de la época. Recuérdese un ejemplo de *La venganza de Don Mendo:* «Siempre fuisteis enigmático / y epigramático y ático / y gramático y simbólico / y aunque os escucho flemático / sabed que a mí lo hiperbólico / no me resulta simpático» (citada, pág. 110).
[40] Cruce entre *ofrendar* y *ofender*.

Menéndez.—Y yo creo que también.

Numeriano.—«Nada reservéme y sepa que al escribirla entreguéle mi alma... Adiós.»

Menéndez.—¿Se ha muerto?

Numeriano.—Se ha vuelto loca. *(Lee.)* «Suya hasta la ultratumba. Flora de Trevélez.» ¡Pero, Dios mío, yo me vuelvo loco!... Pero ¿qué es esto?

Menéndez.—*(Señalándole los ojos.)* Las ametralladoras.

Numeriano.—¿A qué viene esta carta?... Pero ¿quién le ha dicho a ese pliego de aleluyas[41] que yo la amo? ¿Pero qué es esto?... ¡Dios mío, qué es esto!

ESCENA XI

Dichos, Tito Guiloya, Picavea, Torrija *y* Pepe Manchón. *Luego,* Don Marcelino

(Los cuatro primeros salen de la segunda izquierda muertos de risa. El último se asoma por la primera izquierda y queda presenciando la escena.)

Todos.—¡Ja, ja, ja! *(Riendo.)*

Tito.—Pues esto es, amigo Galán, que el Guasa Club ha triunfado.

Torrija.—¡Viva el Guasa Club!

Numeriano.—¡Pero vosotros...! Pero ¿es que vosotros...?

Manchón.—Que sea enhorabuena, Galán; ya eres dueño de esa beldad.

Tito.—¡Querías a la doncella y te entregamos a la señora!

Picavea.—¡La doncellita para mí!

Numeriano.—¡Ah, pero vosotros...! ¡Pero esta canallada!

Picavea.—«Ardides del juego son»[42].

---

[41] *Pliego de aleluyas:* anota Manuel Seco en su edición: «*aleluya* es "persona de aspecto ridículo"; *pliego de aleluyas* es una forma mucho más expresiva de decirlo». Creo que puede aludir también a la forma de expresión ridícula del personaje, no sólo a su aspecto.

[42] *Ardides del juego son:* cita del *Don Juan Tenorio* de Zorrilla (I, acto IV, esc. 6, v. 2368). Don Luis: «Y pues el mío tomasteis / para triunfar de Doña

TODOS.—*(Vanse riendo por la derecha.)* ¡Ja, ja, ja! (MENÉNDEZ *les sigue estupefacto y haciéndose cruces.)* Hagan la prueba que hagan. ¡Ah, Galán!... ¡Ja, ja, ja!

ESCENA XII

NUMERIANO GALÁN *y* DON MARCELINO

NUMERIANO.—*(Desesperado.)* Pero ¿qué han hecho estos cafres[43], don Marcelino?

DON MARCELINO.—¿No lo adivinas, infeliz? Pues que imitando tu letra han escrito una carta de declaración a Florita de Trevélez firmada por ti.

NUMERIANO.—¡Dios mío!

DON MARCELINO.—Que ella, romántica y presumida como un diantre[44], te ha visto mil veces al acecho en ese balcón y creyendo que salías por ella ha caído fácilmente en el engaño, y que te contesta aceptando tu amor.

NUMERIANO.—¡Cuerno!

DON MARCELINO.—Y de ese modo te inutilizan para que sigas cortejando a la doncellita, y Picavea se sale con la suya. ¿Ves qué sencillo?

NUMERIANO.—¡Dios mío, pero esto es una felonía, una canallada, que no estoy dispuesto a consentir! Yo deshago el error inmediatamente. *(Llamando desde el balcón.)* ¡Flora..., Flora..., Florita..., amiga Flora!...

DON MARCELINO.—Aguarda, hombre, aguarda. Así, a voces y desde el balcón, no me parece procedimiento para deshacer una broma que pone en ridículo a personas respetables.

NUMERIANO.—¿Y qué hago yo, don Marcelino? Porque ya conoce usted el carácter de don Gonzalo.

Ana / no sois vos, Don Juan, quien gana/ porque por otro jugasteis. DON JUAN: Ardides del juego son. DON LUIS: Pues no os los quiero pasar/ y por ellos a jugar / vamos ahora el corazón» (edición de Luis Fernández Cifuentes, Barcelona, Crítica, 1993, pág. 167).

[43] *Cafre:* «bárbaro, salvaje».

[44] *Diantre:* «demonio».

Don Marcelino.—¡Que si le conozco! ¡Pues eso es lo único grave de este asunto!

Numeriano.—Y por lo que aquí dice, se ha enterado.

Don Marcelino.—Como que esta burla puede acabar en tragedia[45]; porque Gonzalo, en su persona, tolera toda clase de chanzas, pero a su hermana, que es todo su amor... ¡Acuérdate que tuvo a Martínez cuatro meses en cama de una estocada, sólo porque la llamó la jamona de Trevélez![46]... ¡Conque si se entera de que esto es una guasa, hazte cargo de lo que sería capaz!...

Numeriano.—¡Ay, calle usted, por Dios!... Pero yo le diré que la carta no es mía, que compruebe la letra.

Don Marcelino.—Sí, pero ellos pueden decirle que la has desfigurado para asegurarte la impunidad, y entre que si sí y que si no, el primer golpe lo disfrutas tú.

Numeriano.—¡Miserables, canallas!... ¿Y qué hago yo, don Marcelino, qué hago yo? *(Se oye rumor de voces.)*

Don Marcelino.—¡Silencio!... ¿Oyes?...

Numeriano.—¡Madre!... ¡Es don Gonzalo! ¡Don Gonzalo que viene!

Don Marcelino.—Y viene con esos bárbaros.

Numeriano.—¡Ay, don Marcelino!... ¡Ay! ¿Qué hago yo?

Don Marcelino.—Ocúltate. En cuanto nos dejen solos, yo procuraré tantearle. Le dejaré entrever la posibilidad de una broma... Tú oyes detrás de una puerta, y según oigas, procede.

Numeriano.—Sí, eso haré. ¡Canallas! ¡Bandidos! *(Vase segunda izquierda.)*

---

[45] Esa combinación constituye la tragedia grotesca.

[46] Anota Manuel Seco: «la voz despectiva *jamona,* «mujer que ha dejado de ser joven», acentúa su mala intención al asociarse burlonamente con los renombrados jamones del pueblo granadino de Trevélez». Para eso le ha dado Arniches ese apellido.

ESCENA XIII

DON MARCELINO, DON GONZALO, TITO GUILOYA, MANCHÓN, TORRIJA *y* PICAVEA. *Salen por la derecha*

(El rumor de las voces ha ido creciendo; al fin aparecen por la puerta derecha, precediendo a DON GONZALO, [TITO GUILOYA], MANCHÓN, PICAVEA *y* TORRIJA, *que bulliciosa y alegremente se forman en fila a la parte izquierda de la puerta, y al salir* DON GONZALO *agitan los sombreros aclamándose con entusiasmo.)*

TITO.—¡Hurra por don Gonzalo!
TODOS.—¡Hurra!
DON GONZALO.—*(Sale sombrero en mano. Viste con elegancia llamativa y extremada para sus años. Va teñido y muy peripuesto.)* Gracias, señores, gracias.
TITO.—¡Bravo, don Gonzalo, bravo!
TORRIJA.—¡Elegantísimo! ¡Cada día más elegante!
MANCHÓN.—¡Deslumbrador!
PICAVEA.—¡Lovelacesco![47].
DON GONZALO.—*(Riendo.)* ¡Hombre, por Dios, no es para tanto!
PICAVEA.—Inmóvil, y con un letrero debajo, la primera plana del *Pictorial Revieu.*
TITO.—¡Si Roma tuvo un Petronio, Villanea tiene un Trevélez!... ¡Digámoslo muy alto!
DON GONZALO.—Nada, hombre, nada. Total un trajecillo *higge faeshion*[48], un chalequito de fantasía, una corbata bien entonada, una flor bien elegida, un poquito de *ca-*

---

[47] *Lovelace:* es un seductor en *Clarisa* (1748), novela de Richardson.
[48] Suele jugar Arniches con la pronunciación coloquial de palabras extranjeras. Por ejemplo: *tre bian* (très bien), *vualá* (voilà), *muá* (moi), *nuvoté* (nouveauté), *ordubre* (hors d'œuvre)... (Manuel Seco, *Arniches y el habla de Madrid,* Madrid, Alfaguara, col. Estudios de Literatura Contemporánea, 1970, págs. 76-77).

ché, de *chic*..., y vuestro afecto. Nada, hijos míos, nada. *(Les abraza.)* ¿Y tú, qué tal, Marcelino, cómo estás?

DON MARCELINO.—Bien, Gonzalo, ¿y tú?

DON GONZALO.—Ya lo ves; confundido con los elogios de estos tarambanas... ¡Yo!... ¡Un pobre viejo!... ¡Figúrate!...

PICAVEA.—¿Cómo viejo? Usted es como el buen vino, don Gonzalo; cuantos más años, más fuerza, más aroma, más *bouquet*.

TITO.—Y si no, que lo digan las mujeres. Ellas acreditan su marca. Le saborean y se embriagan. ¡Niéguelo usted!

DON GONZALO.—*(Jovialmente.)* ¡Hombre, hombre!... Entono y reconforto... *Voilà tout*... ¡Ja, ja, ja!

TODOS.—*(Aplauden.)* ¡Bravo, bravo!

TORRIJA.—¡Y lo que le ocurre a don Gonzalo es rarísimo: cuantos más años pasan, menos canas tiene!

TITO.—Y se le acentúa más ese tinte juvenil..., ese tinte de distinción, que le da toda la arrogancia de un Bayardo[49].

DON GONZALO.—¡Ah, no, amigos míos, no burlaros de mí! Yo ya no soy nada. Claro está que las altas cimas de mis ilusiones aún tienen resplandores de sol, postrera luz de un ocaso espléndido..., pero al fin mi vida ya no es más que un crepúsculo...

TODOS.—¡Bravo, bravo!

TITO.—¡Qué poetazo!

PICAVEA.—Pero usted todavía ama, don Gonzalo, y el amor...

DON GONZALO.—¡Amor, amor!... Eterna poesía. Es el dulce rumor que va cantando en su marcha hacia el misterio de la muerte, el río caudaloso de la vida. Esto es de un poema que tengo empezado.

---

[49] *Bayardo:* Pierre du Terrail, señor de Bayard (1476-1524), conocido por Bayardo, «el caballero sin miedo y sin tacha». Muchas veces demostró temerario valor y arrogancia caballeresca. Francisco I llegó a nombrarle primer caballero de la nación, concediéndole una escolta de cien gentileshombres. Herido mortalmente en la retirada de Gattinara, cayó en manos de los españoles, que lo trataron con gran respeto. Se le considera el prototipo del caballero medieval. Su historia ha dado lugar a multitud de novelas y dramas.

TODOS.—¡Colosal! ¡Colosal!
TORRIJA.—Gran maestro en amor debe ser usted.
DON GONZALO.—¡Maestro!... ¡Ah, hijo mío, en amor, como las que enseñan son las mujeres, cuanto más te enseñan... más suspenso te dejan.
TODOS.—¡Muy bien, muy bien!
DON GONZALO.—Sin embargo, yo tengo mis teorías.
TODOS.—Veamos, veamos.
DON GONZALO.—La mujer es un misterio.
MANCHÓN.—Muy nuevo, muy nuevo.
DON GONZALO.—Amar a una mujer es como tirarse al agua sin saber nadar: se ahoga uno sin remedio. Si le dicen a uno que sí, le ahoga la alegría; si le dicen que no, le ahoga la pena...
TITO.—¿Y si le dan a uno calabazas?
DON GONZALO.—¡Ah, si le dan a uno calabazas, entonces..., nada!
TODOS.—*(Riendo.)* ¡Ja, ja, ja!... ¡Muy bien! ¡Bravo!
PICAVEA.—¡Graciosísimo!
TITO.—¡Y se llama viejo un hombre de tan sutil ingenio!
PICAVEA.—¡Viejo, un hombre de contextura tan hercúlea!... ¡Porque fijaos en este torso!... *(Le golpea la espalda.)* ¡Qué músculos!
TORRIJA.—¡Es el Moisés de Miguel Ángel!
DON GONZALO.—*(Satisfecho.)* ¡Ah, eso sí!... ¡Todavía tuerzo una barra de hierro y parto un tablero de mármol!... Hundo un tabique...
TITO.—¡Mirad qué bíceps!
MANCHÓN.—¡Enorme!
TORRIJA.—Pues ¿y los sports[50], cómo los practica?...
TODOS.—¡¡Oh!!
DON GONZALO.—En fin, pollos, esperadme en la sala de billar, que tengo algo interesante que decir a don Marceli-

[50] *Sports:* «El precedente extranjero de esta innovación hizo que durante los primeros decenios del siglo el inglés *sport* eclipsara al casi olvidado español *deporte,* exhumado como "recreación, pasatiempo" en 1899 y como "diversión, por lo común al aire libre", en 1914» (Lapesa, *op. cit.,* pág. 34). Arniches usó también *sporte,* en su obra *Yo quiero.*

no, y enseguida corro a vuestro encuentro y jugaremos ese match[51] prometido.

TITO.—Pues allí esperaremos.

PICAVEA.—¡Viva don Gonzalo!

TODOS.—¡Viva!

TITO.—*¡Arbiter elegantorum civitatis villanearum*[52], *salve!*

PICAVEA.—¡Salve y Padre nuestro![53]. *(Se abrazan.)*

DON GONZALO.—Gracias, gracias. *(Vanse riendo primera izquierda.)*

ESCENA XIV

DON GONZALO *y* DON MARCELINO

DON GONZALO.—Marcelino.

DON MARCELINO.—Gonzalo.

DON GONZALO.—*(Con gran alegría.)* Estaba deseando que nos dejasen solos. He venido especialmente a hablar contigo.

DON MARCELINO.—¿Pues?...

DON GONZALO.—Abrázame.

DON MARCELINO.—¡Hombre!...

DON GONZALO.—Abrázame, Marcelino. *(Se abrazan efusivamente.)* ¿No has notado, desde que traspuse esos umbrales, que un júbilo radiante me rebosa del alma?

DON MARCELINO.—Pero ¿qué te sucede para esa satisfacción?

---

[51] *Match:* alguna vez, Arniches castellaniza el plural: *machs* (en *El solar de Mediacapa).*

[52] *Arbiter...* Anota Seco: «Latín camelístico, inspirado en el sobrenombre de *arbiter elegantiarum,* o más exactamente *elegantiae arbiter,* que recibió Petronio en la Roma de Nerón.»

[53] Además de jugar con el doble sentido de *Salve* («saludo latino» y «oración cristiana»), puede aludir irónicamente Arniches a la retórica modernista. Recuérdese, por ejemplo, a Rubén Darío, en su poema «A Verlaine», de *Prosas profanas:* «Padre y maestro mágico, liróforo celeste...» *(Poesía,* introd. de Pere Gimferrer, Barcelona, Planeta, col. Autores Hispánicos, 1987, página 72). Y lo que dice el modernista Dorio de Gádex a Max Estrella: «¡Padre y Maestro Mágico, salud!» (Valle-Inclán, *Luces de Bohemia,* Madrid, Espasa-Calpe, col. Austral, 1961, pág. 39).

Don Gonzalo.—¡Ah, mi querido amigo, un fausto suceso llena mi casa de alegres presagios de ventura!

Don Marcelino.—Pues ¿qué ocurre?

Don Gonzalo.—Tú, Marcelino, conoces mejor que nadie este amor, qué digo amor, esta adoración inmensa que siento por esa noble criatura llena de bondad y de perfecciones que Dios me dio por hermana.

Don Marcelino.—Sé cuánto quieres a Florita.

Don Gonzalo.—¡Oh, no!, no puedes imaginarlo, porque en este amor fraternal se han fundido para mí todos los amores de la vida[54]. De muy niños quedamos huérfanos. Comprendí que Dios me confiaba la custodia de aquel tesoro y a ella me consagré por entero; y la quise como padre, como hermano, como preceptor, como amigo; y desde entonces, día tras día, con una abnegación y una solicitud maternales, velo su sueño, adivino sus caprichos, calmo sus dolores, alivio sus inquietudes y soporto sus puerilidades, porque, claro, una juventud defraudada produce acritudes e impertinencias muy explicables. Pues bien, Marcelino: mi único dolor, mi único tormento era ver que pasaban los años y que Florita no encontraba un hombre...; un hombre que, estimando los tesoros de su belleza y de su bondad en lo que valen, quisiera recoger de su corazón todo el caudal de amor y de ternura que brota de él. ¡Pero al fin, Marcelino, cuando yo ya había perdido las esperanzas..., ese hombre...!

Don Marcelino.—¿Qué?

Don Gonzalo.—¡Ese hombre ha llegado! *(Galán se asoma por la izquierda con cara de terror.)*

Don Marcelino.—*(Aparte.)* ¡Dios mío!

Don Gonzalo.—Y si lo pintan no lo encontramos ni más simpático, ni más fino, ni más bondadoso. Edad adecuada, posición decorosa, honorabilidad intachable..., ¡un hallazgo!... ¿Sabes quién es?

Don Marcelino.—¿Quién?

Don Gonzalo.—Numeriano Galán... ¡Nada menos que

[54] El personaje, que parecía ridículo, deja traslucir ahora su humanidad: es lo propio del héroe tragicómico.

Numeriano Galán! *(Galán manifiesta un pánico creciente.)* ¿Qué te parece?

DON MARCELINO.—Hombre, bien... Me parece bien. (GALÁN *le hace señas de que no.)* Buena persona... *(Siguen las señas negativas de* GALÁN.) Un individuo honrado... (GALÁN *sigue diciendo que no.)* Pero yo creo que debías informarte, que antes de aceptarle debías...

DON GONZALO.—*(Contrariado.)* Pero ¿qué estás diciendo?

DON MARCELINO.—Hombre, se trata de un forastero que apenas conocemos, y por consecuencia...

DON GONZALO.—¡Bah, bah, bah!... Ya empiezas con tus suspicacias, con tus pesimismos de siempre... ¡Has de leer la carta que le ha escrito a Florita!... Una carta efusiva, llena de sinceridad, de pasión, modelo de cortesanía, diciéndola que me entere de sus propósitos y que le fijemos el día de la boda... Conque ya ves si en un hombre que dice esto.... ¡dudar, por Dios!...

DON MARCELINO.—(¡Canallas!) No, si yo lo decía porque, como es una cosa inopinada, quién no te dice que a veces..., como este pueblo es así..., figúrate que alguien..., una broma...

DON GONZALO.—*(Le coge de la mano vivamente con expresión trágica.)* ¡Cómo broma!

DON MARCELINO.—Hombre, quiero decir...

DON GONZALO.—¿Qué quieres decir?

DON MARCELINO.—No, nada, pero...

DON GONZALO.—*(Sonriendo.)* ¡Una broma!... No sueñes con ese absurdo. Ya sabe todo el mundo que bromas conmigo, cuantas quieran. Las tolero, no con la inconsciencia que suponen, pero en fin, con esa amable tolerancia que dan los años; pero una broma de este jaez con mi hermana sería trágica[55] para todos. Sería jugarse la vida sin apelación, sin remedio, sin pretexto. Te lo juro por mi fe de caballero.

DON MARCELINO.—No, no te pongas así... Si te creo, si figúrate, pero, vamos...

---

[55] Otra vez formula expresamente el doble plano de la obra: *broma... trágica.*

DON GONZALO.—Además, puedes desechar tus temores, Marcelino, porque esto no es una cosa tan inopinada como tú supones.

DON MARCELINO.—Ah, ¿no?

DON GONZALO.—Hoy, llena de rubor la pobrecilla, me lo ha confesado todo. Ella ya tenía ciertos antecedentes. Dudaba entre Picavea y Galán, porque los dos la han cortejado desde esos balcones; pero su preferido era Galán, y por eso se ha apresurado a aceptarle loca de entusiasmo... ¡Sí, loca! ¡Porque está loca de gozo, Marcelino! Su alegría no tiene límites... Y a ti puedo decírtelo...: ¡ya piensa hasta en el traje de boda!

DON MARCELINO.—¡Hombre, tan deprisa!...

DON GONZALO.—Quiere que sea liberty... ¡Yo no sé qué es liberty, pero ella dice que liberty y liberty ha de ser!...[56] ¡Florita es dichosa, Marcelino!... ¡Mi hermana es feliz!... ¿Comprendes ahora este gozo que no cambiaría yo por todas las riquezas de la tierra?... ¡Ah, qué contento estoy! ¡Y es tan buena la pobrecilla que, cuando me hablaba de si al casarse tendríamos que separarnos, una nube de honda tristeza nubló su alegría. Yo, emocionado, balbuciente, la dije: «No te aflijas, debes vivir sola con tu marido. Mucho ha de costarme esta separación al cabo de los años, pero por verte dichosa, ¿qué amargura no soportaría yo?...» Nos miramos, nos abrazamos estrechamente y rompimos a llorar como dos chiquillos. Yo sentí entonces en mi alma algo así como una blandura inefable, Marcelino, algo así como si el espíritu de mi madre hubiera venido a mi corazón para besarla con mis labios. Y ves.... yo..., todavía..., una lágrima... *(Emocionado, se enjuga los ojos.)* Nada, nada...

DON MARCELINO.—(¡Dios mío, y quién le dice a este hombre que esos desalmados...!)

---

[56] *Liberty:* es uno de los nombres que recibe el Modernismo: *Modern Style, Jugendstil, Art Nouveau, Liberty...* Así se llama un tejido de seda, flexible y ligero, inventado por un industrial de ese nombre, que se usa para trajes de señora, cubiertas y muebles.

DON GONZALO.—¿Comprendes ahora mi felicidad, comprendes ahora mi júbilo?
DON MARCELINO.—Hombre, claro, pero...
DON GONZALO.—Conque vas a hacerme un favor, un gran favor, Marcelino.
DON MARCELINO.—Tú dirás...
DON GONZALO.—Que llames a Galán...
DON MARCELINO.—¿A Galán?
DON GONZALO.—A Galán. Sé que está aquí y quiero, sin aludir para nada al asunto, claro está, darle un abrazo, un sencillo y discreto abrazo en el que note mi complacencia y mi conformidad.
DON MARCELINO.—Es que, si no estoy equivocado, me parece que ya se marchó.
DON GONZALO.—No, no..., está en el Casino; me lo ha dicho el conserje. Y tengo interés, porque además del abrazo, traigo un encargo de Florita: invitarle a una *suaré*[57] que daremos dentro de ocho días. *(Toca el timbre. Aparece* MENÉNDEZ.) Menéndez, haga el favor de decir al señor Galán que venga un instante.
MENÉNDEZ.—Sí, señor. *(Vase.)*
DON GONZALO.—¡Qué boda, Marcelino, qué boda!... Voy a echar la casa por la ventana. Traigo al Obispo de Anatolia para que los case; y digo al de Anatolia, porque en obispos es el más raro que conozco.
DON MARCELINO.—(¡Pobre Galán!)

ESCENA XV

DICHOS, *y* NUMERIANO GALÁN *por segunda izquierda*

NUMERIANO.—*(Haciendo esfuerzos titánicos para sonreír. Viene pálido, balbuciente.)* Mi querido don Gon...., don Gon...
DON GONZALO.—¡Galán!... ¡Amigo Galán!...
NUMERIANO.—¡Don Gonzalo!
DON GONZALO.—¡A mis brazos!

---

[57] Una vez más, Arniches escribe la pronunciación castellana: *suaré*.

NUMERIANO.—Sí, señor. *(Se abrazan efusivamente.)*

DON GONZALO.—¿No le dice a usted este abrazo mucho más de lo que pudiera expresarse en un libro?

NUMERIANO.—Sí, señor... Este abrazo es para mí un diccionario enciclopédico, don Gonzalo.

DON GONZALO.—Reciba usted con él la expresión de mi afecto sincero y fraternal. *¡Fra-ter-nal!*

NUMERIANO.—*Ya lo sé...* Sí, señor... Gracias..., muchas gracias, don Gonzalo. *(Le suelta.)*

DON GONZALO.—¿Cómo don?... Sin don, sin don...

NUMERIANO.—Hombre, la verdad, yo, como...

DON GONZALO.—Pero parece usted hondamente preocupado..., está usted pálido...

NUMERIANO.—No, la emoción, la...

DON MARCELINO.—Hazte cargo; le ha pillado tan de sorpresa... Y luego esta acogida...

NUMERIANO.—Sí, señor... Sobre todo la acogida...

DON GONZALO.—¡Pues venga otro abrazo! *(Se abrazan.)*

NUMERIANO.—(¡Qué bíceps!)

DON GONZALO.—¿Qué dice?

NUMERIANO.—Nada, nada, nada...

DON GONZALO.—Y después de hecha esta ratificación de afecto, le diré a usted que le he molestado, querido Galán, para invitarle, al mismo tiempo que a Marcelino, a una *suaré* que celebraremos en breve en los jardines de mi casa, que es la de ustedes...

NUMERIANO.—Con mucho gusto, don Gonzalo.

DON GONZALO.—Allí será usted presentado a nuestras amistades.

NUMERIANO.—Tanto honor... (Yo salgo esta noche para Villanueva de la Serena.)

DON GONZALO.—Bueno, y ahora vamos a otra cosa.

NUMERIANO.—Vamos donde usted quiera.

DON GONZALO.—Me ha dicho Torrijita que es usted un entusiasta aficionado a la caza... ¡Un gran cazador!

NUMERIANO.—¿Yo?... ¡Por Dios, don Gonzalo, no haga usted caso de esos guasones!... ¡Yo cazador!... Nada de eso... Que cojo alguna que otra liebre, una perdicilla, pero nada...

DON GONZALO.—Bueno, bueno... Usted es muy modesto; de todos modos, he oído decir que le gustan a usted mucho mis dos perros *setter, Cástor* y *Pólux*[58]... Una buena parejita, ¿eh?...

NUMERIANO.—Hombre, como gustarme, ya lo creo. Son dos perros preciosos.

DON GONZALO.—Pues bien, a la una los tendrá usted en su casa.

NUMERIANO.—¡Quia, por Dios, don Gonzalo, de ninguna manera!...

DON GONZALO.—Le advierto que son muy baratos de mantener. Por cuatro pesetas diarias les tiene usted como dos cebones.

NUMERIANO.—¿Cuatro pesetas?... ¿Y dice usted...?

DON GONZALO.—A la una los tiene en su casa.

NUMERIANO.—Que no me los mande usted, don Gonzalo, que los suelto... ¡No quiero que usted se prive...!

DON GONZALO.—Pero, hombre...

NUMERIANO.—Además, a mí se me podían morir. Como no me conocen los animalitos, la hipocondría...

DON GONZALO.—¡Ah, eso no, son muy cariñosos, y dándoles bien de comer...!

NUMERIANO.—Pues ahí está, que en una casa de huéspedes... Ya ve usted, a nosotros nos tratan como perros...

DON GONZALO.—Pues con que den a los perros el trato general, arreglado.

NUMERIANO.—Si ya lo comprendo, pero usted se hará cargo...

DON GONZALO.—A la una los tendrá usted en su casa.

NUMERIANO.—Bueno...

DON GONZALO.—Además, también le voy a mandar a usted...

NUMERIANO.—¡No, no, por Dios!... No me mande usted nada más..., yo le suplico...

DON GONZALO.—Ah, sí, sí, sí... Ha de ser para mi hermana, conque empiece usted a disfrutarlo. Le voy a mandar mi

---

[58] *Cástor y Pólux:* son los hijos de Zeus (Dióscuros) y Leda. A su muerte, fueron transformados en la constelación de los Gemelos.

cuadro, mi célebre cuadro, último vestigio de mi bohemia artística. Una copia que hice de la Rendición de Breda, la obra colosal de Velázquez, conocida vulgarmente por el *cuadro de las lanzas...*

NUMERIANO.—Sí; ya, ya...

DON GONZALO.—Sino que yo lo engrandecí; el mío tiene muchas más lanzas.

DON MARCELINO.—Que le sobraba lienzo y se quedó solo pintando lanzas.

DON GONZALO.—Ocho metros de lanzas, ¡calcule usted!

NUMERIANO.—¡Caramba!... ¡¡Ocho metros!!

DON GONZALO.—Lo que tendrá usted que comprarle es un marquito.

NUMERIANO.—¿Ocho metros, y dice usted que un marquito? ¿Por qué no espera usted a ver si me cae la Lotería de Navidad, y entonces...?

DON GONZALO.—¡Hombre, no exagere usted, no es para tanto!... El marco todo lo más se llevará...

NUMERIANO.—Medio kilómetro de moldura. Lo he calculado *grosso modo.* Además, me parece que no voy a tener dónde colocarle, porque como no dispongo más que de un gabinete y una alcoba...

DON GONZALO.—Puede usted echar un tabique.

NUMERIANO.—Sí; pero ¿cómo le voy yo a hablar a mi patrona de echar nada..., si está conmigo si me echa o no?

DON MARCELINO.—Bueno, pero todo puede arreglarse: divides el cuadro en dos partes; pones la mitad en el gabinete, y debajo una mano indicadora señalando a la alcoba, y el que quiera ver el resto, que pase...

DON GONZALO.—¡Ja, ja!... Muy bien..., muy gracioso, Marcelino, muy gracioso... ¡Qué humorista!... Conque, con el permiso de ustedes, me marcho, reiterándoles la invitación a nuestra próxima *suaré... (Tendiéndoles la mano.)* Querido Marcelino...

DON MARCELINO.—Adiós, Gonzalo.

DON GONZALO.—Simpático galán...

NUMERIANO.—Don Gonzalo... *(Le va a dar la mano.)*

DON GONZALO.—No, no..., la mano, no..., otro efusivo y fraternal abrazo. *(Se abrazan.) ¡Fra-ter-nal!*

ESCENA XVI

DICHOS, TORRIJA, MANCHÓN, TITO GUILOYA *y* PICAVEA

TODOS.—*(Desde la primera izquierda, aplaudiendo.)* ¡Bravo, bravo!
TITO.—¡Abrazo fraternal!
PICAVEA.—¡Preludio de venturas infinitas!
TORRIJA.—¡Hurra!... ¡Tres veces hurra!
TODOS.—¡Hurra!
TITO.—¿Conque era cierto lo que se susurraba?
DON GONZALO.—¡Ah, pero éstos saben...!
TITO.—¡Estas noticias corren como la pólvora!...
MANCHÓN.—¡Enhorabuena, don Gonzalo!
TORRIJA.—¡Enhorabuena, Galán!
DON MARCELINO.—(¡Canallas!)
NUMERIANO.—(¡Granujas! ¡Por éstas que me las pagáis!)
TITO.—Y aquí traemos una botella de champagne, para rociar con el vino de la alegría los albores de una ventura que todos deseamos inacabable.
MANCHÓN.—Adelante, Menéndez. *(Pasa* MENÉNDEZ, *primera izquierda, con servicio de copas de champagne.)*
DON GONZALO.—Se acepta y se agradece tan fina y delicada cortesanía. Gracias, queridos pollos, muchas gracias.
TITO.—Escancia, Torrija. *(Se sirve el champagne.)* Señores: levanto mi copa para que este glorioso entronque de Galanes y Trevélez proporcione a un futuro hogar horas de bienandanza, y a Villanea hijos preclaros que perpetúen sus glorias y enaltezcan sus tradiciones.
TODOS.—*(Con las copas en alto.)* ¡¡Hurra!!
DON GONZALO.—Gracias, señores, gracias... Y yo, profundamente emocionado, quiero corresponder con un breve discurso a la... *(En ese momento, se escucha en el piano de enfrente el «Torna a Surriento»*[59] *y a poco la voz de* FLORITA *que lo canta de un modo exagerado y ridículo.)*

---

[59] *Torna a Surriento:* es una de las más famosas canciones napolitanas, con música de Ernesto de Curtis y letra de su hermano Giambattista. El

TITO.—¡Silencio!
TORRIJA.—¡Callad! *(Quedan exageradamente atentos.)*
DON GONZALO.—*(Casi con emoción.)* ¡Es ella!... ¡Es ella, Galán!... ¡Es un ángel!
TITO.—¡Qué voz! ¡Qué extensión!... *(Suena un timbre.)* ¡Qué timbre!
TORRIJA.—¡Qué timbre más inoportuno!
DON GONZALO.—*(Indignado.)* ¡Pararle, hombre, pararle!
TORRIJA.—¡Ah, don Gonzalo!... Eso es, en una pieza, la Pareto y la Galicursi[60].
MANCHÓN.—¡Yo la encuentro más de lo último que de lo primero!
TODOS.—Mucho más, mucho más...
DON GONZALO.—Silencio... No perder estas notas... *(Todos callan. FLORITA acaba con una nota aguda, y estalla una ovación.)*
TODOS.—¡Bravo, bravo!... *(Aplauden.)*
DON MARCELINO.—¡Bravo, Florita, bravo!
FLORA.—*(Levanta la persiana a manera de telón y se asoma saludando.)* Gracias, gracias. *(Baja la persiana.)*
TODOS.—*(Volviendo a aplaudir.)* ¡Bravo, bravo!
DON GONZALO.—¡Es un ángel! ¡Es un ángel!
FLORA.—*(Volviendo a levantar la persiana.)* Gracias, gracias... ¡Muchas gracias! *(Vuelve a bajarla.)*
MANCHÓN.—¡Admirable!
TITO.—¡Colosal!

---

compositor fue el acompañante al piano de Beniamino Gigli durante quince años, a partir de 1921; así, sus canciones entraron en el repertorio del gran tenor, que las hizo conocer en todo el mundo. Esta canción dice así, en su comienzo: «Vide o mare quant'é bello, / spira tantu sentimento, / comme tu a chi tiene mente, / ca scetato'o faie sunná». Y el estribillo: «Ma nun me lassá, / nun darme stu turmiento! / Torna a Surriento, / famme campá!»

[60] *La Galicursi:* es Amelia Galli-Curci, conocida como Amelita, soprano italiana que nació en Milán en 1882 y murió en California en 1963. Descubierta por Mascagni, sin estudios de canto —comenzó como pianista—, por su maravillosa voz. A partir de 1906, triunfó en todo el mundo, también en España. La venta de sus discos superó incluso a los de Enrico Caruso. Al morir éste, en 1921, se convirtió en la gran estrella del Metropolitan de Nueva York. Se comparó entonces su voz al cristal y a los más brillantes fuegos artificiales. No he conseguido datos sobre *la Pareto.*

TORRIJA.—¡Suprema!

DON GONZALO.—*(Se limpia los ojos.)* ¡Son lágrimas!... ¡Son lágrimas!... ¡Cada vez que canta me hace llorar!

TITO.—*(Fingiendo aflicción.)* ¡Y a todos, y a todos! *(Vuelven a aplaudir.)*

FLORA.—*(Levanta la persiana, sonríe y tira un beso.)* ¡Para Galán! *(Felicitaciones, abrazos y vítores.)*

TELÓN

Acto segundo

Jardín en la casa de Trevélez. Es por la noche. Luces artísticamente combinadas entre el follaje y las ramas de los árboles.

A la derecha, en primer término, hay un poético rincón esclarecido por la luz de la luna y en el que se verá una pequeña fuente con un surtidor; a los lados, dos banquillos rústicos.

A la izquierda, hacia el foro, figura que está la casa. En ese punto resplandece una mayor iluminación y se escucha la música de un sexteto y gran rumor de gente.

ESCENA PRIMERA

MARUJA, CONCHITA, QUIQUE *y* NOLO, *del foro izquierda.*

MARUJA.—¡Ay, sí, hija, sí, por Dios!... Vamos hacia este rincón.
QUIQUE.—Esto está muy poético.
CONCHITA.—Por lo menos muy solo.
NOLO.—Solísimo.
MARUJA.—A mí estas cachupinadas[61] me ponen frenética.
QUIQUE.—Pero, por Dios, ¡qué gente tan cursi hay aquí!

---

[61] *Cachupinada:* «reunión de gente en que se baila y se hacen juegos». Refiriéndose al nuevo vocabulario que surge entre 1898 y 1936, escribe Rafael Lapesa: «Entretenimiento más tranquilo proporcionaban los juegos de prendas, frecuentes en las *cachupinadas* de la burguesía modesta» *(op. cit.,* pág. 33).

MARUJA.—No, allí, allí...
QUIQUE.—Eso he querido decir.
MARUJA.—Pues ha dicho usted lo contrario, hijo mío.
CONCHITA.—¿Y has visto a Florita?
NOLO.—¡Qué esperpento![62].
CONCHITA.—La visten sus enemigos.
MARUJA.—¡Eso quisiera ella!... Ni eso.
CONCHITA.—¡Con ese pelo y con esa figura que me gasta, ponerse un traje salmón!... ¡Ja, ja!...
NOLO.—¡Y hay que ver lo mal que la sienta el salmón!
MARUJA.—Está como para tomar bicarbonato.
QUIQUE.—¿Y qué me dicen ustedes de su amiga inseparable, de Nilita, la de Palacios?...
CONCHITA.—¡Cuidado que es orgullosa!... Acaba de decirme que ella no baila más que con los muchachos de mucho dinero.
MARUJA.—Ya lo dice Catalina Ansúrez, que ésa es como un trompo, sin guita[63] no hay quien la baile.
QUIQUE.—¡Ja, ja!
CONCHITA.—¡Y mire usted que llamarse Nilita!
NOLO.—Yo cuando voy a su casa no fumo.
CONCHITA.—¿Por qué?
NOLO.—Me da miedo. Eso de Nilita me parece un explosivo... ¡La *nilita!*
MARUJA.—¡No tiene el valor de su Petronila!
TODOS.—*(Riendo.)* ¡Ja, ja!
CONCHITA.—Y habrán comprendido ustedes que esta cachupinada la dan los Trevélez para presentarnos al novio, a Galán.
MARUJA.—No lo presentarán como galán joven, ¿eh?
QUIQUE.—Ni mucho menos. *(Ríen todos.)*

---

[62] *Esperpento:* «persona notable por su fealdad, desaliño o mala traza». Aparece varias veces en Arniches y en otros saineteros, como López Silva: «Con ese esperpento de hija / que le ha dao a usté el Señor» *(Migajas,* Madrid, 1898, pág. 201).

[63] *Guita:* «cuerda» y «dinero». Algunos creen que es gitanismo. Aparece, por ejemplo, en *Fortunata y Jacinta:* «Sí, le voy a dar la guita» (Madrid, 1952, pág. 197).

ESCENA II

DICHOS; TITO *y* TORRIJA, *por la izquierda.*

TITO.—¡Caramba!... ¡Coro de murmuración; como si lo viera!

MARUJA.—Ay, hijo, ¿en qué lo ha conocido usted?

TITO.—Mujeres junto a una fuente, y con cacharros..., a murmurar, ya se sabe.

QUIQUE.—Oiga usted, señor Guiloya, eso de cacharros, ¿es por nosotros?

TITO.—Es por completar la figura retórica.

QUIQUE.—¿Y por qué no la completa con sus deudos?

TITO.—No los tengo.

QUIQUE.—Bueno, pues con sus deudas, que ésas no dirá usted que no las tiene.

TORRIJA.—¡Ja, ja!... *(Fingiendo una gran risa.)* Pero ¿has visto qué gracioso?...

TITO.—¡Calla, hombre! Si este joven creo que hace unos chistes con los apellidos, que dice su padre que por qué no será todo el mundo expósito...

MARUJA.—Es que si el chico fuera muy gracioso, ¿qué iban a hacer los demás?

TITO.—Bueno; pero vamos a ver: ¿se murmuraba o no se murmuraba?

MARUJA.—No se murmuraba, hijo; sencillos comentarios.

TITO.—No, si no me hubiesen extrañado las represalias, porque hay que oír cómo las están poniendo a ustedes allí, en aquel cenador precisamente.

MARUJA.—¡Ay, sí!... ¿Y quién se ocupa de nosotros, hijo?

TORRIJA.—Pues Florita, su despiadada, su eterna rival de usted.

MARUJA.—¿Y qué decía, si puede saberse?

TORRIJA.—Que no puede usted remediarlo, que desde que sabe usted que ella se casa, que se la come la envidia. Que por eso se han venido ustedes tan lejos.

TITO.—Y que toda la vida se la ha pasado usted poniéndole dos luces a San Antonio, una para que le dé a usted novio y otra para que se lo quite a las amigas.

TORRIJA.—Pero que ya puede usted apagar la segunda.

TITO.—Y la primera.

MARUJA.—Y les ha mandado a ustedes a soplar, ¿eh?... ¡Muy bien, muy bien!... *(Todos ríen.)*

QUIQUE.—(Chúpate ésa.)

NOLO.—(Tiene gracia.)

TITO.—Pues si oye usted a Aurorita Méndez..., ¡qué horror!... Decía que no sabe qué atractivo tiene usted para que la asedien tantos pipiolos[64].

NOLO.—Oiga usted, señor Guiloya, ¿eso de pipiolos es por nosotros?

TITO.—Es por completar la figura retórica.

TORRIJA.—Y la ha puesto a usted un mote que ha sido un éxito.

TITO.—La llama «El Paraíso de los niños».

MARUJA.—¡Muy gracioso, muy gracioso!... ¿Y eso lo ha dicho Aurorita Méndez? ¡Me parece mentira que diga esas cosas la hija de un catedrático!

CONCHITA.—Una pobrecita más flaca que un fideo y que lleva un escote hasta aquí.

MARUJA.—Y no sé para qué, porque enseña menos que su padre...

QUIQUE.—¡Que es el colmo!

MARUJA.—Como que cuando esa marisabia hizo el bachillerato, decían los chicos que el latín era lo único que tenía sobresaliente.

CONCHITA.—¡Déjalas..., ya quisieran!

NOLO.—No haga usted caso. Siempre ha habido clases.

MARUJA.—Eso lo dirá el padre, porque ella tiene vacaciones para un rato... ¡El Paraíso de los niños!... Vamos hacia allá, que voy a ver si le digo dos cositas y me convierto en «El Infierno de los viejos»...

---

[64] *Pipiolo:* «jovenzuelo». Puede ser despectivo pero también cariñoso. Recuérdese, por ejemplo, que a un jugador de fútbol, hoy en el Celta de Vigo, se le apoda el *Pipiolo* Losada.

NOLO y QUIQUE.—Muy bien, muy bien. ¡Bravo, bravo!

(Vanse izquierda.)

TITO.—Va que trina. *(Riendo.)*
TORRIJA.—¡Esta noche se pegan!...
TITO.—Eso voy buscando.
TORRIJA.—¡Eres diabólico!

ESCENA III

DICHOS, PICAVEA *y* MANCHÓN.

PICAVEA.—Oye, ¿qué le habéis hecho a Maruja Peláez, que va echando chispas?
TORRIJA.—Las cosas de éste; ya le conoces.
TITO.—¿Y Galán, y Galán?... ¿Cómo anda, tú?
MANCHÓN.—¡Calla, chico; medio muerto!
PICAVEA.—Allí le tenéis al pobre, en brazos de Florita, lívido, sudoroso, jadeante... Pasan del *fox trot* al *guan step,* y del *guan step* al *tuesten*[65], sin tomar aliento.
MANCHÓN.—Y en el tuesten le hemos dejado.
PICAVEA.—Está que echa hollín.
TITO.—¡Formidable, hombre, os digo que formidable!...
PICAVEA.—Bueno, tú, pero yo creo que debías ir pensando en buscar una solución a esta broma, porque el pobre Galán, en estos quince días, se ha quedado en los huesos.
MANCHÓN.—¡Está que no se le conoce!
TORRIJA.—¡Da lástima!
TITO.—Señor, pero ¿no era esto lo que nos proponíamos? Las bromas, pesadas, o no darlas.
MANCHÓN.—Sí, pero es que este hombre está en un estado de excitación, que ya has visto los dos puntapiés que le ha dado a Picavea en el vestíbulo.

---

65 Otras pronunciaciones vulgares de palabras extranjeras. En *tuesten* (two-step), al cruce con *tostar* se une un sufijo muy frecuente en la lengua popular, como *trinquen, mojen, despiporren...*

PICAVEA.—¡Qué animal!... ¡Como que si no le sujetáis, me tienen que extraer la bota quirúrgicamente!

TITO.—¿Se ha enterado don Gonzalo del jaleo?

TORRIJA.—Creo que no. Pero, en fin, yo también temo que Galán, si apuramos mucho la broma, en su desesperación, confiese la verdad y se produzca una catástrofe.

TITO.—No asustarse, hombre, si le tiene a don Gonzalo más miedo que nosotros.

PICAVEA.—Bueno, pero es que, además, estos pobres ancianos han tomado la cosa tan en serio que, según dicen, Florita se está haciendo hasta el *trousseau*[66]. Y vamos, hasta este extremo, yo creo que...

TITO.—Nada, hombre, que no apuraros. Ya me conocéis... ¿Habéis visto la gracia con que he complicado todo esto?... Pues mucho más gracioso es lo que estoy tramando para deshacerlo.

LOS TRES.—¿Y qué es? ¿Qué es?

TITO.—Permitidme que me lo reserve. Lo tengo todavía medio urdido. Os anticiparé, sin embargo, que es un drama pasional, que voy a complicar en él nuevos personajes y que tiene un desenlace muy poético, inesperado y sentimental...

PICAVEA.—Bueno, pero...

TITO.—Ni una palabra más. Pronto lo sabréis todo.

MANCHÓN.—Chist... Silencio. Mirad, Galán, que viene agonizante en brazos de don Marcelino.

TORRIJA.—¡Pobrecillo!

TITO.—Huyamos. *(Vanse izquierda riendo.)*

ESCENA IV

GALÁN *y* DON MARCELINO, *por la derecha*

NUMERIANO.—*(Desesperado, deprimido, con cara de fatiga y medio llorando.)* ¡Ay, que no..., ay, que no puedo más, señor

[66] *Trousseau:* Arniches usa también la pronunciación española, *trusó*, «ajuar», y la vulgar, con -n epentética: *trunsó*.

Córcoles!... Yo me marcho, yo huyo, yo me suicido. Todo menos otro *fox trot.*

DON MARCELINO.—*(Conteniéndole.)* Pero espera, hombre, por Dios, ten calma.

NUMERIANO.—No, no puedo. ¡Otro *guan step* y fallezco! Esta broma está tomando para mí proporciones trágicas, espeluznantes, aterradoras... Yo me voy, me voy... ¡Déjeme usted!...

DON MARCELINO.—¡Pero, por Dios, Galán, no seas loco! Ten calma...

NUMERIANO.—No, no puedo más, don Marcelino; porque, aparte del terror que me inspira don Gonzalo..., es que Florita... ¡Florita me inspira mucho más terror todavía!... *(Se vuelve aterrado.)* ¿Viene?

DON MARCELINO.—No, no tengas miedo, hombre.

NUMERIANO.—No, si no es miedo; ¡es pánico!... Porque, sépalo usted todo, don Marcelino... ¡Es que la he vuelto loca!

DON MARCELINO.—¿Loca?

NUMERIANO.—¡Está loca por mí!... ¡Pero loca furiosa!

DON MARCELINO.—¿Es posible?

NUMERIANO.—Lo que sintió Eloísa por Abelardo[67] fue casi una antipatía personal comparado con la pasión que he encendido en el alma volcánica de esta señorita... Y la llamo señorita por no agraviar a ninguna especie zoológica. Figúrese usted que me obliga a estar a su lado para hablarme de amor, durante ¡nueve horas diarias!

DON MARCELINO.—¡¡Nueve!!

---

[67] Pedro *Abelardo* (1079-1142), canónigo y famoso profesor de filosofía en París, sedujo a la joven *Eloísa* (1100-1163), famosa por su asombrosa erudición, cuya educación le había sido confiada por su tío Fulbert. Éste dispuso que Abelardo fuese asaltado y castrado. En su correspondencia, Eloísa le expresa su gran amor y deseo de unirse con él de nuevo, mientras que Abelardo le muestra el camino del amor divino. Su historia ha inspirado a muchos autores: Pope, Rousseau *(La nueva Eloísa)*... Recuérdese lo que dice ya François Villon, en su *Ballade des dames du temps jadis* (cantada hoy por Georges Brassens): «Où est la très sage Heloïs / pour qui fut chastré et pues moine / Pierre Esbaillart à Saint Denis? / Pour son amour eut cette essoine» *(Œuvres,* París, Classiques Garnier, 1959, pág. 31).

NUMERIANO.—¡Y cuando me voy me escribe!
DON MARCELINO.—¡Atiza!
NUMERIANO.—Mientras estoy en la oficina me escribe... Me voy a comer, y me escribe... Me meto en el baño...
DON MARCELINO.—¿Y te escribe?
NUMERIANO.—Me cablegrafía. ¡Lleva en el bolsillo una caja de pastillas de sublimado[68] y una *browning*[69] por si la abandono! Las pastillas para mí, la *browning* para... Digo, no... Bueno, no me acuerdo, pero yo en el reparto salgo muy mal parado. ¡Dice que me mata si la dejo!
DON MARCELINO.—Eso es lo peor.
NUMERIANO.—No, quia. Lo peor es que como sabe usted que pinta, me está haciendo un retrato.
DON MARCELINO.—¿Al óleo?
NUMERIANO.—Al pastel. Y tengo que poner la mirada dulce...
DON MARCELINO.—Es natural.
NUMERIANO.—Y estarme hora y media inmóvil, vestido de cazador, con aquellos dos perros del regalito, que se me están comiendo el sueldo, y una liebre en la mano, en esta actitud. *(Hace una postura ridícula.)*
DON MARCELINO.—Como diciendo: ¡ahí va la liebre!
NUMERIANO.—¡Sí, señor, y así quince días!... ¡Quince!... ¡Figúrese usted cómo estaré yo y cómo estará la liebre!
DON MARCELINO.—¡Y cómo estarás de pastel!
NUMERIANO.—Que paso por una pastelería y me vuelvo de espaldas. No le digo a usted más. ¡Con lo goloso que yo era!
DON MARCELINO.—¡Qué horror!
NUMERIANO.—Bueno, pues mientras me acaba el pictórico, me ha pedido el retrato fotográfico, ha mandado sacar ocho ampliaciones y dice que me tiene en el gabinete y

---

[68] *Sublimado:* «medicamento obtenido por sublimación».
[69] *Browning:* pistola automática fabricada en Lieja por el armero J. N. Browning, célebre inventor americano de armas portátiles, que patentó más de cien. Es una de las que ha obtenido mayor aceptación: por su ligereza (615 gramos) y poco volumen, ha sido apreciada como arma de bolsillo, segura y rápida. Arniches también castellaniza: *brovinin (La Flor del Barrio), brovinge (Para ti es el mundo)*...

en el comedor y en los pasillos..., ¡y que me tiene hasta en la cabecera de la cama!... ¡Y yo no paso de aquí, don Marcelino, no paso de aquí!

DON MARCELINO.—¡Pobre Galán!... Pero, claro, lo que sucede es lógico. Una mujer que ya había perdido sus ilusiones ve renacer de pronto...

NUMERIANO.—Lo ve renacer todo. ¡Qué ímpetu, qué fogosidad!... ¡Con decirle a usted que ya está bordando el juego de novia!

DON MARCELINO.—¡Hombre, por Dios, procura evitarlo!

NUMERIANO.—Pero ¿cómo?... Si para disuadirla hasta la he dicho que está prohibido el juego, y no me hace caso. Ayer me enseñó dos saltos de cama —figúrese usted el salto mío—, para preguntarme que cómo me gustaban más los saltos, si con caídas o sin ellas.

DON MARCELINO.—Tú le dirías que los saltos sin caídas.

NUMERIANO.—Yo no sé lo que le dije, don Marcelino, porque yo estoy loco. Puedo jurarle a usted que en mi desesperación, más de tres veces he venido a esta casa resuelto a confesarle la verdad a don Gonzalo; pero claro, le encuentro siempre tirando a las armas, o con los guantes de boxeo puestos, dándole puñetazos a una pelota que tiene sujeta entre el techo y el suelo...

DON MARCELINO.—Un funchimbool[70].

NUMERIANO.—No sé cómo se llama, pero como a cada puñetazo la pelota oscila de un modo terrible y la habitación retiembla, yo me digo: ¡Dios mío, si le confieso la verdad y se ciega y me da a mí uno de ésos en el balón *(por la cabeza)*, pasado mañana estoy prestando servicio en el Purgatorio!

DON MARCELINO.—No, hombre, no, por Dios... Ten ánimo, no te apures.

NUMERIANO.—Sí, no te apures, pero el compromiso va creciendo, y esos miserables burlándose de mí. ¡Maldita sea!...

DON MARCELINO.—¡Ah, oye! Lo que te aconsejo es que te

---

[70] Forma alterada de *punching ball*.

moderes, porque Gonzalo me acaba de preguntar que por qué le has dado dos puntapiés a Picavea, en el vestíbulo, y no he sabido qué decirle.

NUMERIANO.—Y los mato, no lo dude usted, los mato como no busquen a este conflicto en que me han metido, una solución rápida, inmediata. ¡Es necesario, es urgentísimo!

DON MARCELINO.—Descuida, que creo lo mismo, y en ese sentido voy a hablarle a Tito Guiloya.

NUMERIANO.—¡Sí, porque yo no espero más que esta noche para tomar una resolución heroica!

DON MARCELINO.—Aguárdame aquí. Voy a hablarles seriamente. No tardo.

NUMERIANO.—Oiga usted, don Marcelino; si Florita le pregunta a usted que dónde estoy, dígale que me he subido a la azotea, hágame el favor. Siquiera que tarde en encontrarme, porque me andará buscando, de seguro.

DON MARCELINO.—Descuida. *(Vase izquierda.)*

ESCENA V

NUMERIANO GALÁN; *luego* FLORITA.

NUMERIANO.—*(Cae desfallecido sobre un banco.)* ¡Ay, Dios mío! Bueno, yo hace quince días que no duermo, ni como, ni vivo... ¡Y yo que nunca he debido un céntimo, me he hecho hasta tramposo!... Porque entre los dos perros y el marco, que lo estoy pagando a plazos, se me va la mitad del sueldo. ¡Qué cuadrito!... Don Gonzalo le llama *la mancha,* pero quia. Es muchísimo más grande. La Mancha y la Alcarria, todo junto. ¡No le he puesto más que un listón alrededor y me ha subido a veinticinco duros!... ¡Ay!, yo estoy enfermo, no me cabe duda. Tengo dolor de cabeza, inquietud, espasmos nerviosos; porque además de todo esto, esa mujer me tiene loco. Es de una exaltación, de una vehemencia y de una fealdad que consternan. Y luego tiene unas indirectas... Ayer me preguntó si yo había leído una novela que se titula *El primer beso*[71], y yo no la he leído; pero aunque me la supiera de memoria... ¡Esas bromitas no! Y para colmo, habla con un léxico tan empalagoso que para estar a su altura me veo negro. Aquí me he venido huyendo de ella... Aquí, siquiera por unos momentos, estoy libre de esa visión horrenda, de esa visión...

FLORA.—*(Apartando el ramaje del fondo de la fuente, asoma su cara risueña y dice melodiosamente.)* ¡Nume!

NUMERIANO.—*(Levantándose de un salto tremendo.)* (¡Cuerno!... ¡La visión!)

FLORA.—Adorado Nume...

NUMERIANO.—*(Con desaliento.)* ¡Florita!

FLORA.—*(Saliendo. Lo mira.)* ¡Pero cuán pálido! ¡Estás incoloro! ¿Te has asustado?

NUMERIANO.—*(Desfallecido.)* Si me sangran no me sacan un coágulo.

FLORA.—Pues yo, errabunda[72], hace un rato que de un lado a otro del parterre vago en tu busca. ¿Y tú, amor mío?

NUMERIANO.—¡Yo vago también; pero más vago que tú, me había sentado un instante a delectarme en la contemplación de la noche serena y estrellada!...

FLORA.—¡Oh, Nume!... Pues yo te buscaba.

NUMERIANO.—Pues si yo sé que me buscas, te juro que corro, que corro a tu encuentro.

FLORA.—Y dime, Nume, ¿qué hacías en este paradisiaco rincón?

NUMERIANO.—Rememorarte. (Con más elegancia ni D'Anuncio)[73].

---

[71] Su parodia puede ser *El primer fresco,* de Romeo y Sanz, música de Quislant, representada estos años muchas veces en el Novedades.

[72] *Errabunda.* En una parodia de la retórica modernista, Don Juan dice así, en su desafío a Don Luis: «Pues, señor, salí de aquí / albescente y opalino / y, *errabundífero,* di / en Mónaco, porque allí / tiene el Príncipe un casino» (Pablo Parellada —Melitón González—, *El Tenorio Modernista,* Madrid, Siglo XX, col. Comedias, 19 noviembre 1927, pág. 10).

[73] *D'Anuncio:* Gabriele d'Annunzio (1863-1938) es un escritor italiano, símbolo del refinamiento decadente y exponente destacado del drama pos-romántico, que interpretó la gran Eleonora Duse. Poco antes de que escribiera Arniches esta obra, en 1911, había estrenado D'Annunzio *El martirio de San Sebastián,* que se sigue representando hoy, gracias a la música de Debussy.

FLORA.—¡Ah, Nume mío, gracias, gracias! Ah, no puedes suponerte cuánto me alegro encontrarte en este lugar recóndito.

NUMERIANO.—Bueno, pero, sin embargo, yo creo que debíamos irnos, porque si alguien nos sorprendiera arrinconados y extáticos, podía macular tu reputación incólume, y eso molestaríame.

FLORA.—¿Y qué importa, Nume?... ¡La felicidad es un pájaro azul[74] que se posa en un minuto de nuestra vida, y después levanta el vuelo, y Dios sabe en qué otro minuto se volverá a posar!

NUMERIANO.—Sí, pero figúrate que ahora viene el pájaro y se posa, pero luego pasa uno y nos lo espanta y encima lo divulga, y ¿qué pasa? Pues que te pesa. Hay que estar en todo. *(Intenta irse.)*

FLORA.—*(Deteniéndole.)* Nume, no seas tímido. La dicha es efímera. Siéntate, Nume.

NUMERIANO.—No me siento, Florita. (¡A solas la tengo pánico!)

FLORA.—Anda, siéntate, porque quiero en este rincón de ensueño pedirte una revelación... *(Le obliga a sentarse.)*

NUMERIANO.—¡Una revelación!... Bueno; si eres rápida y sintética, atenderéte; pero si no, alejaréme[75]. Habla.

FLORA.—Vamos a ver, Nume, con franqueza: ¿por qué te he gustado yo?

NUMERIANO.—Por nada.

FLORA.—¿Cómo?

NUMERIANO.—Quiero decir que no me has gustado por nada y... me has gustado por todo. Te he encontrado...

FLORA.—¿Qué?... ¿Qué?...

NUMERIANO.—Te he encontrado un no sé qué..., un qué sé yo..., un algo así, indefinible; un algo raro. ¡Raro, esa es la palabra!

---

[74] Posible alusión a *El pájaro azul* (1908), el mayor éxito internacional del dramaturgo belga Maurice Maeterlinck (1862-1949). Lo estrenó Stanislavsky en el Teatro de Arte de Moscú. Es también una zarzuela de López Monis y Millán, representada en el Teatro de la Zarzuela (17-IX-21).

[75] Otra vez los esdrújulos humorísticos.

FLORA.—Bueno; ¿qué te han gustado más, los ojos, la boca, el pie?

NUMERIANO.—Ah, eso no, no... Detallar, no he detallado. Me gustas, ¿cómo te diría yo?... En conjunto, en total... Me gustas en globo, vamos...

FLORA.—¡En globo! ¡Qué concepto tan elevado!

NUMERIANO.—Sí, elevadísimo; lo más elevado posible..., como corresponde a mi admiración.

FLORA.—¡Ah, Nume mío, gracias, gracias!

NUMERIANO.—No hay de qué.

FLORA.—Y dime, Nume, una simple pregunta: ¿tú has visto por acaso en el cine una película que se titula «Luchando en la obscuridad»...

NUMERIANO.—¿En la obscuridad?... No; yo en la obscuridad no he visto nada.

FLORA.—¡Lo decía, porque en una de sus partes hay una escena tan parecida a esta!

NUMERIANO.—*(Aterrado.)* ¿Sí? *(Intenta levantarse. Ella le detiene.)*

FLORA.—Es un jardín. Un rincón poético, una fontana rumorosa, la luna discreta, dos amantes apasionados...

NUMERIANO.—*(Con miedo creciente.)* ¡Qué casualidad!

FLORA.—De pronto, los amantes, yo no sé por qué, se miran, se prenden de las manos, se atraen.

NUMERIANO.—(¡Cielos!)

FLORA.—Y un beso une sus labios; un beso largo, prolongado; uno de esos besos de cine, durante los cuales todo se atenúa, se desvanece, se esfuma, se borra, y... aparece un letrero que dice Milano Films. Pues bien, Nume, ese final...

NUMERIANO.—¡No, no..., jamás..., Florita!... Cálmate o pido socorro... No quiero dejarme llevar de la embriaguez. ¡Yo no llego al Milano ni aunque me emplumen!...

FLORA.—¡Pero, Nume mío!

NUMERIANO.—No, Flora, hay que hacerse fuertes... Vámonos, vida mía. Vámonos o llamo. *(Se escucha pianísimo el vals de «Eva».)*[76].

---

[76] *Eva:* opereta en tres actos de Atanasio Melantucke y música de F. Lehar, representada frecuentemente estos años en Madrid, en los teatros Zar-

FLORA.—*(Exaltada.)* Espera..., atiende... ¡Oh, esto es un paraíso!... ¿No escuchas?

NUMERIANO.—Sí; el vals de *Eva.*

FLORA.—¡Delicioso!

NUMERIANO.—Delicioso; pero vámonos.

FLORA.—¡Divina, suave, enloquecedora melodía de amor! ¿Quieres que nos vayamos como en las operetas?...

NUMERIANO.—Vámonos, y vámonos como te dé la gana.

FLORA.—¡Oh, Nume! *(Se van bailando el vals.)*

NUMERIANO.—¡Por Dios, Florita, no aprietes, que congestionas! *(Hacen mutis bailando. Vanse por la izquierda.)*

ESCENA VI

DICHOS, *y* DON GONZALO, *por la izquierda*

DON GONZALO.—*(Los saca cogidos cariñosamente a ella de una mano y a él de una oreja. Ella baja la cabeza risueña y ruborosa ocultando la cara tras el abanico; él aterrado aunque tratando inútilmente de sonreír.)* ¡Venid, venid acá, picarillos irreflexivos, imprudentes!...

FLORA.—¡Ay, por Dios, Gonzalo!... ¡Cogiónos!

DON GONZALO.—¡Aquí, en un rincón, y los dos solitos!...

NUMERIANO.—Don Gonzalo, por Dios, yo neguéme, pero ella insistióme y complacíla[77], ¿qué iba a hacer?

DON GONZALO.—*(Cambiando la fingida expresión de enfado por otra risueña.)* No, hombre, no, si lo comprendo. Los enamorados son como los pájaros; siempre buscando las frondas apartadas, los lugares silenciosos...

FLORA.—*(Muy digna.)* ¡Pero por Dios, Gonzalo, a pesar de la soledad, no vayas a creer que nosotros...!

NUMERIANO.—Yo aseguro a usted que ha sido una cosa meramente fortuita.

---

zuela, Apolo, Latina, Jardines del Buen Retiro... Posteriormente, Edgard Neville estrenó *Eva y Adán* (1925), en casa de los Baroja.

[77] Numeriano imita el lenguaje cursi de Flora, acumulando pronombres pospuestos.

DON GONZALO.—¿Fortuita?... Cállese el seductor.
FLORA.—¡Huy, seductor!...
NUMERIANO.—Don Gonzalo, yo le juro...
DON GONZALO.—Ahora, que yo confío, amigo Galán, en su caballerosidad, y espero que este tesoro encomendado a su hidalguía...
NUMERIANO.—¡Por Dios!, ¿quiere usted enmudecer?... ¡Ni aunque nos sorprendiese usted en el Trópico!
DON GONZALO.—Ya lo sé, ya lo sé... Y vaya, pase esto como una ligereza de chiquillos; y ahora que estamos los tres juntitos, venid acá, parejita feliz. Venid y decidme... ¿Sois muy dichosos, muy dichosos?... La verdad...
NUMERIANO.—Hombre, don Gonzalo..., yo...
DON GONZALO.—No me diga usted más. *(A* FLORA.) ¿Y tú?
FLORA.—Mucho, mucho, mucho. No hay paleta, por muy paleta que sea, que tenga colores suficientes para pintar mi felicidad.
DON GONZALO.—¡Oh, qué feliz, qué venturoso me hacéis!... ¡Ah, querido Galán!, ya lo ve usted..., en ese corazoncito ya no vivo yo solo. *(Con pena.)*
FLORA.—¡Por Dios, Gonzalo!
DON GONZALO.—Sí. ¡Otro cariñito ha penetrado en él arteramente, y apenas queda ya sitio para el pobre hermano!...
NUMERIANO.—¡Hombre, don Gonzalo, yo sentiría que por mí...!
DON GONZALO.—¡Ah, pero no me importa!... Ámela usted con este acendrado amor con que yo la amo, y si la veo dichosa me resignaré contento a la triste soledad en que voy a quedarme...
NUMERIANO.—Don Gonzalo, por Dios; si le va a usted a servir esto de un disgusto tan grande..., yo estoy dispuesto incluso a renunciar a...
FLORA.—¡Pero calla, por Dios!... ¿Qué estás diciendo?... Si son tonterías de este... Chocheces. ¡Egoísmos de viejo!...
DON GONZALO.—Sí, sí...; egoísmos. Pero, por Dios, riquita, no te enfades. Y, ¡ea!... Perdonad a un hermano impertinente esta pequeña molestia... Y venga usted acá, querido Galán, venga usted acá... ¡Oh, amigo mío, ha elegido usted tarde, pero ha elegido usted bien!

FLORA.—Vamos, calla, por favor, Gonzalo.

DON GONZALO.—Yo no digo que físicamente Florita sea una perfección, pero es un conjunto tan armónico, tan sugestivo, tan atrayente!... Ni es alta, ni baja, ni rubia, ni morena..., es más bien castaña..., ¡pero qué castaña!... Y mirándola..., cuántas... cuántas veces he recordado los versos del jocundo, del galante arcipreste de Hita[78].

Cata mujer fermosa, donosa e lozana
que non sea mucho luenga, otrosí nin enana.

FLORA.—Estatura regular, vamos. *(Alardeando de la suya.)*

DON GONZALO.—Que teña ojos grandes, fermosos, relucientes, e de luengas pestañas, bien claros e reyentes.

FLORA.—*(Los abre mucho.)* Como, por ejemplo...

DON GONZALO.—Las orejas pequeñas, delgadas. Páral mientes si ha el cuello alto, que atal quieren las gentes. La nariz afilada...

FLORA.—Bueno, eso...

DON GONZALO.— Los dientes menudillos,
los labros de la boca bermejos, angostillos.
La su faz sea blanca, sin pelos, clara e lisa.
Puña de haber mujer que la veas deprisa,
que la talla del cuerpo te dirá: esto aguisa.
E complida de hombros e con seno de peña,
ancheta de caderas; esta es talla de dueña.

(FLORA *ha ido siguiendo el relato con gestos y actitudes que demuestran su identidad con los versos.)*

---

[78] Son las estrofas 431 y siguientes, «arregladas» libremente por Arniches *(Libro de Buen Amor,* edición de Alberto Blecua, Madrid, Cátedra, col. Letras Hispánicas, 1992, págs. 114-116).

FLORA.—El señor arcipreste parece que me conocía de toda la vida.
DON GONZALO.—¿Qué tal, qué tal el retratito?
NUMERIANO.—Un verdadero calco.
DON GONZALO.—*(A* FLORA.) Y respecto a ti, vamos, que tampoco te llevas costal de paja.
NUMERIANO.—Hombre, tanto como costal...
FLORA.—*(Riendo coquetonamente.)* ¡Y aunque fuera costal, cargaría con él!
DON GONZALO.—*(Riendo.)* ¿Oyóla usted, afortunado Galán?...
NUMERIANO.—Oíla, oíla...
DON GONZALO.—Bueno; y ahora, como recuerdo de esta noche memorable, voy a hacerle a usted un regalito.
NUMERIANO.—¡No, eso sí que no; regalitos, de ninguna manera, don Gonzalo, por lo que más quiera usted en el mundo!
DON GONZALO.—No, si no nos causa extorsión... Es un retablo gótico, estofado[79], siglo diecisiete, con un tríptico atribuido a Valdés Leal, nueve metros de altura por seis de ancho; una verdadera joya. Mande usted restaurar el estofado, que es lo que está peor...
NUMERIANO.—Claro, figúrese usted, un estofado de tantos siglos...
DON GONZALO.—Y por tres mil pesetas...
NUMERIANO.—Sí, bueno, pero tres mil pesetas por un estofado, comprenderá usted... Además, que es cosa a la que no he tenido nunca gran afición...
DON GONZALO.—Entonces nada digo... Y ea, amigo Galán, adelántesenos usted; evitemos la maledicencia, que no nos vean llegar juntos. Les separo a ustedes, pero sólo unos minutos. No me guarde usted rencor.
NUMERIANO.—No, no, quia... ¡Cómo rencor!... ¡Por Dios!... Aprovecharé para ir a la sala de billar.
FLORA.—Bueno; pero no tardes, ¿eh?
NUMERIANO.—Descuida.

[79] *Estofado* es, a la vez, un guiso y un adorno con oro.

FLORA.—¡Como tardes, te escribo!
NUMERIANO.—No, no, por Dios... Seguiréte raudo.. ¡Adiós! (¡Maldita sea! ¡No sé a qué sabrá el ácido prúsico[80] pero esto es cincuenta veces peor!) *(Vase izquierda.)*

ESCENA VII

FLORA *y* DON GONZALO

DON GONZALO.—Habrás comprendido que, aun a trueque de enojarte, he alejado a Galán intencionadamente.
FLORA.—Figurémelo.
DON GONZALO.—¿Te ha dicho al fin por qué le dio las dos punteras a Picavea?
FLORA.—¡Ay!, ni me he acordado de preguntárselo, ¿querrás creerlo?
DON GONZALO.—¡Pero mujer!...
FLORA.—¡No te extrañe, Gonzalo; el amor es tan egoísta!... Pero, ah, yo lo sospecho todo.
DON GONZALO.—¿Qué sospechas?
FLORA.—Que Picavea y Galán se han ido a las manos; mejor dicho, se han ido a los pies, por causa mía.
DON GONZALO.—¿Será posible?
FLORA.—Como sabes que los dos me hacían el amor desde los balcones del Casino y he preferido a Galán observo que Picavea está así como celoso, como sombrío, como despechado. No se aparta de Tito Guiloya. Los dos miran a Numeriano y se ríen. Y además hace unos minutos he visto a Picavea en un rincón del jardín hablando misteriosamente con Solita.
DON GONZALO.—¿Con tu doncella?
FLORA.—Con mi doncella. ¿Tratará de comprarla?
DON GONZALO.—¿De comprarla qué?
FLORA.—De ganar su voluntad para que le ayude, quiero decir... Lo sospecho; porque al pasar por entre los evóni-

[80] *El ácido prúsico* es el cianhídrico, de olor a almendras amargas y muy venenoso.

vus[81], sin que me vieran, le oí decir a ella: «Pero ¿por qué ha hecho usted eso, señorito? ¡Qué locura!» Y él la contestaba: «¡Por derrotar a Galán, haré hasta lo imposible; llegaré hasta la infamia, no lo dudes!»

DON GONZALO.—¡Oh, qué iniquidad! Pero ¿has oído bien, Florita?

FLORA.—Relatélo según oílo, Gonzalo. Ni palabra más ni palabra menos. Yo estoy aterrada, porque en el fondo de todo esto veo palpitar un drama pasional.

DON GONZALO.—Verdaderamente hemos debido alejar de nuestra casa a Picavea con cualquier pretexto.

FLORA.—Al menos no haberle invitado.

DON GONZALO.—Sí, pero a mí me parecía incorrecto sin motivo alguno hacer una excepción en contra suya.

FLORA.—Sí, es verdad; pero, ¡ay, Gonzalo! No sé qué me temo. ¿Tramará algo en la sombra ese hombre?

DON GONZALO.—No temas; descuida. Por todo cuanto has dicho, yo también sospecho que algo trama. Pero estaré vigilante y a la primera incorrección, ¡ay de él!

FLORA.—¡Por Dios, Gonzalo, efusión de sangre, no!

DON GONZALO.—Descuida. Sé lo que me cumple. No le perderé de vista. *(Vanse izquierda.)*

ESCENA VIII

DON MARCELINO, NUMERIANO, TITO, TORRIJA, PICAVEA *y* MANCHÓN, *por el foro izquierda*

DON MARCELINO.—Oye, pero venid, venid en silencio... Venid acá... Pero ¿es posible lo que decís?

TITO.—Lo que oye usted, don Marcelino.

PICAVEA.—¡Albricias! ¡Albricias, Galán! ¡Estás salvado!

NUMERIANO.—Yo no lo creo, no me fío.

TORRIJA.—Que sí, hombre, que se le ha ocurrido a éste una solución ingeniosísima, formidable. ¡No puedes imaginártela!

---

[81] *Evónivus:* asimilación popular por *evónimos,* «arbustos».

PICAVEA.—Prodigiosa, estupenda... Ya lo verás...
MANCHÓN.—Y que lo acaba todo felizmente, sin que nadie sospeche que esto ha sido una broma.
NUMERIANO.—*(A* DON MARCELINO.) ¿Será posible?
DON MARCELINO.—Veamos de qué se trata.
TITO.—Te advierto que es una cosa que requiere algún valor.
NUMERIANO.—Sacadme de este conflicto en que me habéis metido, y Napoleón a mi lado es una señorita de compañía.
DON MARCELINO.—Bueno; decid, decid pronto... ¿Qué es?
PICAVEA.—Cuéntalo tú. Verán ustedes qué colosal.
TITO.—Acercaos, no nos oigan. Es una cosa que tiene su asunto.
NUMERIANO.—¿Asunto? *(Se agrupan con interés.)*
TITO.—Se trata de representar un drama romántico. Decoración: este jardín; la noche, la luna... Argumento: Con cualquier motivo se procura que la señorita de Trevélez venga hacia aquí. Tras ella aparece Picavea...
PICAVEA.—Aparezco yo...
TITO.—Siguiendo solapado y cauteloso sus pasos leves.
NUMERIANO.—Leves para vosotros; para mí, de pronóstico. Adelante.
TITO.—Picavea, apelando a un recurso cualquiera, denota su presencia. Ella, sorprendida al verle, dirá: «¡Ah! ¡Oh!»; en fin, la exclamación que sea de su agrado; y entonces éste, con frase primero emocionada, luego vibrante y al fin trágica, le da a entender en una forma discreta que hace tiempo que la ama de un modo ígneo. Como Florita le ha visto muchas veces en los balcones del Casino atisbando sus ventanas, caerá fácilmente en el engaño, como cayó contigo. Y una vez conseguido esto, Picavea se manifiesta francamente rival tuyo. Le dice que te confió el secreto de su amor y que tú te anticipaste, traicionándole, y a partir de esta acusación, te insulta, te injuria, te calumnia... En esto, surges tú de la enramada, como aparición trágica, lívido, descompuesto, con los ojos centelleantes, las manos crispadas, y te increpa, le vituperas, le agredes... Suena un ¡ay!...., dos gritos, y éste te da a ti cuatro bofetadas...

NUMERIANO.—¿Cuatro bofetadas a mí? Encima de...
TITO.—Son indispensables.
DON MARCELINO.—Pero ¿no se podría hacer un reparto más proporcional?
TITO.—No, porque las bofetadas han de dar lugar a un duelo, y el duelo es precisamente la clave de mi solución.
NUMERIANO.—¿De modo que tras lo uno... lo otro? *(Acción de pegar.)*
DON MARCELINO.—Cállate... Sigue.
TITO.—Galán, ofendido por la calumnia y por los golpes, le envía a éste los padrinos; pero Picavea se niega en absoluto a batirse, alegando que éste, encima de robarle el amor de Florita, le quiere quitar la vida, y que él rendirá la vida a manos de Galán, pero el amor de Florita, no. Y en consecuencia, que impone como condición precisa para batirse que los dos han de renunciar a ella, sea cual fuere el resultado del lance.
DON MARCELINO.—¡Admirable!
NUMERIANO.—¡Lo de renunciar yo, colosal!
TITO.—Tú enseguida le escribes a tu prometida una carta heroica, diciendo que por no aparecer como un cobarde sacrificas tu inmenso amor; y al día siguiente se simula el duelo, y tú, fingiéndote herido, te estás en cama ocho días con una pierna vendada.
NUMERIANO.—No, las piernas déjamelas libres por lo que pueda suceder.
DON MARCELINO.—Sí, no metas las piernas en el argumento.
TITO.—Las amigas consolarán a Florita, nosotros convenceremos a don Gonzalo para que vuelva a dedicarse a la aerostación y se distraiga, y *tuti contenti.* ¿Eh, qué tal?
MANCHÓN.—¡Estupendo!
NUMERIANO.—¿Qué le parece a usted, don Marcelino?
DON MARCELINO.—Mal, hijo; ¿cómo quieres que me parezca?... Ahora, que, como yo no veo solución ninguna, lo que me importa es que termine pronto el engaño de estas pobres personas, sea como sea. Haced lo que queráis. *(Vase izquierda.)*
NUMERIANO.—Entonces, yo debo limitarme a salir cuando este...

MANCHÓN.—Tú vienes con nosotros, que ya te diremos.
TITO.—¡Callad, Florita; Florita viene hacia aquí..., y viene sola!...
PICAVEA.—Como anillo al dedo. Pues no perdamos la ocasión. Cuanto antes mejor. ¿No os parece? Dejadme solo. Marchaos pronto.
TORRIJA.—¡Que te portes como quien eres!
PICAVEA.—Zacconi[82] me envidiaría. ¡Ya me conocéis cuando me pongo lánguido y persuasivo!
NUMERIANO.—¡Oye, y a ver cómo me das esas dos bofetadas que no me molesten mucho!
PICAVEA.—¡Cuatro, cuatro!...
TITO.—Por aquí... Silencio. *(Vanse foro derecha.* PICAVEA *se oculta en el follaje.)*

ESCENA IX

PICAVEA, *y* FLORITA, *primera izquierda*

FLORA.—*(Como buscándole.)* ¡Nume!... ¡Nume!... ¡No está! *(Llama otra vez.)* ¡Nume!... Pero ¿qué ha sido de ese hombre, si dijo que vendría enseguida?... ¿Estará acaso...? ¡Dios mío, cuando se ama ya no se vive! *(Llama de nuevo.)* ¡Nume!...
PICAVEA.—*(Apareciendo.)* ¡Florita!
FLORA.—¡Ah!... ¿Quién es?
PICAVEA.—Soy yo.
FLORA.—(¡¡Él!!) ¡Picavea!... ¿Usted?
PICAVEA.—Soy yo, que venía siguiéndola.

---

[82] Ermete Zacconi, nacido en Montecchio en 1867, fue uno de los más grandes actores de su época. Obtuvo su mayor éxito con *Espectros,* de Ibsen, que estrenó en Milán en 1891. En 1899, hizo una tournée triunfal con la Duse. Actuó en toda Europa y también en España, en Madrid y Barcelona. Aquí dio a conocer obras de Tolstoi, Turgueniev, Strindberg, Hauptmann, Ibsen *(Casa de muñecas).* También estaban en su repertorio Shakespeare, Goldoni, Dumas *(Kean)...* En 1922 recibió un gran homenaje en París, en el Teatro de los Campos Elíseos, imponiéndosele la Legión de Honor. Lo retrató Ramón Casas.

FLORA.—¿Siguiéndome?... ¡Qué extraño!... Pues... es la primera vez que no noto que me siguen...

PICAVEA.—Es que he procurado recatarme todo lo posible.

FLORA.—¿Recatarse, por qué?

PICAVEA.—Porque deseaba ardientemente una ocasión para poder hablar a solas con usted.

FLORA.—¿A solas conmigo?... *(Aparte.)* (¡Ay, lo que yo temíame!) ¿Y dice usted que a solas?...

PICAVEA.—A solas, sí.

FLORA.—*(Con gran dignidad.)* Señor Picavea, usted no ignora que en mis actuales circunstancias yo no puedo hablar a solas con un hombre, sin infligirle un agravio a otro. Ya no dispongo de mi libre albedrío. Beso a usted la mano, como suele decirse. *(Hace una reverencia y se dispone a marchar.)*

PICAVEA.—*(La coge la mano para retenerla.)* ¡Por Dios, Florita, un instante!...

FLORA.—He dicho que beso a usted la mano, conque suélteme usted la mano.

PICAVEA.—Yo la ruego que me escuche una palabra, una sola palabra.

FLORA.—Si no es más que una, oiréla por cortesía. Hable.

PICAVEA.—Florita, yo no ignoro su situación de usted, desgraciadamente.

FLORA.—¿Cómo desgraciadamente?

PICAVEA.—Desgraciadamente, sí..., no quito una letra. Y comprenderá usted que cuando ni el respeto a las circunstancias en que usted se halla ni el temor a ninguna otra clase de incidentes me detiene, muy grave y muy hondo debe ser lo que pretendo decirla.

FLORA.—*(Aparte.)* (¡Dios mío!) ¡Pero, Picavea!...

PICAVEA.—¡Más bajo..., pueden oírnos!

FLORA.—¡Ay, pero por Dios, Picavea!... Ese tono, esa emoción... Está usted pálido, tembloroso... Me asusta usted. ¿De qué se trata? Hable usted pronto..., hable usted deprisa.

PICAVEA.—¿Deprisa?

FLORA.—Deprisa, sí; me desagradaría que nos sorprendieran. Nume es muy celoso. Hable.

PICAVEA.—Florita, ¿usted no ha observado nunca que yo, día tras día, me he estado asomando al gabinete de lectura del Casino, para mirar melancólicamente a sus ventanas?
FLORA.—¡Oh, Picavea!
PICAVEA.—Conteste usted..., diga usted.
FLORA.—Pues bien, sí, la verdad, lo he notado. Muchas veces le he visto a usted con una *Ilustración* muy deteriorada en la mano, hojeando las viñetas y soslayando de vez en vez la mirada hacia mi casa; pero yo atribuílo a mera curiosidad.
PICAVEA.—¿De modo que no ha caído usted en el verdadero motivo?
FLORA.—No; yo me asomaba a la ventana, pero no caía.
PICAVEA.—Pues ha debido usted caer.
FLORA.—¡Picavea!
PICAVEA.—Ha debido usted caer. El poema de las miradas saben leerlo todas las mujeres.
FLORA.—¡Oh, Dios mío!... ¿De modo, Picavea, que usted también...?
PICAVEA.—¡Sí, Florita, sí...; yo también la amo!
FLORA.—(¡Dios mío! Pero ¿qué tendré yo de un mes a esta parte que cada hombre que miro es un torrezno[83]?).
PICAVEA.—*(Cogiéndola de la mano.)* Y si usted quisiera, Florita, si usted quisiera, todavía...
FLORA.—*(Tratando de desasirse.)* ¡Ay, no, por Dios, Picavea, suélteme usted; suélteme usted, por compasión, que no me pertenezco!
PICAVEA.—¿Y qué me importa?
FLORA.—Suélteme usted, por Dios... Repare usted que aún no estoy casada.
PICAVEA.—Sí, es verdad. No sé lo que hago. Usted perdone.
FLORA.—(¡Pobrecillo!) *(Alto.)* ¡Pero oiga usted, Picavea, por Dios!... ¿Usted por qué ha de amarme?... No tiene usted motivos...

[83] *Un torrezno,* humorísticamente, porque se abrasa en el fuego del amor, de acuerdo con la metáfora clásica, preludiada antes, de amar «de un modo ígneo».

PICAVEA.—¡El amor no se escoge ni se calcula, Florita!

FLORA.—Olvídeme usted.

PICAVEA.—No es posible.

FLORA.—Acepte usted una amistad cordial. No puedo ofrecerle más. Déjeme usted ser dichosa con Galán; le quiero. Es mi primer amor, mi único amor, y por nada del mundo dejaríale.

PICAVEA.—(Esta señora es un Vesubio[84] ambulante. Tengo que apretar.) *(Alto.)* ¿De modo, Florita, que no aborrecería usted a ese hombre de ninguna manera?

FLORA.—Ni aunque me dijesen que era Pasos Largos, ya ve usted.

PICAVEA.—¿Y si fuera tan miserable que hubiese jugado con su amor de usted?...

FLORA.—¡Oh, eso no es posible!... *(Sonriendo.)* ¡Pero si no vive más que para mí!... ¡Si no ve más que por mis ojos!... ¿Lo sabré yo?

PICAVEA.—Bueno, pero si a pesar de todo a usted le probaran que ese hombre había jugado vilmente con su corazón, ¿qué haría?

FLORA.—¡Oh, entonces mataríale, mataríale; sí, lo juro!

PICAVEA.—Pues bien, Florita, lo que va usted a oír es muy cruel, pero hace falta que yo lo diga y que usted lo sepa. Galán no es digno del amor de usted.

FLORA.—*(Aterrada.)* ¡Picavea!

PICAVEA.—¡Galán es un miserable!

FLORA.—¡Jesús! Pero ¿qué está usted diciendo? ¡Miente usted! ¡El despecho, la envidia, los celos, le hacen hablar así!...

PICAVEA.—¡No, no; es un bandido, porque yo le confié el amor que usted me inspiraba y se me adelantó como un miserable!

FLORA.—¡Pero eso no puede ser! ¡Sería horrible!

---

[84] Recuérdese otra comparación con un volcán, en el primer monólogo de Segismundo: «En llegando a esta pasión, / un volcán, un Etna hecho, / quisiera sacar del pecho / pedazos del corazón» (Calderón, *La vida es sueño*, ed. de José M.ª García Martín, Madrid, Castalia, col. Castalia Didáctica, 1983, pág. 75).

PICAVEA.—Además, ese hombre es un criminal que no merece su cariño, porque, sépalo de una vez: ¡ese hombre tiene cuatro hijos con otra mujer!
FLORA.—*(Aterrada, enloquecida.)* ¡¡Ah!!... ¡¡Oh!!... ¡Cuatro hijos!... ¡Falso, eso es falso! ¡Pruebas, pruebas!
PICAVEA.—Sí, lo probaré. Traeré los cuatro hijos si hace falta. Esa mujer se llama Segunda Martínez.
FLORA.—¡¡Oh, cuatro hijos de Segunda!!
PICAVEA.—Vive en Madrid, Jacometrezo, noventa y dos. Galán es un canalla. Yo lo sostengo. (PICAVEA *hace señas con la mano para que salga* GALÁN.)

ESCENA X

DICHOS; DON GONZALO. *Después,* GALÁN, TORRIJA, GUILOYA *y* MANCHÓN. *Luego,* DON MARCELINO

(DON GONZALO *sale cautelosamente y cae de un modo fiero y terrible sobre* PICAVEA, *cogiéndole por el pescuezo)*

DON GONZALO.—¡Ah, granuja! ¡Te has vendido!
PICAVEA.—*(Trémulo de horror.)* ¡¡Don Gonzalo!!
FLORA.—¡Por Dios, Gonzalo! ¡No le mates!
DON GONZALO.—Lo que sospechábamos... ¿Lo ves? ¿Lo estás viendo?
PICAVEA.—Pero, don Gonzalo, por Dios, que yo...
DON GONZALO.—¡Silencio o te ahogo, miserable!
FLORA.—¡Ay, Gonzalo, cálmate!
DON GONZALO.—¡Quieres con tus calumnias destrozar la felicidad de dos almas, pero no te vale, reptil! Te hemos descubierto el juego.
PICAVEA.—¡Don Gonzalo, que yo no he dicho..., que no era eso!... ¡Ay, que me ahoga!
DON GONZALO.—¡Baja la voz, canalla, y escúchame! No mereces honores de caballero, pero yo no puedo prescindir de mi noble condición. Mañana te mataré en duelo.
FLORA.—¡Ay, no, Gonzalo!
PICAVEA.—No, don Gonzalo, eso sí que no..., en duelo no, que yo soy inocente.

DON GONZALO.—Te mataré como un perro; y ahora a la calle, en silencio, sin escándalo, sin ruido..., que no se entere nadie... *(Se lo lleva hacia la izquierda.)*
PICAVEA.—¡Pero, don Gonzalo!
DON GONZALO.—*(Dándole un puntapié.)* ¡Largo de aquí, calumniador!...
PICAVEA.—¡Pero atiéndame usted!
DON GONZALO.—¡A la calle!... Ni una palabra más.

(PICAVEA *vase despavorido primera izquierda.)*

NUMERIANO.—*(Saliendo aterrado.)* Pero, don Gonzalo, ¿qué es esto? ¿Qué pasa? *(Le siguen* TORRIJA, GUILOYA *y* MANCHÓN.) ¡Está usted lívido!
FLORA.—¡Ay, Nume, Nume!... *(Se acerca a él.)*
DON MARCELINO.—*(Saliendo.)* ¿Qué sucede? ¿Qué ha ocurrido?
DON GONZALO.—Nada, nada, que voy a matar a un calumniador, nada más. Ya lo explicaré todo. Ahora basta que diga delante de todos que mi hermana es para usted. Esto nadie tendrá poder para impedirlo. Y ahora, como desagravio, un abrazo, Galán; un fuerte y fraternal abrazo.
NUMERIANO.—¡Don Gonzalo!... *(Cae desfallecido en sus brazos.)*
DON GONZALO.—*(Mirándole.)* Pero ¿qué es esto? ¡Esa inercia!... ¡Esa palidez!... *(Sacudiéndole.)* ¡Galán!... ¡Galán!... ¡Se ha desvanecido!
FLORA.—Nume, Nume... ¡Ay, que no me oye!... *(Sacudiéndole.)* Nume, escucha. Nume, mira...
DON GONZALO.—Pero ¿qué será esto?
DON MARCELINO.—La emoción, la sorpresa, el disgusto quizá... Hacedle aire...
FLORA.—¡Llevémosle a la cama!...
NUMERIANO.—*(Recobrándose súbitamente.)* No. Nada, nada...; ya se me pasa; no es nada. El sombrero, el bastón... Esto se me pasa a mí corriendo..., vamos, a escape, quiero decir... El sombrero, el bastón.
DON GONZALO.—De ninguna manera. Usted no sale de esta casa. Va usted a tomar un poco de éter. A mi cuarto, a mi cuarto. Y por Dios, señores... Confío en su discre-

ción. Ni una palabra de todo esto... Silencio, silencio... (DON GONZALO *y* FLORITA *se llevan a* GALÁN *por la izquierda.)*

DON MARCELINO.—*(A los guasones, que quedan aterrados.)* ¡Picavea ha subido al cielo!

TELÓN

Acto tercero

Cuarto gimnasio en casa de don Gonzalo. Puertas practicables en primer término izquierda y segundo derecha. Un balcón grande al foro. Por la escena, aparatos de gimnasia: escaleras, pesas, poleas; en la pared, panoplias con armas y caretas de esgrima, y por el suelo, una tira de linóleum y una colchoneta. Cerca del foro, un «fuchibool»[85] *prendido del techo y del suelo. A la izquierda, una mesita con una botella de agua y dos vasos. En primer término izquierda, mesa, y encima algunos libros, periódicos, escribanía, carpeta, papel, caja con cigarrillos, etc., etc. En segundo término izquierda, un bargueño, y en uno de sus cajones, un revólver. Junto a las paredes, divanes; en la pared del primer término derecha, una percha con dos toallas grandes. Sillas y sillón de cuero. Es de día. En el balcón, una gran cortina.*

ESCENA PRIMERA

DON GONZALO *y* DON ARÍSTIDES

(*Aparecen los dos en traje de esgrima con las caretas de sable puestas.* DON ARÍSTIDES *da a* DON GONZALO *una lección de duelo.*)

DON ARÍSTIDES.—Marchar, marchar. Encima. En guardia. (DON GONZALO *va ejecutando todos estos movimientos de esgrima que el profesor le manda.*) Marchar. Batir, tajo. Otra vez.

[85] Otra versión del *punching-ball.*

Uno, dos, tres. Marchar. Finta de estocada y encima. En guardia. Romper. Romper. *(La segunda vez que* DON GONZALO *retrocede obedeciendo la voz de mando del profesor, tropieza con la mesita que habrá al foro y derriba los cacharros que habrá en ella.)* Pero no tanto.

DON GONZALO.—¡Demonio, qué contrariedad! En fin, adelante.

DON ARÍSTIDES.—Marchar cambiando. Estocada. Encima. Otra vez pare y conteste. Otra vez. Batir. Revés. Pequeño descanso. *(Se quita la careta.)*

DON GONZALO.—*(Quitándosela también.)* ¿Y cómo me encuentra usted, amigo Arístides?

DON ARÍSTIDES.—¿A qué hora es el duelo?

DON GONZALO.—A las seis de la tarde.

DON ARÍSTIDES.—Se merienda usted al adversario. Seguro.

DON GONZALO.—¿Estoy fuerte?

DON ARÍSTIDES.—Superabundantemente fuerte. Pétreo.

DON GONZALO.—Picavea creo que no tira.

DON ARÍSTIDES.—Ni enganchado. Si se pueden emplear en estos lances los términos taurinos, diré a usted que en la corridita de esta tarde, más bien becerrada —por lo que al adversario se refiere—, se viene usted a casa con una ovación y una oreja..., más las dos suyas, naturalmente.

DON GONZALO.—Pues a mí me habían dicho que Picavea, en cuestión de sable, era un practicón.

DON ARÍSTIDES.—Cuando estaba sin destino, sí, señor. Pero ahora..., ¿lo sabré yo, que he sido su maestro?...

DON GONZALO.—En fin, ¿reanudamos?

DON ARÍSTIDES.—Vamos allá. *(Requieren las armas y vuelven a la lección.)* Finta de estocada marchando. Encima. Romper. Uno, dos. Marchar. Dos llamadas.

DON GONZALO.—Con permiso. Un momento. Voy a llamar al criado que se lleve estos cacharros. *(Hace que toca un timbre.)*

DON ARÍSTIDES.—En guardia. Uno, dos. Marchar. Revés. Romper. Encima, pare y conteste. Marchar. Batir. Salto atrás.

CRIADO.—¡Señor! *(No le hacen caso.)*

DON ARÍSTIDES.—Marchar. A ver cómo se para, vivo... *(Co-*

mienza un asalto movidísimo. Las armas chocan con violencia.)

CRIADO.—*(Vuelve a acercarse temeroso.)* Señor... *(Siguen el asalto, avanzando y retrocediendo, sin hacerle caso, y el* CRIADO, *viéndose en peligro, se pone una careta de esgrima y se acerca decididamente.)* Señor...

DON GONZALO.—¿Qué quieres, hombre?

CRIADO.—No, yo, es que, como me ha llamado el señor...

DON GONZALO.—Sí, hombre, que recojas esos cacharros.

CRIADO.—Está bien, señor. *(Los recoge sin quitarse la careta y luego se marcha huyendo de los golpes de sable que continúan.)*

DON ARÍSTIDES.—Tajo. Uno, dos. Salto atrás. Marchar. Uno, dos, tres. Salto atrás. Marchar. Muy bien.

DON GONZALO.—¿Seguimos?

DON ARÍSTIDES.—No. *(Quitándose la careta.)* Con esto y los padrinitos que tiene usted, no hace falta más; porque creo que sus padrinos... ¿son Lacasa y Peña?

DON GONZALO.—Lacasa y Peña.

DON ARÍSTIDES.—Entonces las condiciones serán durísimas, estoy seguro.

DON GONZALO.—Imagínese usted.

DON ARÍSTIDES.—Para intervenir ésos, el duelo tiene que ser a muerte. No rebajan ni tanto así. Los conozco.

DON GONZALO.—Además, las instrucciones que yo les he dado son severísimas: nada de transigencias, nada de blanduras.

DON ARÍSTIDES.—Pues no doy veinticinco centavos por la epidermis de Picavea. *(Se cambian las chaquetas de esgrima,* DON ARÍSTIDES *por su americana y* DON GONZALO *por una chaqueta elegante de casa.)*

DON GONZALO.—¡Oh, ese canalla!... ¿No sabe usted lo que hizo anoche en el Casino a última hora?

DON ARÍSTIDES.—Sabe Dios.

DON GONZALO.—Abofeteó e injurió a Galán horriblemente.

DON ARÍSTIDES.—¡Qué bárbaro!

DON GONZALO.—En tales términos, que Galán me ha escrito agradeciendo la defensa que hice de su honor, pero recabando el derecho de batirse con Picavea antes que yo.

DON ARÍSTIDES.—No lo consienta usted de ninguna manera.

DON GONZALO.—Ni soñarlo. Picavea ofendió en mi propia casa a mi hermana, proponiéndola una indignidad, valido de una calumnia. Yo soy, pues, el primer ofendido.

DON ARÍSTIDES.—Sin duda ninguna.

DON GONZALO.—Lacasa y Peña harán valer mis derechos.

DON ARÍSTIDES.—¡Buenos son ellos!

DON GONZALO.—Y además, cuando Galán le envió los padrinos, ¿sabe usted la condición que imponía Picavea para batirse?... Pues que fuese cual fuese el resultado del lance, ¡los dos habían de renunciar a mi hermana, so pretexto de no sé qué lirismos ridículos!...

DON ARÍSTIDES.—¡Es un hombre perverso!

DON GONZALO.—Ni más ni menos. Pero figúrese el disgusto de la pobre Flora cuando supo por Marcelino que Galán quizás tuviese que aceptar la tremenda condición, para que no pueda atribuirse su negativa a cobardía... ¡Un disgusto de muerte! En vano trato de tranquilizarla. No descansa, no duerme, no vive. ¡Cuando más feliz se creía!... ¡Y todo por culpa de ese miserable! ¡Ah, no tengo valor para hacer daño a nadie; pero la vida le hace a uno cruel, y como pueda, mato a Picavea! Se lo juro a usted.

DON ARÍSTIDES.—Lo merece, lo merece... Pues, nada, don Gonzalo, hágame usted piernas y hasta luego *(Poniéndose el sombrero.)* Voy a ver a Valladares, que está muy grave.

DON GONZALO.—¡Ah, Valladares, sí; ya me han dicho... que se concertó el duelo en condiciones terribles!

DON ARÍSTIDES.—A espada francesa. Con todas las agravantes.

DON GONZALO.—¿Y Valladares está en cama?

DON ARÍSTIDES.—Si se va o no se va. Y el adversario también.

DON GONZALO.—¿También? ¿Y qué es lo que tienen?

DON ARÍSTIDES.—Gastritis tóxica por indigestión.

DON GONZALO.—¡Ah!, pero ¿no es herida?

DON ARÍSTIDES.—No, no es herida, porque desoyendo mis consejos, en lugar de batirse, se fueron a almorzar al Hotel Patrocinio, y claro, les pusieron unos calamares en tinta que están los dos si se las lían. ¡Mucha más cuenta les hubiese tenido celebrar un duelo a muerte, como yo les propuse! A estas horas, los dos en la calle. ¡Pero calamares! ¡Quién calcula las consecuencias!... Son unos temerarios. ¡Le digo a usted!...

DON GONZALO.—¡Ya, ya!... ¡Qué gentes!

DON ARÍSTIDES.—Conque hasta luego; hágame piernas y no me olvide esa finta de estocada marchando, ¿eh?... Un, dos..., a fondo. Rápido, ¿eh?... *(Vase derecha.)*

DON GONZALO.—Sí, sí; descuide, descuide... *(Vuelve y toca el timbre.)* Voy a ver cómo sigue esa criatura. Cree que le ocultamos la verdad, que Galán es quien va a batirse, y está que no vive. ¡Pobre Florita!... ¡Calle! ¡Ella viene hacia aquí!

ESCENA II

DON GONZALO *y* FLORA

FLORA.—*(Por la izquierda, con una bata y el pelo medio suelto.)* La felicidad es un pájaro azul, que se posa en un minuto de nuestra vida y que cuando levanta el vuelo, ¡Dios sabe en qué otro minuto se volverá a posar!

DON GONZALO.—¡Florita!

FLORA.—¡Ay, Gonzalo de mi alma!... *(Llora amargamente abrazada a su hermano.)*

DON GONZALO.—¡Por Dios, Flora; no llores, que me partes el corazón!

FLORA.—El hado fatal cebóse en mí... Clavóme su garra siniestra.

DON GONZALO.—¡Por Dios, Florita; si no hay motivo! No desesperes.

FLORA.—¿Que no hay motivo? ¿Que no desespere?... ¿Pero no te has enterado de lo que proyectan?

DON GONZALO.—Me he enterado de todo.

FLORA.—Picavea ha impuesto la condición de que los dos han de renunciar a mí, sea cual fuere el resultado del lance; y, claro, Galán se considera en la necesidad de aceptar para que no le crean un cobarde... ¡Y me dejarán los dos!... Y esto es demasiado, porque quedarme sin el que sucumba, bueno; pero sin el superviviente, ¿por qué, Dios mío, por qué?

DON GONZALO.—No llores, Florita; no llores; estáte tranquila, ya te he dicho que no se baten; yo sabré evitarlo.

FLORA.—¡Qué espantosa tragedia! Toda mi juventud suspirando por un hombre, y de pronto me surgen dos; venme, inflámanse, insúltanse, péganse y de repente se esfuman. ¡Esto es espantoso!..., ¡horrible! ¿Qué tendré yo, Gonzalo, qué tendré que no puedo ser dichosa?

DON GONZALO.—Cálmate, Florita, que yo te juro que lo serás. Cálmate.

FLORA.—Si no puedo calmarme, Gonzalo, no puedo... Porque encima de esta amargura, Maruja Peláez me ha hecho un chiste, ¡un chiste!... En esta situación... ¡Miserable!... Dice que mi boda era imposible ¡porque hubiera sido una boda de un Galán con una característica![86]... ¡Figúrate!... *(Llora amargamente.)* ¡Yo característica!

DON GONZALO.—¡Infame!... ¡Escándalos, ultrajes, burlas..., y todo sobre esta criatura infeliz! ¡No, no, Florita!... No llores, seca tus ojos. ¡Ni una lágrima más! ¡Bandidos!... No, yo te juro que te casas con Galán, te casas con Galán aunque se hunda el mundo, porque el que mata a Picavea soy yo..., ¡yo!...

FLORA.—¡No, eso no, Gonzalo; eso tampoco! ¡A costa de tu vida, cómo iba yo a ser dichosa!... No, déjalo; he tenido la desgracia de enloquecer a dos hombres... ¡Lo sufriré yo sola!... Entraré en un convento...

DON GONZALO.—¿Tú en un convento?

FLORA.—Sí, en un convento; profesaré en las Capuchinas... Seré capuchina... Ya he escogido hasta el nombre: Sor María de la Luz; creo que para una capuchina[87]...

DON GONZALO.—¡Pero qué locuras estás diciendo!... Crees

---

[86] *Característica:* «actriz que representa papeles de cierta edad».

[87] *Capuchina:* además de «religiosa de la orden de San Francisco» es una «lamparilla con apagador en forma de capucha».

que lejos de ti podría yo vivir tranquilo... Calla, Florita, calla; ¡no me partas el alma!

ESCENA III

DICHOS, *el* CRIADO *y luego* PEÑA *y* LACASA

CRIADO.—*(Por la derecha.)* Señor...

DON GONZALO.—¿Quién?

CRIADO.—Los señores Peña y Lacasa.

FLORA.—¡Peña y Lacasa!... ¿Qué quieren? ¿Qué buscan aquí esos hombres siniestros?

DON GONZALO.—Nada, nada... Déjame unos instantes. Luego hablaremos. Ten calma. Todo se resolverá felizmente. ¡Te lo aseguro!...

FLORA.—¡Ah, no, no!... La felicidad es un pájaro azul que se posa en un minuto de nuestra vida, pero levanta el vuelo...

CRIADO.—¿Qué?

FLORA.—No te digo a ti... ¿Eres tú pájaro acaso? ¿O azul, por una casualidad?

CRIADO.—Es que creí...

FLORA.—¡Estúpido!

DON GONZALO.—Que pasen esos señores.

FLORA.—Pero levanta el vuelo, y Dios sabe en qué otro minuto se volverá a posar. ¡Ah!... *(Vase por la izquierda.)*

CRIADO.—*(Asomándose a la puerta derecha.)* ¡Señores!... *(Les deja pasar y se retira.)*

PEÑA.—¡Gonzalo!

LACASA.—¡Querido Gonzalo!

DON GONZALO.—Pasad, pasad y hablemos en voz baja. ¿Qué tal?

LACASA.—¡Horrible!

PEÑA.—¡Espantoso!

LACASA.—¡Trágico!

PEÑA.—¡Funesto!

DON GONZALO.—¿Pero qué sucede?

PEÑA.—¡Un duelo tan bien concebido!...

LACASA.—¡Una verdadera obra de arte!
PEÑA.—Tres disparos simultáneos apuntando seis segundos.
LACASA.—Y cada disparo avanzando cinco pasos.
PEÑA.—Y en el supuesto desgraciado de que los dos saliesen ilesos, continuar a sable.
LACASA.—Filo, contrafilo y punta; a todo juego, asaltos de seis minutos..., uno de descanso, permitida la estocada...
PEÑA.—¡En fin, que no había escape! Un duelo como para servir a un amigo.
LACASA.—¡Oh, qué ira! ¡La primera vez que me sucede!
PEÑA.—¡Y a mí!
DON GONZALO.—¡Bueno, estoy que no respiro!... ¿Queréis decirme al fin qué pasa?
PEÑA.—¡Una desdicha! Que el duelo no puede verificarse.
LACASA.—Todo se nos ha venido a tierra.
DON GONZALO.—¿Pues?
PEÑA.—Que no encontramos a Picavea ni vivo ni muerto.
DON GONZALO.—¿Cómo que no?
LACASA.—Ni ofreciendo hallazgo. Unos dicen que después de la cuestión le vieron salir de tu casa y desaparecer por la boca de una alcantarilla.
PEÑA.—Otros aseguran que no fue por la boca, sino que desde que supo que tenía que batirse contigo, marchó a su casa por un retrato, tomó un kilométrico de doce mil kilómetros y se metió en el rápido.
LACASA.—Corren distintas versiones.
PEÑA.—Pero Picavea, por lo visto, ha corrido mucho más que las versiones, porque no damos con él por parte alguna; ¡ni con el rastro siquiera!
LACASA.—¡Que fatalidad!
DON GONZALO.—¿Habéis ido a su casa?
PEÑA.—Lo primero que hicimos. Y dice la patrona que la misma noche de la cuestión llegó lívido, sin apetito, y que a instancias suyas lo único que pudo hacerle tomar fueron unas patas de liebre, unas alas de pollo y un poco de gaseosa... Cosas ligeras, como ves, fugitivas...
LACASA.—Y tan fugitivas.
PEÑA.—Como que después de lo de las patas y las alas des-

apareció con un aviador; sospechan si para emprender el raid Madrid-San Petersburgo[88].

DON GONZALO.—¡Miserable! Pone tierra por medio.

LACASA.—Aire, aire.

PEÑA.—Otros compañeros de hospedaje relatan que le oyeron preguntar qué punto de Oceanía es el más distante de la Península.

DON GONZALO.—¡Cobarde!... ¡Ha huido!

PEÑA.—¡Los datos son para sospecharlo!

DON GONZALO.—¡Oh!, ¿veis?... Eso prueba que lo de Galán fue una calumnia... ¡Una repugnante calumnia! ¡Oh, qué alegría, qué alegría va a tener mi hermana!... ¡Pobre Galán!... Yo, que hasta había llegado a sospechar... ¡Le haré un regalo!

LACASA.—¡Gonzalo, ese granuja nos ha privado de complacerte!

PEÑA.—Gonzalo, no hemos podido servirte; pero si a consecuencia de este asunto tuvieses que matar a otro amigo, acuérdate de nosotros.

DON GONZALO.—Descuidad.

LACASA.—Te serviremos con muchísimo placer. Ya nos conoces.

PEÑA.—¡Lances de *menú* o de papel secante, no!... Ni almuerzos ni actas. ¡Duelos serios, especialidad de Lacasa y mía!

DON GONZALO.—Os estimo en lo que valéis. Gracias por todo. Adiós, Peña... Adiós, Lacasa.

LACASA.—¡A dos pasos de tus órdenes!

PEÑA.—Disparado por servirte. *(Saludan. Vanse por la derecha.)*

DON GONZALO.—Ha huido. Era un calumniador y un envi-

---

[88] En las primeras décadas del siglo, los *raids aéreos* suscitaron pasión popular. Por ejemplo, en 1911 el París-Madrid, que congregó en su inicio a cerca de un millón de personas pero se cobró numerosas víctimas, entre ellas el ministro francés de la Guerra. El 5 de abril de 1926, a la misma hora que llegaba a Huelva el crucero argentino *Buenos Aires,* que traía a los intrépidos aviadores del *Plus Ultra,* partían de Cuatro Vientos los pilotos del vuelo Madrid-Manila (*vid.* mi *Luces de candilejas. Los espectáculos en España 1898-1939,* Madrid, Espasa-Calpe, Austral, 1991, págs. 272-276).

dioso. Voy a contárselo todo a Florita; se va a volver loca de alegría. ¡Oh! Ya no hay obstáculo para su felicidad. Dentro de un mes, la boda. No la retraso ni un solo minuto. Y en cuanto a Galán, como compensacion, le regalaré la estatua de Saturno comiéndose a sus hijas[89], que tengo en el jardín. Dos metros de base por tres de altura. Está algo deteriorada, porque al hijo que Saturno se está comiendo le falta una pierna...; pero en fin, así está más en carácter. *(Vase por la izquierda.)*

ESCENA IV

CRIADO, DON MARCELINO *y* NUMERIANO GALÁN, *por la derecha*

CRIADO.—Pasen los señores. *(Les deja paso y se va.)*

NUMERIANO.—¿Ha visto usted qué par de chacales esos que salían?

DON MARCELINO.—Peña y Lacasa. Son los padrinos de Gonzalo. Iban furiosos y con un juego de pistolas debajo del brazo.

NUMERIANO.—A cualquier cosa le llaman juego.

DON MARCELINO.—Bueno, Galancito, ¿y a qué me traes aquí, si puede saberse?

NUMERIANO.—Pues a que me ayude usted a convencer a don Gonzalo para que me deje batirme antes con Picavea. Si no, estamos perdidos.

DON MARCELINO.—Me parece que no conseguimos nada. ¡Tú no sabes cómo está Gonzalo!

NUMERIANO.—Entonces, ¿qué hacemos, don Marcelino, qué hacemos?

---

89 *Saturno:* es el nombre latino de Cronos, expulsado del cielo por Zeus, que se instaló en el Lacio y enseñó la agricultura a los hombres. Los artistas lo han presentado como personificación del Tiempo, con alas, guadaña y reloj de arena o devorando a sus hijos. Sobre este tema pueden verse, en el Prado, un cuadro de Rubens, pintado para la Torre de la Parada, y otro de Goya, que forma parte de la serie pintada para la Quinta del Manzanares.

DON MARCELINO.—A mi juicio, lo primero que hay que hacer es el borrador para la esquela de Picavea; porque Picavea sube hoy al cielo. A patadas, pero sube.
NUMERIANO.—¡Ah, Dios mío!... ¿Y Florita estará...?
DON MARCELINO.—Medrosa del todo. Desde que supone que Picavea y tú vais a batiros por ella, se ha puesto mucho más romántica.
NUMERIANO.—¡Qué horror!
DON MARCELINO.—Se ha soltado el pelo, o por lo menos el añadido; ha extraviado los ojos en una forma que ni anunciándolos en los periódicos se los encuentran, y anda deshojando flores por el jardín y preguntándoles unas cosas a las margaritas, que un día le van a contestar mal, lo vas a ver.
NUMERIANO.—¡Virgen Santa!
DON MARCELINO.—Y se ha encerrado en este dilema pavoroso: «O Galán o capuchina.»
NUMERIANO.—*(Aterrado.)* ¿Y qué es eso?
DON MARCELINO.—¡No sé, pero debe ser algo terrible!
NUMERIANO.—¡Ay, qué miedo! ¡Por Dios, don Marcelino, ayúdeme usted a convencer a don Gonzalo! ¡Sálveme usted! ¡Estoy desesperado! ¡Maldita sea!... De algún tiempo a esta parte todo se vuelve contra mí, ¡todo!... *(Furioso, da un puñetazo al fuchimbool, y, naturalmente, la pelota se vuelve contra él.)* ¡Caray!... ¡Hasta la pelota!...
DON MARCELINO.—¡Calla, Gonzalo viene!
NUMERIANO.—¡Elocuencia, Dios mío!

ESCENA V

DICHOS, *y* DON GONZALO, *por la izquierda*

DON GONZALO.—*(Tendiéndoles las manos.)* ¿Ustedes?
DON MARCELINO.—Querido Gonzalo, vengo porque no puedes imaginar lo que está sufriendo este hombre.
DON GONZALO.—Pero ¿por qué, amigo Galán, por qué?
NUMERIANO.—¡Ah, don Gonzalo, una tortura horrible me destroza el alma! Usted sabe como nadie que el honor es

mi único patrimonio; por consecuencia, de rodillas suplico a usted me permita que sea yo el que mate a ese granuja que aquella noche nefasta enlodó mi honradez acrisolada...

DON GONZALO.—Bueno, Galán, pero...

NUMERIANO.—¡No olvide usted que el miserable dijo que yo tenía no sé qué de Segunda, y yo no tengo nada de Segunda, don Gonzalo, se lo juro a usted!...

DON GONZALO.—No, hombre, si lo creo... Y por mí mátelo usted cuando quiera, amigo Galán.

NUMERIANO.—*(Abrazando a* DON GONZALO.) ¡Gracias, gracias! ¡Oh, qué alegría! ¡Ser yo el que le atraviese el corazón!

DON GONZALO.—Lo malo es que no va usted a poder.

DON MARCELINO.—*(Aterrado.)* ¿Le has matado tú ya?

DON GONZALO.—No me ha sido posible.

NUMERIANO.—Entonces, ¿por qué no voy a ser yo el que le arranque la lengua?

DON GONZALO.—Porque se la ha llevado con todo lo demás.

NUMERIANO.—¿Cómo que se la ha llevado?

DON MARCELINO.—¿Qué quieres decir?

DON GONZALO.—*(Riendo francamente.)* Sí, hombre, sí. Sabedlo de una vez. ¡Picavea, asustado de su crimen, ha huido!

LOS DOS.—*(Con espanto.)* ¿Que ha huido?...

DON GONZALO.—¡Ha huido!

DON MARCELINO.—¡Pero no es posible!

NUMERIANO.—¡Eso no puede ser, don Gonzalo!

DON GONZALO.—Y en aeroplano, según me aseguran.

DON MARCELINO.—¡Atiza!

NUMERIANO.—¡Que ha huido!... ¡Dios mío, pero está usted oyendo qué canallada!

DON MARCELINO.—¡Qué sinvergüenza!

NUMERIANO.—¡Irse y dejarme de esta manera! ¿Es esto formalidad, don Marcelino?

DON GONZALO.—¡Cálmese, amigo Galán!

NUMERIANO.—¡Qué voy a calmarme, hombre!... ¡Esto no se hace con un amigo..., digo, con un enemigo!... *(A* DON MARCELINO.) ¡Irse en aeroplano!

DON MARCELINO.—*(Aparte.)* (¡Y no invitarte!...) Ya, ya... ¡qué canalla!

DON GONZALO.—Calme, calme su justa cólera, amigo Galán. Su honor queda inmaculado, y, puesto que la dicha renace para nosotros, no pensemos ya sino en la felicidad de Florita y de usted; porque mi deseo es que se casen a escape.

NUMERIANO.—Hombre, don Gonzalo, yo a escape, la verdad...

DON GONZALO.—No quiero que surjan otros incidentes. La vida está llena de asechanzas. Acaba usted de verlo.

DON MARCELINO.—Bueno, pero Galán lo que desea es un plazo para...

DON GONZALO.—No le pongo un puñal al pecho, naturalmente; pero, vamos, ¿le parecería a usted bien que para la boda fijáramos el día del Corpus? Faltan dos meses.

NUMERIANO.—Hombre, Corpus, Corpus... No tengo yo el Corpus por una fecha propicia para nupcias... No me hace a mí...

DON GONZALO.—¿Entonces quiere usted que lo adelantemos para la Pascua?

NUMERIANO.—¡Qué sé yo!

DON GONZALO.—¿Tampoco le hace a usted la Pascua?

NUMERIANO.—Como hacerme, sí me hace la Pascua, pero, vamos, es que yo..., es que yo, don Gonzalo, la verdad, quiero serle a usted franco, hablarle con toda el alma.

DON GONZALO.—Dígame, dígame, amigo Galán.

NUMERIANO.—¿Dice usted que Picavea ha huido?

DON GONZALO.—Ha huido. Indudable.

NUMERIANO.—Pues bien, yo tengo que decirle a usted que hasta que ese hombre aparezca y yo le mate, yo no puedo casarme, don Gonzalo.

DON GONZALO.—¡Por Dios, es un escrúpulo exagerado!

NUMERIANO.—Hágase usted cargo, si yo no vuelvo por los fueros de mi honor, ¿qué dignidad le llevo a mi esposa?

DON MARCELINO.—Hombre, en eso el muchacho tiene algo de razón.

NUMERIANO.—Ahora, eso sí, don Gonzalo, que aparece Picavea, y al día siguiente la boda.

CRIADO.—*(Desde la puerta.)* El señor Picavea.

DON GONZALO.—¿Qué?

CRIADO.—Su tarjeta.

DON GONZALO.—*(La toma y lee.)* ¡Picavea! *(Mostrándoles la tarjeta.)*

LOS DOS.—¡¡Picavea!! (GALÁN *cae aterrado sobre una silla.)*

DON GONZALO.—Se conoce que ha aterrizado. *(Al* CRIADO.) ¿Y este hombre...?

CRIADO.—Aguarda en la antesala. Debe encontrarse algo enfermo. Está pálido, tembloroso. Me ha pedido un vaso de agua con azahar. Por cierto que al ir a traérsela he visto que escondía todos los bastones del perchero.

DON GONZALO.—¡Ah, canalla!

CRIADO.—Dice que tiene algo extraordinario y urgente que decirle al señor, y que le suplica, de rodillas si es preciso, que le reciba...

DON GONZALO.—Yo no sé hasta qué punto será correcto...

CRIADO.—Dice que se acoge a la hidalguía del señor.

DON GONZALO.—Basta. Dile que pase.

NUMERIANO.—Pero ¿le va usted a recibir?

DON GONZALO.—¡Qué remedio!... ¿No oye usted cómo lo suplica?

NUMERIANO.—*(Aparte a* DON DON MARCELINO.) ¡Estoy aterrado! ¿A qué vendrá ese bruto?

DON MARCELINO.—(No me llega la camisa al cuerpo.)

DON GONZALO.—Vosotros pasad a esa habitación y oíd. Y por Dios, Galán, conténgase usted, oiga lo que oiga. Marcelino, no le abandones.

DON MARCELINO.—Descuida. *(Vanse izquierda.)*

ESCENA VI

DON GONZALO *y* PICAVEA; *luego,* DON MARCELINO *y* NUMERIANO GALÁN

PICAVEA.—*(Dentro.)* Da... da... da... dada... dada... usted su per... su permiso?

DON GONZALO.—Adelante. (¡Dame calma, Dios mío, que yo no olvide que estoy en mi casa! Apartaré este sable, no me dé una mala tentación...) *(Coge un sable para retirarlo.)*

PICAVEA.—*(Asomando la cabeza.)* Muy bue... ¡Caray! *(Se retira enseguida al ver a* DON GONZALO *con el sable.)*

DON GONZALO.—Pero ¿qué hace ese hombre? *(Alto.)* Pase usted sin miedo.

PICAVEA.—¡Papa... papa... pa... pasaré, sí, señor; pe... pe... pero sin miedo es impopo... es imposible! Com... com... comprendo su... su indignación, don Gon... don Gonzalo; y por eso...

DON GONZALO.—Sí, señor, mi indignación es mucha y muy justa; pero acogido a la hospitalidad de estas nobles paredes, nada tiene usted que temer por ahora. Tranquilícese y diga cuanto quiera.

PICAVEA.—Don Gon... don Gon... don Gonzalo, yo no sé cómo agradecer a usted que me haya re... re... recibido después de la su... su... susu...

DON GONZALO.—Abrevie usted los periodos, porque entre la tartamudez y la abundancia retórica no acabaríamos nunca.

PICAVEA.—Lo que quiero decir es que mi gratitud por la bondad de recibirme...

DON GONZALO.—Nada tiene que agradecerme. Cumplo con mi deber de caballero. Hable.

PICAVEA.—*(Cayendo súbitamente de rodillas a los pies de* DON GONZALO.) ¡Ah, don Gonzalo..., escúpame usted, máteme usted!... Coja usted una de esas nobles tizonas y déme usted una estocada.

DON GONZALO.—Señor mío, eso no sería digno...

PICAVEA.—Pues una media estocada... ¡Un bajonazo! ¡Sí! ¡Lo merezco, don Gonzalo, lo merezco, por buey!

DON GONZALO.—Pero ¿qué está usted diciendo?

PICAVEA.—La verdad, don Gonzalo, vengo a decir toda la verdad. Yo seguramente habré aparecido a los ojos de usted como un canalla.

DON GONZALO.—Se califica usted con una justicia que me ahorra a mí esa molestia.

PICAVEA.—Pues bien, don Gonzalo, de todo esto tiene la culpa...

DON GONZALO.—Ya sé lo que va usted a decirme, ¿que tiene la culpa el que mi hermana le ha vuelto a usted loco?

PICAVEA.—¡Quia, no, señor, qué me ha de volver a mí la pobre señora!... Yo sólo siento por ella una admiración simplemente amistosa.

DON GONZALO.—Entonces, ¿por qué dio usted lugar a aquella trágica escena?

PICAVEA.—Yo, don Gonzalo, todo lo que dije y lo que hice, lo hice y lo dije por salvar a Galán únicamente.

DON GONZALO.—¿Cómo por salvar a Galán?... ¡No comprendo!... Salvar a Galán, ¿de qué?...

PICAVEA.—Es que a Galán, usted perdone, pero a Galán tampoco le gusta su hermana de usted.

DON GONZALO.—*(Con tremenda sorpresa.)* ¿Eh?... ¿Cómo?... ¿Qué está usted diciendo?

PICAVEA.—Que no le gusta.

DON GONZALO.—¡Pero este hombre se ha vuelto loco!

PICAVEA.—No, don Gonzalo, no. Ustedes, Galán y yo hemos sido víctimas de un juego inicuo, y permítame que le suplique toda la calma de que sea capaz para escucharme hasta el fin.

DON GONZALO.—*(Con ansiedad.)* Hable, hable usted pronto.

PICAVEA.—Don Gonzalo, la declaración amorosa que recibió Florita no era de Galán.

DON GONZALO.—¿Cómo que no?

PICAVEA.—Fue escrita por Tito Guiloya, imitando su letra para darle una broma de las que han hecho famoso al Guasa Club.

DON GONZALO.—¡Oh!, pero ¿qué dice este necio?... ¿Qué nueva mentira inventa este canalla?... *(Va a acometerle.)*

PICAVEA.—¡Por Dios, don Gonzalo!...

DON GONZALO.—Yo te juro que vas a pagar ahora mismo...

ESCENA VII

DICHOS, NUMERIANO GALÁN *y* DON MARCELINO

NUMERIANO.—*(Saliendo.)* Deténgase usted, don Gonzalo. Este hombre dice la verdad.
DON GONZALO.—*(Aterrado.)* ¿Qué?
DON MARCELINO.—Una verdad como un templo, Gonzalo.
DON GONZALO.—Pero ¿qué dices?
DON MARCELINO.—Mátanos, desuéllanos..., porque cada uno tiene en esta culpa una parte proporcional. Éste, por debilidad, por miedo; éste, por inducción; yo, por silencio, por tolerancia... Pero lo que oyes es la verdad.
DON GONZALO.—*(Como enloquecido.)* Pero ¿no sueño?... Pero ¿es esto cierto, Marcelino?
NUMERIANO.—Sí, don Gonzalo; hemos sido víctimas de una burla cruel. Yo no me he declarado jamás a su hermana de usted. Yo no he tenido nunca intención de casarme con ella, porque ni mi posición ni mi deseo me habían determinado a semejante cosa.
DON GONZALO.—¿De modo que es verdad?... ¿De modo que...?
DON MARCELINO.—Han sido esos bandidos, Tito Guiloya, Manchón y Torrija, los que, aprovechando hábilmente una situación equívoca que ya te explicaré, y con propósitos de insano regocijo, de burla indigna, fraguaron esta iniquidad... ¡Una broma de casino!
DON GONZALO.—¡Dios mío!
NUMERIANO.—Y yo también soy culpable, don Gonzalo, lo reconozco. Soy culpable, porque debí, en el primer momento, decir a ustedes lo que pasaba. Pero me faltó valor. Aparte la condición pusilánime de mi carácter, la acogida cordial, efusiva, que usted me dispensó, henchido de gozo por el bien de su hermana, a la que adora en términos tan conmovedores, me hizo ser cobarde y preferí aguardar a que una solución imprevista resolviera el conflicto.

DON GONZALO.—*(Repuesto del estupor, se levanta airado, violento, tembloroso.)* ¡Ah!... ¡De modo que una burla!... ¡Que todo ha sido una burla!... ¿Y por el placer de una grosera carcajada no han vacilado en amargar con el ridículo el fracaso de una vida?... ¡Y para este escarnio cien veces infame, escogen a mi hermana, a mi pobre hermana, alma sencilla cuyo único delito es que se resiste a perder el derecho a una felicidad que ha visto disfrutar fácilmente a otras mujeres, sólo porque la naturaleza ha sido más piadosa con ellas! ¡Pues no, no será!

DON MARCELINO.—¡Gonzalo!

DON GONZALO.—No será; y a este crimen de la burla, frío, cruel, pérfido, premeditado..., responderé yo con la violencia, con la barbarie, con la crueldad. ¡Yo mato a uno, mato a uno, Marcelino, te lo juro!...

DON MARCELINO.—¡Cálmate, cálmate, por Dios, Gonzalo!...

DON GONZALO.—No puedo, no puedo calmarme, Marcelino, no puedo. ¡Burlarse de mi hermana adorada, de mi hermana querida, a la que yo he consagrado con mi amor y mi ternura una vida de renunciaciones y de sacrificios! De sacrificios, sí. Porque vosotros, como todo el mundo, me suponéis un solterón egoísta, incapaz de sacrificar la comodidad personal a los desvelos e inquietudes que impone el matrimonio. Pues sabedlo de una vez: nada más lejos de mi alma. En mi corazón, Marcelino, he ahogado muchas veces —y algunas, Dios sabe con cuánta amargura— el germen de nobles amores que me hubiesen llevado a un hogar feliz, a una vida fecunda. Pero surgía en mi corazón un dilema pavoroso; u obligaba a mi hermana a soportar en su propia casa la vida triste de un papel secundario, o había yo de marcharme dejándola en una orfandad que mis nuevos afectos hubiesen hecho más triste y más desconsoladora. ¡Y por su felicidad he renunciado siempre a la mía!

DON MARCELINO.—Eres un santo, Gonzalo.

DON GONZALO.—Hay más. Esta es para mí una hora amarga de confesión; quiero que sepáis todo, todo... Yo he llegado por ella, entiéndelo bien, sólo por ella, hasta el ridículo.

DON MARCELINO.—¡Gonzalo!
DON GONZALO.—*(Con profunda amargura.)* Sí, porque yo, yo soy un viejo ridículo, ya lo sé.
DON MARCELINO.—¡Hombre!...
DON GONZALO.—Sí, Marcelino, sí; hasta el ridículo. Un ridículo consciente, que es el más triste de todos. Yo, y perdonadme estas grotescas confesiones, yo me tiño el pelo; yo, impropiamente, busco entre la juventud mis amistades. Yo visto con un acicalamiento amanerado, llamativo, inconveniente a la seriedad de mis años. Y todo esto, que ha sido y es en el pueblo motivo de burla, de chacota, de escarnio, yo lo he padecido con resignación y lo he tolerado con humildad, porque lo he sufrido por ella.
DON MARCELINO.—¿Por ella?
DON GONZALO.—Sí, por ella. Como entre Florita y yo la diferencia de años es poca, las canas, las arrugas, los achaques en mí la producían un profundo horror, una espantosa consternación. Veía en mi vejez acercarse la suya, y yo entonces quise parecer joven solamente para que Florita no se creyese vieja. Y para atenuarla el espectáculo del desastre, puse sobre esta cabeza que para ser respetada debía ser blanca, y sobre este cuerpo ya caduco, unas ridículas mentiras que conservaran en ella la pueril ilusión de una falsa juventud. Esto ha sido todo. *(Llora.)*
DON MARCELINO.—*(Conmovido.)* ¡¡Gonzalo!!
PICAVEA.—Don Gonzalo, perdón; somos unos miserables.
NUMERIANO.—Usted es un santo, don Gonzalo, un santo; y si no le pareciese absurdo lo que voy a decirle, yo me ofrezco a reparar esta broma infame casándome con Florita, si usted quiere.
DON GONZALO.—No, gracias, amigo Galán; muchas gracias. Pasado ese impulso generoso de su alma buena, quedaría la realidad; mi hermana con sus años...; usted con su natural desamor... Imagínese el espanto. Quedémonos en el ridículo; no demos paso a la tragedia.
NUMERIANO.—Sí, sí, don Gonzalo, lo comprendo; pero por lo que se refiere a Tito Guiloya, a Manchón, a Torrija..., a todos los del Guasa Club, yo ruego a usted que me con-

ceda el derecho a una venganza bárbara, ejemplar...; a una venganza...

ESCENA VIII

DICHOS, el CRIADO, *luego* TITO GUILOYA, *puerta derecha*

CRIADO.—Señor..., este caballero.

DON GONZALO.—*(Leyendo la tarjeta.)* ¡Hombre!... ¡Dios le trae! Aquí le tenemos.

DON MARCELINO.—¿Quién?

DON GONZALO.—Tito Guiloya.

PICAVEA y NUMERIANO.—¡¡Él!!

DON GONZALO.—Viene a continuar la burla.

PICAVEA.—*(Coge un sable.)* Pues permítame usted que yo...

NUMERIANO.—*(Coge una espada.)* Y déjeme usted a mí que le...

DON GONZALO.—Quietos. En mi casa, y en cosas que a mí tan tristemente se refieren, yo soy quien debo hablar.

DON MARCELINO.—Pero, por Dios, Gonzalo...

DON GONZALO.—Descuida, estoy tranquilo.

NUMERIANO.—Pero nosotros...

DON GONZALO.—Métanse ustedes ahí. Les suplico un silencio absoluto. *(Al* CRIADO.) Que pase ese señor. *(Se meten los tres detrás de la cortina de la ventana de modo que al entrar el visitante no los vea.)* Un silencio absoluto, vean lo que vean y oigan lo que oigan.

TITO.—*(Desde la puerta.)* ¿Da usted su permiso, queridísimo don Gonzalo?

DON GONZALO.—Adelante.

TITO.—Perdone usted, mi predilecto y cordial amigo, que venga a molestarle, pero... altos dictados de caballerosidad que los hombres de honor no podemos desatender me impelen a esta lamentable visita.

DON GONZALO.—Tome asiento y dígame lo que guste. *(Se sientan.)*

TITO.—Don Gonzalo, usted y yo somos dos hombres de honor.

DON GONZALO .—Uno.

TITO.—Usted perdone, dos, o yo no sé matemáticas.

DON GONZALO.—Sabe usted matemáticas. Uno. Adelante.

TITO.—Bueno; pues yo vengo con la desagradable misión de convencer a usted de que el señor Picavea, mi apadrinado, debe batirse, antes que con usted, con ese canalla, con ese reptil, con ese bandido de Galán, cuyas infamias probaremos cumplidamente.

DON GONZALO.—¡Chits!... No levante usted la voz, no sea que le oiga.

TITO.—Pero ¿Cómo va a oírme?

DON GONZALO.—Fíjese. (GALÁN *le saluda con la mano.)*

TITO.—*(Dando un salto.)* ¡Carape! *(Lleno de asombro)*[90]. ¿Pero qué es esto? *(A* PICAVEA.) ¿Tú aquí?... ¿Y con Galán?... ¿Pero no habíamos quedado en que yo vendría a buscar una solución honrosa al...? (PICAVEA *hace un gesto encogiendo los hombros como el que quiere expresar: «qué quieres que te diga».)*

TITO.—Pero ¿cómo se justifica la presencia aquí de Picavea cuando habíamos quedado en que tú...? (GALÁN *hace el mismo gesto de* PICAVEA.) Don Marcelino, yo ruego a usted que justifique esta situación inexplicable en que me hallo, porque es preciso que yo quede como debo. (DON MARCELINO *hace el mismo gesto.)* Es decir, ¿que ninguno de los tres...? Señores, por Dios, que yo necesito que a mí se me deje en el sitio... *(los tres indican con la mano que espere, que no tenga prisa)* en el sitio que me corresponde, no confundamos. *(Pausa. Ya muy azorado.)* Bueno, don Gonzalo; en vista de la extraña actitud de estos señores, yo me atrevería a suplicar a usted unas ligeras palabras que hicieran más airosa esta anómala situación. (DON GONZALO *hace el mismo gesto.)* ¡Tampoco!... ¡Caray, comparado con esta casa, el colegio de sordomudos es una grillera!... ¡Caramba, don Gonzalo, por Dios..., yo ruego a usted..., yo suplico a usted... que acabe esta broma del silencio, si es broma, y que me abra siquiera... un portillo por donde

[90] Acotación incompleta. Debería añadir: «Asoma Picavea».

yo pueda dar una excusa y oír una réplica, buena o mala, pero una réplica! Yo, hasta ahora, no sé qué es lo que sucede. Hablo, y la contestación que se me da es un movimiento de gimnasia sueca. *(Lo remeda.)* Interrogo y no se me responde.

DON GONZALO.—*(Se levanta y, clavándole los ojos, se dirige a él.* GUILOYA *retrocede aterrado. Al fin le coge la mano.)* Y más vale que así sea.

TITO.—Don Gonzalo, por Dios, que yo venía aquí...

DON GONZALO.—Usted venía aquí a lo que va a todas partes, a escarnecer a las personas honradas, a burlar a aquellos infelices que por achaques de la vida o ingratitudes de la naturaleza considera víctimas inofensivas de su cinismo.

TITO.—*(Aterrado.)* ¿Yo?

DON GONZALO.—¡Usted!... Y por eso, creyéndonos dos viejos ridículos, ha cogido usted el corazón de mi hermana y el mío y los ha paseado por la ciudad entre la rechifla de la gente como un despojo, como un airón[91] de mofa.

TITO.—¿Que yo he hecho eso?... ¡Don Gonzalo, por la Santa Virgen!... Hombre, decidle, habladle, haced el favor. *(Los tres el gesto.)*

DON GONZALO.—Pero para todos llega en la vida una hora implacable de expiación. Usted, hombre jovial, cínico, desaprensivo, cruel, no la sentía venir, ¿verdad?... Pues para usted esa hora ha llegado y es ésta. Siéntese ahí.

TITO.—*(Muerto de miedo, tembloroso.)* ¡¡Don Gonzalo!!

DON GONZALO.—Siéntese ahí. Si usted estuviese en mi lugar, y mi hermana fuera la suya, y sintiera usted caer sobre su vida adorada ese dolor amargo y lacerante de la burla de todo un pueblo, ¿qué haría usted conmigo?...

---

[91] *Airón:* «penacho, adorno de plumas». Lo utiliza Pérez de Ayala en su parodia del drama poético. Uno de los recursos de la obra de Teófilo que más entusiasmo despiertan en el público son las series monorrimas: «Tras de tu *airón* yo me iría, / tras tu canto-hechicería / que trueca la noche en día [...] y nunca se concluía [...].» La segunda estrofa aconsonantaba en -on y era la misma canción: «Me iría tras de tu *airón,* / tras tu canto-anunciación...» (*vid.* mi *Vida y literatura en «Troteras y danzaderas»*, Madrid, Castalia, col. Literatura y Sociedad, 1973, págs. 195-196).

TITO.—¡Bueno, don Gonzalo, pero es que yo...! ¡Hombre, por Dios, salvadme!...

DON GONZALO.—Aquí tiene usted papel, pluma y una pistola...

TITO.—*(Dando un salto.)* ¡Don Gonzalo!

DON GONZALO.—Si conserva un resto de caballerosidad, escriba una ligera exculpación para nosotros y hágase justicia.

TITO.—*(Enloquecido de horror, coge la pistola tembloroso.)* ¡Ay, por Dios, don Gonzalo, perdón!

DON GONZALO.—¡Hágase usted justicia!

DON MARCELINO.—¡Oye, pero hazte justicia hacia aquel lado, que nos vas a dar a nosotros!

TITO.—*(Cayendo de rodillas.)* Don Gonzalo, perdón. ¡Yo estoy arrepentido!... Yo le juro a usted que no volveré más...

DON GONZALO.—*(Quitándole la pistola violentamente.)* ¡Cobarde, mal nacido!... ¡Vas a morir!

TITO.—*(En el colmo del terror, da un salto y se esconde detrás de los tres.)* ¡Socorro!... ¡Socorro!... ¡Salvadme!

NUMERIANO.—*(Aterrado.)* ¡Por Dios, don Gonzalo, desvíe el cañón..., que está usted muy tembloroso!

DON GONZALO.—¡Canalla! ¡Miserable!... ¡Que se vaya pronto, que se vaya o le mato!

DON MARCELINO.—¡A la calle!.. ¡A la calle! ¡Fuera de aquí, granuja!... *(Le da un puntapié y lo echa puertas afuera.)*

PICAVEA.—Vamos a hacerle los honores de la casa... *(Coge un sable y sale tras él.)*

NUMERIANO.—¡De la Casa de Socorro! *(Coge otro sable y sale escapado.)*

DON GONZALO.—*(Todavía excitado.)* ¡Cobarde! ¡Infame! ¡Lo he debido estrangular..., he debido matarlo!

DON MARCELINO.—Cálmate, Gonzalo, cálmate. ¡No vale la pena! ¿Qué hubieras conseguido? ¡Matas a Guiloya! ¿Y qué?... Guiloya no es un hombre, es el espíritu de la raza, cruel, agresivo, burlón, que no ríe de su propia alegría, sino del dolor ajeno. ¡Alegría!... ¿Qué alegría va a tener esta juventud que se forma en un ambiente de envidia, de ocio, de miseria moral, en esas charcas de los cafés y los casinos barajeros? ¿Qué ideales van a tener estos jóvenes que en vez de estudiar e ilustrarse se quiebran el magín y consumen el ingenio buscando una absurda similitud entre las cosas más heterogéneas y desemejantes?... ¿En qué se parece un membrillo a la catedral de Burgos? ¿En qué se parece una lenteja a un caballo al galope? Y, claro, luego surge rápida esta natural pregunta...: ¿en qué se parecen estos muchachos a hombres cultos interesados en el porvenir de la patria? Y la respuesta es tan desconsoladora como trágica... ¡En nada, en nada; absolutamente en nada!

DON GONZALO.—¡Tienes razón, Marcelino, tienes razón!

DON MARCELINO.—Pues, si tengo razón, calma tu justa cólera y piensa, como yo, que la manera de acabar con este tipo tan nacional del guasón es difundiendo la cultura. Es preciso matarlos con libros, no hay otro remedio: La cultura modifica la sensibilidad, y cuando estos jóvenes sean inteligentes, ya no podrán ser malos, ya no se atreverán a destrozar un corazón con un chiste, ni a amargar una vida con una broma.

DON GONZALO.—¡Ah!, ¡mi pobre hermana! ¡Qué cruel dolor! Pero ¿qué remedio? La llamaré. La diremos la verdad.

DON MARCELINO.—No. La burla humilla, degrada. Proyecta un viaje, te la llevas y estáis ausentes algún tiempo. Y ahora, si te parece, la diremos que no has podido evitar el duelo; que Galán está herido; que aceptó la condición de Picavea, que no vuelva a pensar en él.

DON GONZALO.—Sí, quizá es lo mejor. ¡Pero cómo va a llorar! ¡Ay, mi hermana!, ¡mi adorada hermana!

DON MARCELINO.—¡Pobre Florita!

DON GONZALO.—¡Qué amargura, Marcelino! ¡Ver llorar a un ser que tanto quieres, con unas lágrimas que ha hecho derramar la gente sólo para reírse! ¡No quiero más venganza sino que Dios, como castigo, llene de este dolor mío el alma de todos los burladores!

TELÓN

¡Que viene mi marido!

A mi muy querido amigo Pepe Caña,
en recuerdo de su feliz vaticinio.

CARLOS ARNICHES

PERSONAJES

CARITA
DOÑA TOMASA
ELENA
LA HIPÓLITA
GENOVEVA
DOÑA POLONIA
SOCORRITO
SEÑÁ MATEA
NIÑA 1.ª (13 años)
NIÑA 2.ª (11 años)
BERMEJO
DON VALERIANO
DON SEGUNDO
LUIS
HIDALGO
SEÑOR PALOMO
SEÑOR CÁRCELES
SATURNINO
RAMÓN
NIÑO 1.º (9 años)
NIÑO 2.º (7 años)

La acción en Madrid, actualmente.

Derecha e izquierda, las del actor.

Acto primero

Gabinete modesto. Dos puertas a cada lateral y una al foro. Cortinas, cuadros y muebles adecuados.

ESCENA PRIMERA

ELENA, GENOVEVA, DOÑA POLONIA, SOCORRITO, DON VALERIANO, SEÑOR PALOMO *y* RAMÓN.

(Todos estos personajes entran y salen varias veces durante la escena, según las indicaciones del diálogo. Al levantarse el telón se escuchan ayes y gritos nerviosos de DOÑA TOMASA *y de* CARITA, *que se suponen accidentadas en la primera derecha y en la primera izquierda, respectivamente.)*

DON VALERIANO.—*(Sale trémulo y agitado por la primera derecha y se dirige a la segunda izquierda.)* ¡Esa tila!... ¡A ver esa tila!... ¡Pero no está esa tila todavía!...

GENOVEVA.—*(Saliendo, temblorosa y asustada, por segunda izquierda con una taza de tila, que trata de enfriar con la cuchara.)* Aquí está. Es que no atinaba con el sobresalto que tengo. *(Le da la taza a* DON VALERIANO, *que al probar la tila hace un gesto como de haberse quemado.)* ¿Cómo la encuentra usted?

DON VALERIANO.—Para pelar pollos.

GENOVEVA.—Digo a la señora.

DON VALERIANO.—¡Ah! Lo mismo... Exactamente lo mismo. No se la pasa... ¿Tiene azúcar?

GENOVEVA.—Si no es azúcar, yo no sé lo que será, porque con el aturullo le he echao de un papel que había en el armario, que me parecía terciada.

DON VALERIANO.—¿No será el ácido bórico?[1].

GENOVEVA.—Yo juraría que no; pero no lo juraría.

DON VALERIANO.—Bueno; corre arriba, a casa de los señores de Palomo, y que te dejen el azahar, anda.

GENOVEVA.—Sí, señor. De seguida. ¡Virgen del Carmen! ¡Virgen de la Paloma! ¡Virgen de... *(Vase foro derecha.)*

ELENA.—*(Por la primera izquierda agitada y temblorosa.)* Papá... papá... las llaves del armario. Haz el favor...

DON VALERIANO.—¿Pues qué ocurre ahora?

ELENA.—A Carita, que no la para el frío. Tiene un temblor de muerte. ¡Y eso que la tengo echadas tres mantas! Dice que la lleve un ruso. ¿Usted sabe dónde encontraría yo un ruso?

DON VALERIANO.—¿Un ruso?... ¡Qué sé yo...! Figúrate... Un ruso ahora[2]... Espera a ver... *(Llamando foro.)* Genoveva... ¡Genoveva!... *(A* ELENA.*)* Se conoce que se ha subido ya, porque la mandé arriba por el azahar. Enfría esto, que voy a ver si encuentro yo otra manta, o algo semejante. Está uno loco... está uno... *(Vase segunda izquierda.)*

ELENA.—*(Muy afligida, enfriando la tila.)* ¡Jesús, qué disgusto!... ¡La verdad es que ha sido un golpe!... ¡Quién iba a imaginárselo!... ¡Qué trastorno!... Vamos, que pasan cosas...

RAMÓN.—*(Entra foro derecha rápido, jadeante, con tres frascos en la mano.)* Aquí está la antipasmódica, la antistérica y la *antispirina*... y la cuenta del dinero. Dos de ésta y tres de ésta, cinco; más siete de éste... *(La deja sobre un velador.)* Sobran dos pesetas; una *(se busca en los bolsillos)* que me se debe haber perdío... y otra que me se debe... porque la he tenío que poner yo.

---

[1] *Ácido bórico:* «cuerpo blanco que se desprende, arrastrado por el vapor de agua que surge de algunas hendiduras de la tierra». Se usa como antiséptico.

[2] *Ruso* es también un «gabán de paño grueso». Para el chiste, recuérdese que la obra se estrenó el 19 de marzo de 1918, al final de la primera guerra mundial: un año en el que los periódicos madrileños comentaban cómo se extendía el terror por la Rusia soviética.

ELENA.—¿Y el médico?
RAMÓN.—No di con él. Y eso que le tengo buscao por medio Madrid. De primeras fui a su casa, y me dijo su señora que estaba en la Casa de Socorro; fui a la Casa de Socorro y me dijeron que la metá e los días no parece por allí. Con las mismas volví a decírselo a su señora, y gritó: «¡Ah, sinvergüenza, ya sé dónde estás!»; agarró la mantilla y se puso de una forma contra su marido, que hoy sí que creo que va a la Casa de Socorro.
ELENA.—¡Jesús, qué percance!

(Se oyen ayes de CARITA *por la primera izquierda.* ¡Ay, ay, ay!)

ELENA.—¡Ay, por Dios, que la repite! Enfríe usted esa tila, Ramón, que voy a ver... *(Le deja la tila y vase corriendo primera izquierda.)*
RAMÓN.—*(Enfriando la tila.)* Pues señor, se ha armao un tinguiringui[3] suave... Y tóo creo que es por una carta que han recibío de fuera. ¿Qué diría la dichosa cartita?... ¡Porque pa darles un desgusto de esta manituz!...[4] *(Probando la tila.)* ¡Repeine[5], qué caliente está esto! No se puede tomar *(vuelve a probarla),* pero que no se puede.
DOÑA POLONIA.—*(Por el foro derecha.)* ¿Se puede?
RAMÓN.—No, señora... digo... ¡ay, sí, señora!... Usté dispense, es que uno está que no sabe... Pasen ustedes, pasen ustedes.

(Entra DOÑA POLONIA *abrochándose la bata y con las rizadoras puestas.* SOCORRITO *con una falda de casa y envuelta en una toquilla, y* DON SIMÓN *en zapatillas, con pi-*

[3] *Tinguiringui:* «alboroto, altercado». Arniches usa también otras expresiones con significado semejante: *bululú, escalzaperros, fregado, trapatiesta, zurriburri...*

[4] Pronunciación vulgar de un cultismo. Arniches usa también *manitú* (en *El chico de las Peñuelas).*

[5] Interjección eufemística, semejante a *recaray, recontra, rediez, releñe, reporra...* Arniches la usa también en *El chico de las Peñuelas, El agua del Manzanares, Los milagros del jornal, El premio de Nicanor, Los ambiciosos...*

jama y con la bigotera[6] *puesta. Vienen inquietos, alarmados, nerviosos.)*

DOÑA POLONIA.—¿Pero qué sucede en esta casa, Ramón?

SOCORRITO.—¿Pero qué les ocurre? ¿Qué ha pasado?

SEÑOR PALOMO.—Ha subido Genoveva por el azahar y nos ha dicho que doña Tomasa y Carita habían sido presas de no sé qué...

RAMÓN.—*(Aterrado.)* ¿Cómo presas? *(Agita la tila y sopla.)*

SEÑOR PALOMO.—Vamos, quise decir que las ha dado...

RAMÓN.—¡Ah... un patatús, sí, señor! *(Sopla otra vez.)* Un patatús...

SEÑOR PALOMO.—Ramón, hazme el obsequio de soplar hacia otro cuadrante, que me espurreas.

DOÑA POLONIA.—Bueno, ¿pero ha sido enfermedad, accidente, disgusto o mero ataque?

RAMÓN.—Yo no sé si habrá sido mero u qué habrá sido; pero ha sido una cosa como la que me da a mí los sábados por la noche, que me privo[7].

SEÑOR PALOMO.—No, lo tuyo es merluza.

RAMÓN.—Y lo único que yo puedo decir a ustedes es que yo estaba abajo, en la portería, quitándome tres manchas que me había echao anoche en el chaleco y dos en el pantalón, cuando en esto...

ELENA.—*(Dentro, primera izquierda.)* Ramón, la antiespasmódica.

RAMÓN.—*(Alto.)* Voy. *(A los de* PALOMO*)* Con permiso de ustedes. *(A* DON SIMÓN.*)* Haga usted el favor de enfriar esto, señor Palomo, que en seguida vuelvo. *(Coge un frasco y vase primera izquierda, dejando la tila.)*

DOÑA POLONIA.—¿Pero qué será lo acaecido?

SEÑOR PALOMO.—Vete a saber. Lo único que hemos sacado en limpio es que el portero es un sucio.

---

[6] *Bigotera:* «tira con que se cubrían los bigotes, estando en la cama, para que no se descompusieran». Por muy cómico que hoy nos parezca, no era insólito entonces.

[7] *Privarse* puede significar «perder el conocimiento» o «emborracharse». En este caso, lo segundo, por la alusión a la *merluza*. Es gitanismo.

DOÑA POLONIA.—A ver si sale alguien de la familia y nos lo dice.
SEÑOR PALOMO.—Esto debe ser algún disgusto de Carita con el novio.
DOÑA POLONIA.—Es posible. No me gusta a mí esa Carita[8].
SEÑOR PALOMO.—A mí, no es que no me guste, pero es una niña que la tienen muy consentida, y eso...
DOÑA POLONIA.—Calla. Ahora lo sabremos... Don Valeriano... Viene don Valeriano...
DON VALERIANO.—*(Sale segunda izquierda, con un ruso al brazo.)* ¡Ay, señores!... ¡Ustedes!... *(Al verlos, movimiento de contrariedad.)* ¡Caramba!... ¡Cuánto agradezco!...
SEÑOR PALOMO.—¡Ay, don Valeriano; estamos muertas!
SOCORRITO.—¿Pero qué ha pasado aquí?
SEÑOR PALOMO.—Subió la Genoveva por el azahar y nos dijo...
DON VALERIANO.—Sí, nada; en realidad nada... sino que mi hermana Tomasa y mi sobrina, son tan nerviosas... *(Tomándose la taza de tila.)* No se moleste usted. ¡Ay, pero por Dios, señor Palomo; usted soplando!... Pues, nada, nada; no ha sido nada... Si acaso, ya avisaremos, y...
DOÑA POLONIA.—Nosotros sentiríamos molestar, pero la buena voluntad...
DON VALERIANO.—¡Por Dios, quiere usted callarse! ¡Cómo molestar! ¡Nada de eso!
SEÑOR PALOMO.—Pero si los vecinos no nos favorecemos unos a otros en estas ocasiones...
DON VALERIANO.—¡Ah, claro; sí, señor; desde luego!... Pues nada, en todo caso ya avisaríamos, y...
SOCORRITO.—Ya ve usted, hemos bajado en dos brincos; mamá con un salto[9]...
DOÑA POLONIA.—Y Simón hasta con la bigotera, ya ve usted...

---

[8] *Carita* es diminutivo de Caridad, pero Arniches lo ha elegido para poder hacer este chiste. El uso de nombres significativos es una de las características de su humor.

[9] *Salto:* «salto de cama». Pero eso le permite el juego de palabras, después del *brinco.*

SEÑOR PALOMO.—*(Quitándosela rápidamente.)* ¡Ay, sí, es verdad!... ¡Qué distracción! ¡Caramba!... usted perdone.

DOÑA POLONIA.—Conque siga usted. ¿Qué ha sido? ¿Qué ha sido ello, amigo don Valeriano?

DON VALERIANO.—Pues nada; que acabábamos de pasar esta mañana, como de costumbre, mi hija Elena y yo, para saludar a mi hermana Tomasa y a mi sobrina, cuando en esto...

DOÑA TOMASA.—*(En la primera derecha, con gran angustia.)* ¡Ay!... ¡Ay!... Valeriano... Valeriano...

DON VALERIANO.—¡Jesús!... ¡Mi hermana se agrava!... *(Dejándolas el ruso y la tila.)* ¡Por Dios, hagan ustedes el favor, que voy a ver... (Vase primera derecha.)*

SEÑOR PALOMO.—Pues, señor, esto es más difícil de averiguar que una charada numérica[10]. Pero en fin, los sacrosantos deberes de vecindad...

DOÑA POLONIA.—¿Has oído?... Dice que una cosa sin importancia.

SOCORRITO.—El novio. Lo que yo te decía. Si está cansado de ella...

SEÑOR PALOMO.—Chist... *(En voz baja.)* ¿Os habéis fijado en el servicio de té?... Tazas de cinco reales.

SOCORRITO.—Sí, pero la cucharilla es de plata.

DOÑA POLONIA.—*(Se la acerca a los ojos y se la devuelve despreciativamente.)* Miele[11].

SEÑOR PALOMO.—¡Y mirad los platillos!... ¡Desportillados!... Vaya unos platillos... Con el bombo que se daban...

ELENA.—*(Saliendo con un calientapiés, segunda izquierda.)* ¡Ay, pero por Dios, ustedes y solos!... Jesús, cuánto siento...

DOÑA POLONIA.—¿Quieres callarte, hija?... Comprendemos que la visita es inoportuna...

SEÑOR PALOMO.—Pero los sacrosantos deberes de vecindad...

ELENA.—¡Ay, cuánto agradecemos!..., pero siéntense, siéntense.

---

[10] *Charada numérica:* «acertijo para adivinar una palabra».

[11] Una marca de plata de segunda calidad o aleación escasa. Semejante fue, luego, la plata Meneses.

SEÑOR PALOMO.—¿Y qué ha sido, qué ha sido?...

ELENA.—Pues perdonen un momento, que ahora salgo, porque Carita... Y si sale papá, hagan el favor de darle este calientapiés, que es para mi tía. Soy con ustedes... *(Vase primera izquierda, dejándolas el calientapiés.)*

SEÑOR PALOMO.—Bueno; realmente yo creo que estamos molestando y viceversa[12].

DOÑA POLONIA.—¿Cómo viceversa, Simón?

SEÑOR PALOMO.—Sí, porque cada vez nos van dejando más adminículos. ¿No te percatas, Polonia?

SOCORRITO.—¿Pero y si pudiéramos hacer algo útil por la familia...?

SEÑOR PALOMO.—Yo creo que aquí lo más útil que podemos hacer por la familia, es marcharnos. ¿No coincides, Socorrito?

SOCORRITO.—¿Pero irse sin averiguar algo? *(Sale* ELENA *primera izquierda, con un frasco y una cuchara.)* De modo, hija mía, que decías que...

ELENA.—Dispensen un momento, que en seguida vuelvo. *(Vase primera derecha.)*

DOÑA POLONIA.—¡Nada, que no hay manera!

ESCENA II

DICHOS *y* DON SEGUNDO, *foro derecha.*

DON SEGUNDO.—*(Dentro.)* Valeriano... Tomasa...

SEÑOR PALOMO.—Callad... don Segundo, el de la tienda. Éste nos lo dice. Ahora lo averiguaremos todo.

DON SEGUNDO.—*(Saliendo. Lleva gorra y manguitos.)* Carita... Tomasa... (¡Caramba, los Palomos!...) ¿Ustedes?... Y luego, ¿qué pasa aquí? *(Quitándose la gorra.)*

DOÑA POLONIA.—¡Ah, ¿pero usted no sabe?...

DON SEGUNDO.—¡Qué voy a saber!... Yo estaba tranquilamente en la tienda recibiendo una partida de pellejos de aceite; por cierto que mandéle a Isidro que embotellase

[12] *Y viceversa:* «y ellos nos están molestando a nosotros».

de uno, porque nos quedamos sin nada del fino, cuando en esto que baja la Genoveva y me grita, más amarilla que la manteca: «Vea si sube don Segundo, que a la señora diole un soponcio y la señorita se nos privó, que no parece sino que muere»... ¡Y quisieran ver!... ¡Qué corridas de los dependientes de acá para allá!... Uno gritaba: «Socorro!...» Otro: «¡Ay, que muere doña Tomasa!...» Y otro: «Brinca por un médico.» Y aquello era no entenderse y gritar todos a una, y la Genoveva llora que llora, y con tanto susto y con tanto escándalo, abandonamos el pellejo, que se salió todo, y me dejé la tienda que aquello es una balsa de aceite[13].

SEÑOR PALOMO.—¿Y no sabe usted nada más?

DON SEGUNDO.—Nada más.

SEÑOR PALOMO.—*(Mirando a su mujer y a su hija.)* No sabe nada más. Bueno, pues nosotros, tras luengas pesquisas, nos hallamos a la par de usted en el conocimiento de lo acaecido[14], por lo cual le rogamos que se sirva reintegrarle a la familia este calientapiés, este gabán y esta taza de tila, en mi concepto, ya fría; así como nuestro más ferviente deseo de que mejoren las pacientes. *(Le entrega todo lo que dice.)*

DON SEGUNDO.—¡Pero me han dicho que Tomasa accidentada, Carita accidentada!...

SEÑOR PALOMO.—Sí, señor; doña Tomasa accidentada, Carita accidentada y nuestra visita también accidentada. Bésole la mano. *(Reverencia.)*

DOÑA POLONIA.—Tanto gusto. *(Saluda.)*

SOCORRITO.—*(Hace una inclinación, y al ver que agita la tila nerviosamente.)* No le dé usté vueltas, que es un hielo. *(Vanse los tres foro derecha.)*

DON SEGUNDO.—¡Vaya una gente cargante!... ¡Y no saber!

---

[13] Nótese la larga preparación para el chiste final: Segundo ha de estar embotellando aceite para que, con el revuelo, la tienda, paradójicamente, se quede como una *balsa de aceite*.

[14] En contraste con el lenguaje popular del tendero, el Señor Palomo utiliza constantemente cultismos redichos. Esta alternancia es habitual en el humor de Arniches.

(Llamando.) Valeriano, pero Valeriano... No adivino lo que sea... Si yo esta mañana dejelas tan cabales... Valeriano...

ESCENA III

DON SEGUNDO, DON VALERIANO, *luego* DOÑA TOMASA, ELENA *y* CARITA.

DON VALERIANO.—*(Sacando la cabeza con precaución por primera derecha.)* ¿Se han ido ya los Palomos?

DON SEGUNDO.—Volaron[15]. ¿Pero qué pasa aquí?... ¡Dímelo luego, que estoy que no vivo!

DON VALERIANO.—*(Con gran misterio.)* ¿Que qué pasa?... ¡Ay, Segundo!... Pasa lo que no puedes imaginar. ¡Una cosa inaudita! ¡Estupenda, inenarrable!

DON SEGUNDO.—*(Asustado.)* ¿Pues?...

DON VALERIANO.—La más complicada novela policial es un cuento de niños si se la compara con lo que nos ocurre.

DON SEGUNDO.—Pero...

DON VALERIANO.—Y el «Misterio del cuarto amarillo»[16] un chisme de portería, no te digo más.

DON SEGUNDO.—¡Carape! ¡Pero Valeriano!...

DON VALERIANO.—Si a mí me dicen que la Cibeles se ha pegado con un Guardia de orden público, le doy más crédito que a esto...

DON SEGUNDO.—¡Demonio!...

DON VALERIANO.—Imagina la cosa más diabólica y te quedas corto, Segundo.

DON SEGUNDO.—Bueno, ¡pero por la Madre de Dios!... ¿Quieres explicarme?...

DON VALERIANO.—Espérate, que ahora saldrán ellas y te lo contaremos todo. *(Llamando primera derecha.)* Tomasa, sal. *(Llamando primera izquierda.)* Carita, salid, que está Segundo nada más.

---

[15] Otro apellido elegido para hacer un chiste: *Los Palomos volaron.*

[16] Alusión a las novelas populares y a las películas por episodios.

DON SEGUNDO.—¿Y esta tila?
DON VALERIANO.—Tómatela tú si quieres, que te va a hacer falta.
DOÑA TOMASA.—*(Saliendo de la primera derecha, pálida, despeinada, envuelta en un mantón y con un perrito en brazos. La sigue Elena.)* ¡Ay, Segundo de mi vida!... ¡Ay, Segundo de mi alma!... ¡Ay, qué trastorno!... ¡Ay, que todo me rueda! *(Se desploma sobre una silla.)*
DON SEGUNDO.—*(Sujetándola.)* Tente, mujer, tente.
DOÑA TOMASA.—¡Ay, Segundo, derecha no me es posible!
DON VALERIANO.—Anda, mujer, anda... deja ahora a *Caruso* y siéntate en esta butaca. Elena, llévate a *Caruso* a ese cuarto, vete a casa, dile a mamá lo que ocurre y que ahora voy.
ELENA.—Bueno, pues hasta luego. *(Vase foro derecha, llevándose el perro. Sientan a* DOÑA TOMASA *en una butaca.)*
DOÑA TOMASA.—¡Animalito! ¡Cómo ha sufrido de verme llorar! *(Llora.)*
DON VALERIANO.—No pienses en el perro, mujer; no pienses en el perro ahora.
CARITA.—*(Por primera izquierda, también despeinada a medio abrochar, llorosa.)* ¡Ay, tío!... ¡Ay, tío de mi corazón!... ¡Ay, tío Segundo[17] de mi alma! *(Le abraza.)*
DON SEGUNDO.—Pero santiña mía, ¿pero qué os pasó?
DOÑA TOMASA.—Leer yo la carta y caer al suelo privada del sentido, todo ha sido uno.
DON VALERIANO.—Considera, para privarse ésta, que no se priva de nada; que ya conoces su presencia de ánimo... ¡figúrate!
DON SEGUNDO.—Bueno, ¿pero qué demonio de carta es esa que tanto disgusto os diera?
DON VALERIANO.—Siéntate, siéntate, Segundo; escucha y pásmate. *(Se sientan todos.)* Por una esquela y una carta recibidas en el primer correo de hoy se nos comunica que hace ocho días murió en Cabezón de Bonete (Asturias), Rogelio Nogales, el padrino de ésta. *(Por* CARITA.*)*

---

[17] Otro nombre significativo.

DON SEGUNDO.—*(Dolorosamente sorprendido.)* ¿Que murió Rogelio?... ¡Tu padrino! ¡Carape!... ¿Y de qué ha muerto el pobriño?

DOÑA TOMASA.—Tú ya sabes que siempre padeció una enfemedad crónica a la garganta.

CARITA.—Creo que tenía las cuerdas vocales destrozadas.

DOÑA TOMASA.—Dicen que desde que volvió de América sólo vivía con una cuerda.

DON VALERIANO.—La última vez que estuvo en Madrid le vieron varios médicos otorrino-laringólogos y el pronóstico fue fatal. Unos decían que no tenía cuerda más que para veinticuatro horas, otros que tenía cuerda para un año... pero en fin, lo cierto es que el hombre hace ocho días que se ha parao.

DON SEGUNDO.—¡Oh, pobre Rogelio! ¡La garganta!... Ya sabía yo que sería su fin. Y nunca pudimos quitarle de que fumase, con el mal que le hacía.

DOÑA TOMASA.—Pues bien; empieza a asombrarte, Segundo. Rogelio Nogales, a quien supusimos a su regreso de América una modesta fortuna de veinticinco o treinta mil duros, ha dejado, ¡¡pásmate!!... ¡¡Tres millones de pesetas!!

DON SEGUNDO.—*(En el colmo del asombro y la estupefacción.)* ¡¡Rogelio, tres millones!!

DOÑA TOMASA.—¡¡Tres millones, Segundo!!

DON VALERIANO.—¿Tú te acuerdas lo bruto que era? Pues ahora resulta que tenía un ingenio[18] enorme, en el Camagüey, y extensas vegas de tabaco, en Cárdenas...

CARITA.—Y creo que muchísimo papel, una barbaridad de papel, en México. Acciones de minas, acciones de ferrocarriles, acciones navieras...

DOÑA TOMASA.—En fin, baste que te digamos que ha dejado dos millones en papel y uno en tabaco.

DON VALERIANO.—Te explicarás ahora por qué no dejaba de fumar.

---

[18] *Ingenio* es una «facultad del hombre» y también una «finca de caña de azúcar». Arniches juega con el doble sentido.

DON SEGUNDO.—¿Pero cómo hizo esa millonada si yo tenía oído que al emigrar a América había puesto una mala tienda de comestibles en Quito?

DON VALERIANO.—Bueno, pues ahí lo tienes; comestibles y Quito, con lo ladrón que era el pobre, que en gloria esté, pues se hizo de oro.

DON SEGUNDO.—¡Madre de Dios! Tres millones un hombre tan así, tan... vamos...

DOÑA TOMASA.—Tan inculto, dilo claro.

CARITA.—¡Semejante fortuna una persona que ponía *anteayer* sin ninguna hache!

DON VALERIANO.—¡Tres millones un hombre que pedía champagne frappé[19] y se lo mandaba calentar!

DOÑA TOMASA.—Pues bien, como sabes, Rogelio no tenía pariente alguno, y nosotras supusimos que a su fallecimiento dejaría a Carita, ahijada suya, su fortuna íntegra.

DON SEGUNDO.—Ahora comprendo el disgusto. ¿Y por lo visto no te dejó por heredera?

CARITA.—*(Desesperada.)* Sí, señor, sí, señor, que me ha dejado por heredera; pues eso es lo terrible.

DON SEGUNDO.—*(Asombrado.)* ¡¡Cómo lo terrible!!

CARITA.—Sí, porque me ha dejado su fortuna en unas condiciones tan crueles, tan tremendas... *(casi llorando)* que parece mentira que un ser humano...

DON SEGUNDO.—¿Pero qué estás diciendo?

DON VALERIANO.—*(Con gran indignación.)* La ha dejado su fortuna en unas condiciones tan pérfidas, tan extrañas, que más valía que no la hubiese dejado un cuarto, Segundo.

DON SEGUNDO.—¡Madre de Dios!

DON VALERIANO.—Oye esta carta y acaba de pasmarte. *(Saca una carta y lee.)* Hay un membrete que dice: «Zacarías Lamuela, Notario. Avenida de Carboneros, dieciocho, Cabezón de Bonete. Señorita doña Carita Menéndez Cayuela. Muy señora mía y distinguida señorita: Adjunta a la presente remito a usted copia de la cláusula del testamento del ya fallecido señor don Rogelio Nogales

---

[19] *Frappé:* «helado».

(que santa gloria haya); cláusula que por referirse a usted, tengo el deber de notificarla, como albacea testamentario del precitado difunto, que descansó en el Señor el día veintidós del que corre, víctima de una laringitis estridulosa[20] de carácter crónico, complicada con una afección gastroentérica y afasia parcial del lado izquierdo con tendencia hemorrágica. Sin otra cosa... *(Vuelve la hoja.)* me ofrezco suyo con la mayor consideración, Zacarías Lamuela.» Y ahora, oye la cláusula del testamento, oye lo inaudito, lo inexplicable... *(Leyendo otro papel que saca de un sobre.)* «Otorgado ante mí... etcétera... Cláusula del testamento de don Rogelio, etcétera... Otro sí: Y por ser ésta mi última y expresa voluntad, dispongo que toda mi fortuna, consistente en tres millones de pesetas, pase a mi fallecimiento, en usufructo, al Hospital de la Misericordia, fundado por mí en este pueblo; pero...»

DOÑA TOMASA.—Fíjate en esto.

DON VALERIANO.—Ojo al pero. «Pero si mi ahijada, la señorita Caridad Menéndez Cayuela *(recalcando las palabras)*, que ha de contraer matrimonio en breve, tuviese algún día la desgracia de quedarse viuda, se la pondrá *ipso facto* en posesión de mi antes citada fortuna, y entonces sólo entonces podrá disponer de todos mis bienes íntegramente, porque es mi voluntad que ella sola pueda disfrutarlos.» *(Dejando de leer.)* ¿Qué te parece?

DON SEGUNDO.—¡Qué horror!... ¡De modo que sólo puedes ser millonaria cuando seas viuda!

DOÑA TOMASA.—Cuando su marido reviente. ¿Has visto enormidad semejante?

DON VALERIANO.—Y figúrate que hemos abierto la carta delante del novio de ésta.

DON SEGUNDO.—¡Pobre chico!... Se habrá quedado...

DON VALERIANO.—Considera... Se ha puesto pálido, se ha cogido a mi hombro y decía medio llorando: «¡Ay, don

[20] *Estridular:* «producir estridor, rechinar, chirriar». Arniches logra el efecto cómico acumulando nombres rimbombantes de enfermedades que no tienen nada que ver.

Valeriano, qué infamia!... ¡Yo me muero!» Y yo le he dicho: Hombre, todavía no; espera a ver, espera a ver...

CARITA.—*(Llorando.)* ¡Qué crueldad, sabiendo que estoy para casarme, y con lo que quiero a Luis!...

DON VALERIANO.—*(Con creciente indignación.)* Ese canalla, que en paz descanse, os ha estropeado la felicidad.

DON SEGUNDO.—Hombre, eso...

DON VALERIANO.—Sí, porque es lo que decía el chico: «¿Cómo me caso yo ahora con una mujer que no tiene probabilidades de ser rica hasta que yo coja una pulmonía doble?»

DOÑA TOMASA.—¡Es espantoso!... ¡Dejarle a una mujer tres millones para luto!

DON SEGUNDO.—Y para alivio; porque con esa fortuna es para aliviarse.

DON VALERIANO.—Para aliviarse y ganar cien kilos.

DON SEGUNDO.—¿Pero qué se habrá propuesto ese demonio de hombre con un testamento tan extraño?... ¿Qué se habrá propuesto?... Yo no comprendo...

CARITA.—*(Llorando desesperada y como quien toma una resolución enérgica.)* ¿Qué se ha propuesto?... Yo bien lo sé, yo bien lo sé.

DOÑA TOMASA.—*(Asombrada.)* ¿Que tú lo sabes?

CARITA.—Sí; yo bien lo sé, mamá, y quería callarlo, como lo he callado hasta ahora; pero...

LOS TRES.—*(Estupefactos.)* ¿Qué dices?

CARITA.—Pero no puedo, no puedo más, y quiero que ustedes lo sepan, que lo sepa todo el mundo; porque este testamento monstruoso es una infamia, una venganza, una venganza cruel de mi padrino. Lo veo bien claro.

DON VALERIANO.—¿Pero estás loca?

LOS TRES.—*(Con interés creciente.)* ¿Pero cómo una venganza?

CARITA.—Sí, una venganza, no me cabe duda. Me juré callarlo siempre, pero no puedo más. Oigan ustedes.

(Cuando se disponen a oír aparece GENOVEVA *por la puerta del foro.)*

ESCENA IV

DICHOS *y* GENOVEVA

GENOVEVA.—Los señores de Palomo...
DOÑA TOMASA.—¡Ellos!
CARITA.—¡Jesús!
DON VALERIANO.—¡Otra vez!

(Todas estas exclamaciones casi simultáneas y huyendo cada uno hacia la puerta de un cuarto distinto.)

GENOVEVA.—No, si no es que vienen...
DON VALERIANO.—¿Pues qué es?

(Quedan todos inmóviles en las puertas.)

GENOVEVA.—Que digo que los señores de Palomo han mandado un recado preguntando que cómo siguen las señoritas y que si pueden bajar.

DON VALERIANO.—Pues diles que estábamos ya casi a las puertas... de la muerte; pero que seguimos un poco mejor, a Dios gracias, y que no bajen. *(Vase* GENOVEVA *foro.)*

CARITA.—¡Qué susto!

DOÑA TOMASA.—*(Con gran interés.)* Continúa, hija, continúa.

DON VALERIANO.—¿Decías que ese testamento es una venganza?

CARITA.—Una venganza, estoy segura. Óiganme ustedes y juzguen. A los pocos días de bautizarme emigró mi padrino, recorriendo varios puntos de América, donde hizo su fortuna. En sus cartas me prometía siempre venir a conocerme a su regreso a España, y cumpliendo su palabra, hace dos años se presentó un día en casa. Le acogimos con el natural placer. Nos contó que venía enfermo, pero muy rico. Pues bien, desde el principio de estar mi padrino con nosotros noté que su inclinación hacia mí era extremada, acentuadísima.

DON SEGUNDO.—Oye, oye, oye...

CARITA.—Yo, claro está, lo atribuía al natural afecto de un hombre que me había tenido en la pila... ¡Pero sí, pila, pila!... No me dejaba a sol ni a sombra. De día en día su inclinación era más sospechosa.

DON VALERIANO.—Una inclinación como para dejarse caer de un momento a otro, ¿no?

CARITA.—Además, llegó a tenerle a mi novio verdadera antipatía, odio más bien.

DOÑA TOMASA.—¡Dios mío!

CARITA.—Llegar Luis a casa y marcharse él de mal talante, era cosa de minutos. Yo lo observaba alarmada. Así pasó un mes, y al fin una noche, que había yo salido al balcón a despedir a mi novio, sentí la mano de mi padrino apoyarse temblorosa en mi espalda. Me volví asustada. Me impuso silencio.

DON SEGUNDO.—¡Miserable!

CARITA.—Y me reveló con palabra trémula, torpe y emocionada, una pasión que él decía frenética, invencible, devoradora.

DON VALERIANO.—¡Caray con Nogales!

CARITA.—Me ofreció casarse conmigo inmediatamente, cederme todos sus bienes. Me aconsejó que abandonase a Luis, a un mal estudiantillo de medicina, como él le llamaba. Me aseguró que me tendría como una reina. Yo, como es natural, lo rechacé todo, amable y cariñosamente, pero con una decisión y una energía que no dejaban lugar a dudas. «¿Tanto quieres a ese *guanajo*?»[21], me preguntó. Tanto, le respondí, que si no me caso con él, moriré soltera. «Basta, me replicó, no se hable más. Te ruego, paloma, que de esto ni una palabrita a nadie.» Y antes de irse, estrechándome la mano con una fuerza que me lastimaba, me dijo sonriendo extrañamente estas palabras terribles: «Yo te prometo que algún día desearás la muerte de ese hombre.»

DOÑA TOMASA.—¡Qué bandido!

---

[21] *Guanajo:* «pavo», voz araucana, quizá con influencia de otro americanismo: *guaje,* «granuja, bobo».

Don Valeriano.—¡Recaray con Nogales!
Carita.—Desapareció del balcón. Al día siguiente, de madrugada, casi sin despedirse de nosotros, abandonó Madrid y ya no hemos vuelto a verle más. Esto es todo. Y ahí tenéis explicado su testamento.
Don Segundo.—¡Miserable!... La deja tres millones para cuando enviude, suponiendo que por la codicia de ser rica la muchacha va a desear la muerte del marido.
Doña Tomasa.—¿Y todo eso por qué lo callaste?
Carita.—¿Y qué ganaba con decirlo, mamá?... Inquietaros a todos.
Don Segundo.—Tiene razón la chica.
Don Valeriano.—¡Pero qué canalla!... ¡Qué bandido!... Mira, a mí no me ha gustado nunca levantar muertos; pero créete que de buena gana resucitaría a ese bandolero para... para tener el gusto de costearle otras exequias, hombre. ¡Se merecía el duplicado!
Don Segundo.—Sí, hombre sí; todo lo que digas y algo más.
Doña Tomasa.—¡Con lo bien que nos hubiesen venido los tres millones, Valeriano!
Don Valeriano.—¿Cómo bien? ¡Inmejorablemente! ¡Tres millones, y de ese avaro!... Como que desde que he oído a la chica no hago más que pensar qué haríamos, qué inventaríamos, qué tramaríamos para burlar esa cláusula y quedarnos con la fortuna de ese canalla.
Doña Tomasa.—¡Oh, si hubiese un medio!... ¡Si hubiese un medio!... Yo te juro que recurriría a todo... Que todo lo aceptaría... ¡Miserable!...
Don Segundo.—¡Bah, bah, bah, sueños! ¡Como no cases a ésta y mates luego al marido!...
Carita.—¡Ay, calle usted, por Dios!

(Empieza a sonar el timbre de la puerta repetida y atropelladamente y se escuchan voces lejanas de alguien que viene alborotando.)

Doña Tomasa.—¡Ay, cómo llaman!
Don Valeriano.—¡Qué atrocidad!
Carita.—¡Ay, si es Luis, si parece Luis!...

DON VALERIANO.—¡Tu novio con ese alboroto!... ¿Qué le pasará?... ¿Se habrá vuelto loco?...
DON SEGUNDO.—Ya le abren, ya le abren...

(Se escucha la voz de LUIS, *dentro, que viene gritando.)*

LUIS.—¡Carita! ¡Doña Tomasa!

ESCENA V

DICHOS *y* LUIS *por el foro*

LUIS.—*(Entrando exaltado, jadeante, nervioso, algo descompuesto de ropa, un poco sucio de tierra, pero con expresión alegre.)* ¡Carita! ¡Doña Tomasa! ¡Don Valeriano!... ¡Ay, ustedes al fin!...
CARITA.—¿Pero qué te pasa?
LUIS.—¡Ay, que creí que no llegaba!
DON VALERIANO.—¿Pero que sucede?
LUIS.—Ya lo contaré... Dejadme respirar... Un poco de agua.
DON SEGUNDO.—¡Beba usted, beba usted!

(Le dan agua.)

LUIS.—He venido en cuatro zancadas, me he caído dos veces, me ha trompicado un tranvía, un automóvil me ha pasado por encima...
DOÑA TOMASA.—¡Jesús!
LUIS.—Por encima del sombrero; mire usted cómo lo traigo, una breva. Pero no importa. ¡Felicidades! ¡Albricias!... *(Quiere abrazarlos.)*
DON VALERIANO.—Pero ¿por qué? ¿Qué sucede?
LUIS.—¡Somos felices!... ¡Somos dichosos!... ¡Todo resuelto!... ¡Todo!
CARITA.—¿Pero estás loco?
LUIS.—¡Loco de felicidad, de alegría!... Veréis, veréis... ¡Más agua!
DON VALERIANO.—*(Se la da.)* ¡Hable pronto!

TODOS.—Veamos. *(Atienden con gran interés.)*

LUIS.—*(Rápido y jadeante.)* Cuando esta mañana se ha recibido aquí la dichosa carta del notario, con esa maldita cláusula del testamento del padrino de ésta, ustedes saben que me he quedado hecho un guiñapo; porque he visto que ese señor tira en sus disposiciones testamentarias a que si me caso con ésta, mi fallecimiento se celebre con cucañas, fuegos artificiales y danzas del país; y, francamente, ustedes comprenderán que eso no le hace gracia a nadie. Además, como yo sé por ésta, que esa cláusula es la venganza de un despechado, iba yo pensando, cuando he salido de aquí, camino del Hospital... «Dios mío, ese bandido era merecedor de que yo encontrase una añagaza para burlar su perfidia y disfrutar sus millones... ¿Pero cómo? ¡Inspírame, Dios mío, inspírame!...» Y dando vueltas inútilmente en mi imaginación a esa tentadora idea, llego a la Facultad de Medicina. Mi estado de ánimo no era para entrar en clase. Se trataba de patología quirúrgica, y dije: «Si yo entro y me preguntan, meto la pata; y meter la pata en Patología, con lo bien conceptuado que estoy, no me hacía gracia, la verdad. Además, yo necesitaba expansionarme con alguien y para esto nadie mejor que mi amigo Hidalgo, y como yo sabía que estaba de guardia como alumno interno en la sala de Santa Susana, pues subí como un rayo al piso primero. Bueno, ustedes saben la amistad fraternal que me une con Hidalgo...

DON VALERIANO.—Sí, hombre; sabemos que han empezado ustedes la carrera juntos.

LUIS.—Y que juntos la terminaremos este año.

DON VALERIANO.—Bueno; pero avive, pollo, que la impaciencia nos carcome.

LUIS.—Es que tengo que poner a ustedes en antecedentes de todo, pero avivaré. Pues bien, ustedes saben asimismo que Hidalgo es el muchacho más listo de San Carlos, tanto que hasta las Hermanas de la Caridad le llaman en broma «El Ingenioso Hidalgo». Él compone los relojes del Hospital, la instalación eléctrica, el teléfono... Él no encuentra charada, logogrifo, salto de caballo ni adivinanza que no solucione. Como que se pone en las tarjetas, pasatiempista de los mejores periódicos de Madrid y provincias. Y además, es el autor de ese librito que venden por la calle: «Las dieciséis maneras de no pagar al casero y que se quede contengo».

DON VALERIANO.—¡Chico, qué maravilla!

LUIS.—Por eso yo me dije: Si Hidalgo, con el ingenio que tiene no nos encuentra una solución, no la encuentra nadie. Y entré en el cuarto de internos. «Qué te pasa?, me preguntó al verme tan pálido. ¿Estás enfermo? A ti te ha hecho daño la cena, la patrona, algo...» No; lo que me ocurre es peor que todo eso. Óyelo y pásmate. Y ce por be le cuento lo ocurrido. Él me oía con atención profunda. A medida que yo hablaba iba quedando asombrado, estupefacto. Y al final, cuando le dije: Si tú que tienes ese ingenio pudieras hacer que burlásemos los viles propósitos de ese maldito indiano cogiendo sin riesgo sus millones, serías un hombre inmenso, piramidal, heroico!... Quedó silencioso, como extático: De pronto, me mira fijamente, se le extravían los ojos, se levanta, se pasa la mano por la frente, da una carcajada sardónica y exclama lleno de júbilo: «¡Ay, Luis! ¡La solución!... ¡He dado con la solución!... ¡Aquí está!... ¡Ya la tengo! ¡La solución!... ¡La solución!... ¡Sois ricos!... ¡Sois felices!...

TODOS.—Bueno, ¿pero qué era?

DON VALERIANO.—¿Qué solución era?

LUIS.—Él me dijo esto y añadió: «Corre, vete a casa y di a Carita y a todos que ya sois dichosos, que los tres millones son vuestros. Que inmediatamente voy yo a contarles mi plan para que empecemos a ejecutarlo.» Y dando gritos, carcajadas y cabriolas, echó a correr como loco, por una sala, quitándose la blusa y desapareció por otra. Y yo he venido corriendo a participar a ustedes que tenemos la solución, pero que no sé qué solución es.

DON VALERIANO.—*(Desesperado.)* ¡Vamos, era para darle así, hombre! ¡Tenernos en ascuas cinco minutos y luego salirnos con eso!...

LUIS.—Pero si es que...

DOÑA TOMASA.—*(Indignada.)* Parece mentira, una cosa tan importante. ¡Hombre, Luis, por Dios!...

LUIS.—Pero, señora, yo...

CARITA.—¡No tienes perdón, hijo!

LUIS.—Pero no comprendéis que yo... *(Vuelven a oírse timbrazos repetidos y largos en la puerta, como de alguien que llama con tanta impaciencia que da voces desde fuera.)* ¡Callarse!... ¡Es él! ¡Es Hidalgo, conozco su voz!... Ya está ahí. *(Alto.)* ¡Hidalgo!... ¡Hidalgo!

DON VALERIANO.—*(Desde la puerta del foro.)* ¡Que pase! ¡Que pase! *(Se oye a* HIDALGO *desde lejos.)*

HIDALGO.—¡Carita! ¡Luis, doña Tomasa!

DOÑA TOMASA.—¡Adelante, adelante!

ESCENA VI

DICHOS *e* HIDALGO *por el foro.*

(Este HIDALGO *es un joven listo, simpático, que habla vertiginosamente. Entra jadeante, alborozado.)*

HIDALGO.—¡Doña Tomasa! ¡Carita!... ¡Don Valeriano!... ¡La solución!... ¡Tengo la solución!...

DOÑA TOMASA.—¿Pero qué dice usted?

DON VALERIANO.—¿Pero es posible?

HIDALGO.—¡Un abrazo!... ¡Ya son ustedes felices! ¡Ya son ustedes ricos!

DOÑA TOMASA.—*(Abrazándole.)* ¡Yo rica!

HIDALGO.—*(Con efusión.)* ¡Muy rica! *(Abraza a* CARITA.*)* ¡Y usted riquísima!... ¡Pero qué rica!

DON VALERIANO.—¿De modo que yo?

HIDALGO.—*(Abrazándole.)* ¡Ay, qué rico!

DON VALERIANO.—*(Dándole palmadas en la espalda.)* ¡Hombre, amigo Hidalgo!...

DOÑA TOMASA.—¿Pero dice Luis que usted ha encontrado la solución?...

HIDALGO.— En cuanto éste me planteó el problema, doña Tomasa. Fue una inspiración rauda, súbita, fulminante.

DON SEGUNDO.—¿Pero usted ha encontrado la manera?...

HIDALGO.—Todo lo he encontrado, todo, don Segundo. Ya son ustedes millonarios y éstos felices y todos dichosos.

LUIS.—*(Con alegría.)* ¿Lo ven ustedes?... ¿Lo oyen ustedes?...

HIDALGO.—El mes que viene, éstos casados y con sus tres millones de pesetas. Ustedes restaurarán su acreditado establecimiento de ultramarinos «La Perla Astorgana», en una forma espléndida. Todos los del gremio se morirán de envidia. Servirán ustedes los pedidos en automóvil. Lloverá la parroquia...

DON VALERIANO.—¡Dice que lloverá!

HIDALGO.—¿Qué digo lloverá?... ¡Diluviará!... Porque ustedes no saben el gusto que da que le lleven a uno los garbanzos en un «Dion Bouton»[22], y que le sirvan el bacalao con besa la mano y los jamones en un estuche.

DOÑA TOMASA.—Pero, Hidalgo, esas fantasías...

HIDALGO.—¡Cómo fantasías!... Lo primero que tienen ustedes que hacer es comprarse un hotel en la Castellana.

DON SEGUNDO.—Hombre, nosotros...

DON VALERIANO.—¿Podría ser en Lista, que no es tan húmedo?...

HIDALGO.—Donde ustedes quieran; pero un hotel lujoso, espléndido, confortable. *(A* DON VALERIANO.*)* Usted se fumará unos habanos así de largos...

DON VALERIANO.—¡Caray, qué tamaño!

HIDALGO.—Con una faja que diga: «Elaboración especial para don Valeriano Cayuela». Doña Tomasa dara *fives cloques thea*[23].

DOÑA TOMASA.—¿Y a quién le tengo que dar eso?

---

[22] Una de las marcas más lujosas de automóviles en esas fechas. En una de las primeras carreras automovilísticas, en 1877, sólo participó un vehículo, conducido por Albert De Dion, que ingenió un puente posterior, válido hasta hoy: a pesar de ser rígido, ofrece las ventajas de las suspensiones de ruedas independientes. El primer coche que lo utilizó fue un De Dion de 1899.

[23] El mismo plural lo utiliza Arniches en *Los pobres.* También ha empleado *Five cluque* (en *La mujer artificial,* en colaboración con Abati) y *Five cluqui* (en *La flor del barrio).*

HIDALGO.—A sus amistades. Además vivirá usted como una gran señora.
DOÑA TOMASA.—Desde luego.
HIDALGO.—Y pediremos que le den un título, Marquesa de Coloniales, por ejemplo, que es muy sonoro. Luego, a estilo de dama aristocrática, así como otras han fundado «El desayuno escolar» o «La merienda infantil», usted puede fundar «El piscolabis obrero». Esto siempre da tono.
DON VALERIANO.—Siempre.
HIDALGO.—A don Segundo le vestiremos de levita.
DON SEGUNDO.—Hombre, yo...
HIDALGO.—De levita.
DON SEGUNDO.—Bueno, de levita, pero sin faldones, porque es lo que me molesta.
HIDALGO.—Eso en las levitas es indiferente. Y éste *(Por* LUIS.*)*, fundará una gran clínica, fastuosa, admirable, con todos los adelantos modernos y que dirigiremos los dos. «Doctores Hidalgo y Carmona, especialistas en enfermedades leves.» ¿Te parece buena especialidad?
DON VALERIANO.—Eso; que no se les muera a ustedes nadie, que es muy desagradable.
HIDALGO.—Y a todo esto, ustedes tendrán para su servicio particular un magnífico automóvil.
DOÑA TOMASA.—¡Ay, qué alegría! ¡Yo con automóvil!
DON SEGUNDO.—Bien, pero descendamos de esos sueños locos y volvamos a la realidad.
DOÑA TOMASA.—¡Yo con automóvil!
DON SEGUNDO.—Vuelve a la realidad, Tomasa.
DOÑA TOMASA.—Bueno, pero yo no vuelvo a pie; dejadme esta ilusión siquiera.
DON VALERIANO.—No te apees, Tomasa. *(A* HIDALGO.*)* Y ahora, amigo Hidalgo, ¿quiere usted explicar, por todos los santos de la Corte Celestial, qué milagrosa solución es esa que dice usted que se le ha ocurrido?
HIDALGO.—Pues nada menos que he encontrado la manera de que se queden ustedes legalmente con los millones del padrino de Carita.
TODOS.—*(En el colmo del asombro.)* ¿Pero es posible?

HIDALGO.—¿Que si es posible?... Matemático.
DON VALERIANO.—¿Pero cómo ha podido usted?...
HIDALGO.—¿Ustedes ven que parecía un problema insoluble? Pues verán ustedes qué sencilla, qué ingeniosa y qué fácilmente resuelto.
TODOS.—A ver... a ver... *(Gran curiosidad.)*
HIDALGO.—¿Qué es lo primero que hace falta para que Carita entre en posesión de la fortuna de su padrino?
DON VALERIANO.—Que se case.
HIDALGC.—Perfectamente. ¿Y lo segundo?
DON SEGUNDO.—Que enviude.
HIDALGO.—Ahí está.
DON VALERIANO.—¡Ah! ¿Y la solución es que fallezca aquí el pollo?
LUIS.—Oye, tú...
HIDALGO.—No, señor; la solución es que fallezca el marido de ésta.
DOÑA TOMASA.—¿Pero el marido de ésta, no va a ser éste? *(Por* LUIS.*)*
HIDALGO.—No, señora.
CARITA.—¿Cómo que no?
HIDALGO.—Mi proyecto es que ésta no se case con éste, sino con otro.
DON SEGUNDO.—¿Y matarle después?
LUIS.—Oye, Hidalgo, que desvarías.
DON VALERIANO.—En casa de Esquerdo[24] los hay más sensatos.
DOÑA TOMASA.—¿Pero nos va usted a proponer un crimen?
HIDALGO.—*(Riendo.)* ¡Ja, ja, ja!... Sabía el efecto que iba a producirles mi proposición. Pero no me importa. Todas esas dudas y recelos, se trocarán en elogios y aclamaciones cuando conozcan mi maravilloso plan.

---

[24] El doctor José María Esquerdo y Zaragoza (1842-1912), médico alienista y político, especialista en patología mental. Estuvo en contacto con eminencias como Charcot y Lombroso. Dedicó su vida a la tarea de redimir y dignificar al loco. Se hizo famoso por su informe clínico sobre el asesino «el Sacamantecas». Con sus propios recursos fundó un manicomio modelo en Carabanchel y luego otro en su ciudad natal de Villajoyosa (Alicante).

TODOS.—Bueno; venga, venga.

HIDALGO.—Ahí va. Hay en mi Sala del Hospital un enfermo que lleva allí dos meses. Un tal Bermejo; uno de esos mártires de la vida, un poeta muy intenso pero fracasado, vencido como él dice, y a quien tomé verdadero cariño después que me hubo contado su triste historia. Es soltero, natural de Peralejo, provincia de Badajoz, de treinta y cinco años de edad, según la cédula personal que exhibió a su ingreso en el benéfico establecimiento. La afección que aqueja a este individuo se ha hecho incurable, según el pronóstico de las dieciocho eminencias médicas que le han visitado. Padece una broncopneumonía, con graves complicaciones cardíacas, porque es epiléptico[25]. Nuestros cuidados han sido inútiles. Los dieciocho ilustres doctores han ensayado en él sus experiencias. ¡Ustedes no pueden imaginarse los ensayos! Ha sido un drama. Y al fin, el pobre Bermejo, después de resistir heroicamente tantos específicos, análisis, sueros y tantas embrocaciones, frotaciones, inyecciones e inhalaciones, ha entrado esta mañana en el período preagónico.

DON VALERIANO.—¡Ay, Hidalgo, que ya adivino!...

LUIS.—¿Pero acaso intentas?...

HIDALGO.—Calma, hombre, calma.

DOÑA TOMASA.—Dejadlo seguir.

HIDALGO.—¿Qué se busca aquí?... ¿Que Carita sea viuda de su primer matrimonio?...

DON VALERIANO.—Sí, señor...

HIDALGO.—Pues se casa hoy mismo con Bermejo.

CARITA.—*(Aterrada.)* ¿Yo?...

HIDALGO.—*In articulo mortis.*

DOÑA TOMASA.—*¡Mortis!*

HIDALGO.—*Mortis.* Mañana a todo tirar, es viuda, estoy seguro, por desgracia. Pasado mañana se envía al Juzgado la certificación del matrimonio canónico con los documentos que se precisen. La semana que viene, ya viuda, según dispone la cláusula del testamento, reclama la he-

---

[25] Otra unión disparatada de enfermedades.

rencia de su padrino, y dentro de un mes, se casa con éste, y cáteles usted, libres, felices y millonarios... ¿Eh, qué tal?...

LUIS.—*(En el colmo del entusiasmo.)* ¡Maravilloso, estupendo, formidable!

DON VALERIANO.—¡Ah, sí, la salvación, la fortuna! ¡Qué ingenio, Hidalgo, qué ingenio!

DOÑA TOMASA.—¡Los tres millones nuestros! ¡Ricos, felices! ¡Qué chico! ¡Qué imaginación!... *(Le abraza.)*

DON SEGUNDO.—Pero no ser locos; calma, un poco de calma. ¿Y si ese pobre enfermo, y si ese señor, después de casarse con ésta, por una desgracia, digo, ¡ay, Dios me perdone!, por una casualidad se pusiese bueno?

CARITA.—Eso digo yo. ¿Y si se pone bueno?

DON VALERIANO.—¡Qué se va a poner bueno, hombre! Dieciocho médicos visitándole y asistido por éste!... Imposible. ¡Si sabrán ellos!...

HIDALGO.—No teman ustedes. Tanto es así, que si no nos damos prisa, el pobre Bermejo ya no nos servirá.

LUIS.—Bueno, ¿pero tú a ese pobre enfermo?

HIDALGO.—Se lo he dicho todo en una forma discreta, y accedió conmovido diciéndome: «Dichoso yo, si me voy del mundo haciendo una buena obra.» Con las mismas, fui al cura, le expliqué el caso, y como él no incurre en responsabilidad, también está dispuesto. De modo que sólo falta la decisión de ustedes. No vacilen, que es la riqueza, la felicidad, el amor. Yo sé que esto es un poco audaz, pero de audaces es la fortuna. Aparte de que los graves problemas no tienen soluciones fáciles. No vaciléis.

LUIS.—No; ¡yo qué he de vacilar!

DOÑA TOMASA.—¡Ni yo, ni ninguno!

DON VALERIANO.—De modo, amigo Hidalgo, ¿que usted responde?

HIDALGO.—Don Valeriano, no iba yo a meter a ustedes en un callejón sin salida, si no tuviese seguridad. Además, cuando vayamos al Hospital, ustedes ven al enfermo por sus propios ojos y resuelven.

DOÑA TOMASA.—Sí, sí, desde luego... Pero digo yo una

cosa. Para contraer esa clase de matrimonios, ¿qué requisitos hacen falta?

HIDALGO.—Yo de eso, no estoy seguro.

DON VALERIANO.—¿Sabéis quién podría sacarnos de dudas? Nuestro vecino Cárceles[26], que es Catedrático de Derecho. Un sabio, un verdadero sabio.

DOÑA TOMASA.—Pero no olvides que es muy pesado y muy sordo.

LUIS.—Sí, pero por muy sordo que sea, en Derecho Civil, es lo más próximo que tenemos.

DOÑA TOMASA.—Pues no perdamos tiempo.Vamos a consultarle. Mientras tú *(a* CARITA*)*, te arreglas un poco, para irnos en seguida.

LUIS.—¡Ay, Hidalgo, nos salva tu ingenio!

DOÑA TOMASA.—¡Yo con automóvil! ¡El piscolabis obrero! ¡Marquesa de Coloniales!

DON VALERIANO.—Y yo, fumándome cada puro de esta magnitud, tendré que comprarme una boquilla con ruedas, lo estoy viendo.

HIDALGO.—¡Riqueza, amor, felicidad!... ¡Vamos, vamos a ver al señor Cárceles! *(Vanse foro,* HIDALGO, DON VALERIANO *y* DOÑA TOMASA.*)*

ESCENA VII

CARITA, LUIS *y* DON SEGUNDO.

LUIS.—¡Pero Carita, pronto, por Dios! ¿Pero no vas a arreglarte?

CARITA.—*(Con gran decisión.)* No, Luis, yo no salgo de casa.

LUIS.—¿Qué dices?

CARITA.—Nada, que la verdad, yo no me atrevo a cometer esa locura que propone Hidalgo.

DON SEGUNDO.—Y muy bien que haces.

LUIS.—¿Pero qué está usted diciendo?

CARITA.—No, Luis, yo no me caso con ese pobre señor.

---

[26] Otro apellido significativo.

LUIS.—¡Pero mujer, si es *in articulo mortis!*

CARITA.—Todo lo *mortis* que quieras, pero no tengo valor.

LUIS.—Es decir, que te obstinas en rechazar el único medio por el que podemos ser ricos y felices, que te obstinas en que perdamos una fortuna inmensa, en que nuestro amor...

CARITA.—No, Luis, no; piénsalo bien. Esto podría dar lugar a inquietudes, a remordimientos, a complicaciones que me horrorizan. Yo me conformo con nuestra modestia, con casarme contigo feliz y tranquila. No ambiciono más.

DON SEGUNDO.—Y mucha razón que tiene la nena.

LUIS.—*(Con energía.)* Pues no la tiene.

DON SEGUNDO.—*(Ídem.)* Pues sí la tiene.

LUIS.—Pues no, señor, ¡ea!, porque ha llegado el momento de que lo diga todo francamente. Yo, con esa clausulita de tener que morirme para que seas millonaria, no me caso...

CARITA.—¡Pero Luis!... ¡Pero oye usted!

DON SEGUNDO.—¡Pero hombre!...

LUIS.—No me caso, no, señor... porque yo conozco la vida y sé lo que sucede; y mañana nos casamos y pasadas las primeras ilusiones del amor, queda la realidad. Mi profesión es penosa, sobre todo en sus principios. Somos pobres. Tras el matrimonio vienen sus consecuencias; primero un hijo, luego otro, otro después. Crecen las necesidades. Figúrate que no soy afortunado en mi carrera y que hemos de vivir casi sin recursos, miserable y estrechamente. ¿Y quién te dice a ti que ante esa penuria, en que puedes ver a tus hijos, ante tu agobiadora pobreza, algún día no brillará en el fondo de tu alma el recuerdo siniestro de esos tres millones?

CARITA.—Nunca, nunca... ¡Pensar eso de mí!...

LUIS.—Mira, Carita, los seres humanos nos amaremos con locura, pero la humanidad tiene siempre entornada la puerta de los malos pensamientos. ¿No habrá hijo que no haya pensado algún día que su madre no le quiere?... ¡Y ya ves tú!

CARITA.—Sí, pero es que yo...

LUIS.—Y luego, suponte que me pongo gravemente enfermo, cosa más que posible, y empiezan a decirte tus amigas: «Y menos mal, que si se queda usted viuda, coge tres millones.» Y francamente, me molestaría muchísimo ese consuelo anticipado. Y luego, si en realidad te quedaras viuda, joven, hermosa, millonaria, y entonces te casaras con otro... *(Muy afectado.)* mi recuerdo...

CARITA.—*(Llorando.)* ¡Dice que con otro! ¡Yo con otro!

DON SEGUNDO.—¡Bueno, bueno, no llorar!... ¡Qué malos demonios!... ¿Y por qué no hacéis una cosa?

LUIS.—¿Qué cosa?

DON SEGUNDO.—Renunciar a la herencia antes de casaros.

CARITA.—Sí, Luis, sí... ¡Eso, eso es una solución!

LUIS.—Tampoco es posible. Eso sería por mi parte un egoísmo bárbaro; porque figúrese usted, que naturalmente y sin deseo de nadie, me muero yo antes que ésta. ¿Con qué derecho la privo yo a ella y a nuestros hijos de tan cuantiosa fortuna? ¿Tengo yo derecho a esto?

CARITA.—¡Dios mío, ese maldito padrino nos ha envenenado la vida!

DON SEGUNDO.—Bueno, mirad, mirad, cuitados. Yo no sabré deciros esto u lo otro como sea preciso, que poco anduve en la escuela; que al trabajo me di desde bien rapaz en un rincón de Asturias. Pero la vida es la vida y a todas partes llega y a todos enseña, que no hay sino vivirla con buen juicio para saber de ella como el más sabio. Por eso yo quiero deciros ahora que con la felicidad no se juegue y menos con lo que ha de ser para siempre y no habría de tener remedio.

CARITA.—Tiene razón el tío Segundo.

DON SEGUNDO.—Tres millones a nadie penan, ¡qué demonio! ya lo sé; que en tales tiempos como los que vivimos, son una tranquilidad. Pero ha de mirarse cómo se logran, que si es a costa de un mal vivir para nada valen; que siendo dichosos, una peseta nos es una alegría... Pero en una vida sin remedio amarga, ¿de qué sirven cien fortunas? Eso tiene que mirarse en este mundo y nada más.

CARITA.—¡Muy bien dicho!

LUIS.—Muy mal dicho, y si son ésas tus ideas y propósitos, hemos terminado, porque yo no me caso.

CARITA.—Pero Luis...

LUIS.—Que no me caso y no me caso, ¡vaya! Tu miserable padrino se ha salido con la suya.

DON SEGUNDO.—¡Ah, qué maldito hombre!... Cuando contó con la codicia humana, no erró en la cuenta[27].

CARITA.—Pero, Luis, reflexiona...

LUIS.—¡Y hemos terminado, ea!... No me caso, no; no me caso.

CARITA.—No, por Dios, no te incomodes, Luis. Antes que eso, ¡todo!... Yo haré lo que queráis; pero conste, que si lo hago...

ESCENA VIII

DICHOS, DOÑA TOMASA, DON VALERIANO *e* HIDALGO *por el foro.*

DOÑA TOMASA.—¿Pero de qué discutís?

DON VALERIANO.—¿Qué voces son estas?

HIDALGO.—¿Qué pasa?

LUIS.—Nada; Carita que se niega a aceptar el plan de Hidalgo. ¡Figúrense ustedes!...

DON VALERIANO.—¿Cómo que se niega?

DOÑA TOMASA.—¿Pero tú estás loca?

HIDALGO.—Es decir, que prefiere usted la ruina, terminar sus relaciones con Luis...

CARITA.—¿Yo, cómo voy a preferir eso?... pero es que...

DOÑA TOMASA.—Anda, anda a vestirte y no perdamos tiempo. Salir ahora con ésas... ¿Te iba yo a dejar hacer un disparate?

DON VALERIANO.—¿Íbamos a consentir tu desgracia para siempre?

CARITA.—Pero si es que...

---

[27] Habla Arniches por boca del sensato Segundo.

DON SEGUNDO.—No les hagas caso, Carita, que están ciegos.

DON VALERIANO.—Mira, Segundo, tú te metes en tu cuarto, que es donde tienes jurisdicción, cuando estás solo.

DON SEGUNDO.—¿A mi cuarto?... Bueno, allá me voy, haced lo que os dé la gana. ¡Que no tengáis que venir a él a buscarme es lo que deseo!

(Vase con CARITA *primera izquierda.)*

ESCENA IX

DICHOS, *menos* DON SEGUNDO *y* CARITA. *Luego* GENOVEVA.

LUIS.—*(A* DON VALERIANO.*)* Bueno, y a todo esto, ¿qué ha dicho el señor Cárceles?

DON VALERIANO.—Pues nos ha dicho, que en esta clase de matrimonios, que son muy sencillos, basta la voluntad expresa de los contrayentes, manifestada ante un sacerdote y dos testigos y que se envíe al Registro Civil antes del décimo día el acta matrimonial.

HIDALGO.—Lo que yo me figuré.

DOÑA TOMASA.—Nada, una cosa sencillísima.

DON VALERIANO.—Pero ha añadido, y esto es lo grave, que ahora mismo pasará él a corroborarnos su opinión con copiosos textos. Excuso deciros, Cárceles aquí con copiosos textos, su sordera y su pesadez.

LUIS.—Es preciso que nos vayamos antes que venga a corroborarnos nada.

GENOVEVA.—*(Por el foro.)* Los señores de Palomo están aquí.

DON VALERIANO.—¡Atiza, otra vez!

DOÑA TOMASA.—¡Virgen santa!... ¿Qué hacemos?

GENOVEVA.—¿Les digo que se vayan?

DON VALERIANO.—No, diles que pasen. Es mejor entretenerlos aquí, porque como hemos de salir a escape, si nos cogen en la escalera nos dividen. Les dices que pasen, cierras esa puerta y los entretienes, mientras nosotros nos vamos rápidamente y de puntillas.

TODOS.—Muy bien, muy bien.

DOÑA TOMASA.—Por aquí, en silencio.

(*Vanse primera derecha, menos* DON VALERIANO.)

GENOVEVA.—(*A* DON VALERIANO, *que le ha detenido cuando se iba.*) Bueno, pero ¿qué les digo?
DON VALERIANO.—Pues les dices que las señoras siguen mal, que yo he salido por un médico, que me esperen... Y cuando se cansen que se vayan. (*Vase primera derecha.*)

ESCENA X

GENOVEVA, DON SIMÓN, DOÑA POLONIA *y* SOCORRITO, *por el foro.*

GENOVEVA.—¿Bueno, y cómo entretengo yo a estos señores? (*Va al foro.*) Pasen, pasen ustedes. (*Entran.* GENOVEVA *cierra la puerta del foro.*)
SEÑOR PALOMO.—¿De modo que dices que las señoras...?
GENOVEVA.—¡Ay, si vieran ustedes!... Siguen tan delicadas las pobrecitas...
SEÑOR PALOMO.—¡Caramba, caramba, caramba!... una cosa que parecía leve...
DOÑA POLONIA.—Nosotros...
SEÑOR PALOMO.—Nosotros sentiríamos molestar, pero los sacrosantos deberes de vecindad...
GENOVEVA.—No, por Dios, señora; nada de molestar. Los señores están en su casa. Siéntense.
SEÑOR PALOMO.—¿Y don Valeriano?
GENOVEVA.—Está en su casa... que vive un médico en el piso de arriba y ha ido por él. Siéntense ustedes.
SEÑOR PALOMO.—Pero el médico de antes, ¿qué ha dicho?
GENOVEVA.—Pues verá usté; el médico de antes ha dicho lo que dicen todos los médicos, «que si tal, que si cual, que si fue, que si vino, que ya veremos y que por lo pronto, a dieta».
DOÑA POLONIA.—¿A dieta?
SEÑOR PALOMO.—¿Pero láctea?
GENOVEVA.—No, señor, caldosa.

SEÑOR PALOMO.—Bueno; pero todo este trastorno, ¿a qué ha obedecido, Genoveva?... porque antes nos fuimos sin poder averiguar nada.

GENOVEVA.—Pues verán ustedes... Yo se lo contaré...

DOÑA POLONIA.—Caramba, a ver si ahora... Di, di...

GENOVEVA.—Pues todo ello ha sido, ¿saben ustedes?, que esta mañana, cuando nos hemos levantao, ¿entienden ustedes?... serían poco más de las ocho, ¿comprenden ustedes?... Cuando llaman a la puerta y va la señora y dice... *(Suena el timbre de la puerta.)* Con permiso. Perdonen ustedes un momento, que voy a ver quién es. *(Sale foro.)*

SEÑOR PALOMO.—¡Demontre!... ¡Otra vez!...

GENOVEVA.—¡Jesús! Está de Dios que no lo averigüemos.

DOÑA POLONIA.—No, ahora sí, ahora sí... Esta chica es muy expansiva. Esperemos que vuelva. *(Se sientan.)*

ESCENA XI

DICHOS *y el* SEÑOR CÁRCELES, *foro.*

(Viene en traje de casa. Es un señor un poco extravagante, muy sordo. Representa sesenta años de edad. Trae cinco o seis libros de gran tamaño.)

SEÑOR CÁRCELES.—*(Entrando y saludando, como quien se dirige a gente que no conoce.)* Tanto gusto. *(Deja los tomos encima de un velador.)*

DOÑA POLONIA.—¡Pero si es nuestro vecino!

SEÑOR PALOMO.—¡Caramba! ¡El señor Cárceles!... *(Se levanta y le da unas palmaditas en la espalda.)* Señor Cárceles...

SEÑOR CÁRCELES.—*(Se pone las gafas.)* ¡Hola!... ¿Pero eran ustedes?... No había reparado. ¿Qué tal, doña Polonia?

DOÑA POLONIA.—Muy bien, ¿y usted?

SEÑOR CÁRCELES.—Usted siempre tan amable, tan simpática, tan bella...

DOÑA POLONIA.—Muchas gracias. *(Aparte.)* Qué sordo más atento.

SEÑOR CÁRCELES.—Y usted, don Simón, siempre tan amable, tan simpático, tan discreto.
SEÑOR PALOMO.—¡Por Dios!...
SEÑOR CÁRCELES.—*(A SOCORRITO.)* ¡Y esta niña cada día más monísima! Caramba, ¿pero por qué la han puesto ustedes de largo?
SEÑOR PALOMO.—Porque ya tiene diez y ocho años.
SEÑOR CÁRCELES.—¡Qué importa!... Estas niñas, precisamente cuando empiezan a tener algún interés estético, alargarlas. ¡Qué lástima!
SEÑOR PALOMO.—¿Y usted, cómo con tanto libro?
SEÑOR CÁRCELES.—¿Eh?
SEÑOR PALOMO.—*(Señalando los tomos.)* ¿Que cómo con eso?
SEÑOR CÁRCELES.—¿Que con qué como?
SEÑOR PALOMO.—*(Muy fuerte.)* ¿Que cómo se viene usted aquí con la Biblioteca Nacional?
SEÑOR CÁRCELES.—¡Ah, sí!... *(Sonriendo.)* Pues ya sabrán ustedes lo que pasa.
DOÑA POLONIA.—¡Qué vamos a saber!... Llevamos dos horas queriéndolo averiguar y ni esto.
SEÑOR PALOMO.—Nosotros no sabemos más, sino que se han puesto muy enfermos.
SEÑOR CÁRCELES.—*(Con interés.)* Ya lo supongo, y debe ser la cosa muy grave.
DOÑA POLONIA.—¿Cómo grave?
SEÑOR CÁRCELES.—Gravísima, gravísima.
LOS TRES.—¿Pero qué dice usted?
SEÑOR CÁRCELES.—Yo lo deduzco por lo que me han dicho a mí.
SEÑOR PALOMO.—¡Demonio! *(Muy alto.)* ¿Pero qué le han dicho a usted?
SEÑOR CÁRCELES.—Yo he sido consultado y vengo requerido como jurisconsulto, porque se va a celebrar aquí un matrimonio *in articulo mortis.*
SEÑOR PALOMO.—*(Aterrado.)* ¿Pero qué está usted diciendo?
SEÑOR CÁRCELES.—*¡Mortis!*
DOÑA POLONIA.—¿Pero dice usted *mortis?*
SEÑOR CÁRCELES.—*Mortis, mortis.*
SEÑOR PALOMO.—¿Entonces el enfermo?

SEÑOR CÁRCELES.—Debe estar *in extremis.*
SEÑOR PALOMO.—¡Mecachis!... pues esto es más grave de lo que suponíamos.
SEÑOR CÁRCELES.—Ya se lo he dicho a ustedes.
DOÑA POLONIA.—Pero diga usted, señor Cárceles, ¿quién está *in extremis?...* ¿Doña Tomasis[28], digo, doña Tomasa, Carita, o quién?
SEÑOR CÁRCELES.—Creo que el contrayente.
SEÑOR PALOMO.—¿Pero quién es el contrayente?
SEÑOR CÁRCELES.—El que contrae.
SEÑOR PALOMO.—Ya lo sabemos. Pero digo que ¿qué persona y además qué motivo, qué objeto tiene ese matrimonio?
DOÑA POLONIA.—Eso es lo que queremos saber. Si usted pudiera decírnoslo.
SEÑOR CÁRCELES.—Con mucho gusto. Yo se lo explicaré todo. Vengan, vengan...
LOS TRES.—¡¡¡Por fin!!!
SEÑOR CÁRCELES.—*(Va a la mesita y abre uno de los libros. Todos le rodean.)* El gran Modestino, eminente legislador romano, comprendió los caracteres esenciales del matrimonio *in artículo mortis,* definiéndolo de esa manera. *Conjuncio maris et femine, consorcium omnis vite divine et humani, juris comunicatio...*
DOÑA POLONIA.—¡Pero hable usted el castellano, hombre, que no entendemos!
SEÑOR CÁRCELES.—¡Pero señora, por Dios! ¿Pero cómo va a hablar en castellano el gran Modestino?[29]
SEÑOR PALOMO.—Déjalo. Está visto que resueltamente no averiguamos nada.
DOÑA POLONIA.—¡Cómo que no averiguamos nada!... Esto es ya cuestión de amor propio. Bájate a la tienda y sube

---

28 Prolonga Arniches con humor la terminación en -is de los latinismos: elige la exclamación *¡Mecachis!* y fuerza la nota con el error *Tomasis.*

29 Herennio Modestino, célebre jurisconsulto romano, fue uno de los cinco a cuyas opiniones se concedió fuerza de ley. Discípulo de Ulpiano, vivió desde los tiempos de Septimio Severo (193-211) hasta los de Filipo «el Árabe» (244). Justiniano tomó bastantes fragmentos de sus obras para incorporarlos a sus recopilaciones.

unos fiambres... porque yo no me muevo de aquí hasta que lo averigüe.

SOCORRITO.—Ni yo.

(Se sientan.)

SEÑOR CÁRCELES.—*(Que ha estado volviendo hojas.)* ¡Ah, y si lo quieren ustedes más claro, oigan lo que dice San Pablo en su Epístola a los Corintios... Quod si infedelis, discedit, discedat, non enim servituti.*

DOÑA POLONIA.—*(Levantándose.)* No se moleste usted. Que diga San Pablo lo que quiera. Pero a mí, como no me lo diga uno de la casa, no me voy. *(Se vuelve a sentar.)*

SEÑOR CÁRCELES.—*(Sigue con el latín.) Subjectus est fraterant soror in hujus modi.*

(Telón lento.)

FIN DEL ACTO PRIMERO

Acto segundo

Un despacho amueblado con modestia. Al foro un balcón. A la derecha dos puertas en primero y segundo término. Otras dos a la izquierda. Entre estas dos últimas puertas, la mesa de despacho. Sobre ella, en el testero, un reloj. En el centro de la habitación una mesita volante. Una gran librería. Cortinajes. Aparato de luz en el centro y portátil encima de la mesa. Es de día.

ESCENA PRIMERA

DOÑA TOMASA, DON VALERIANO *y* DON SEGUNDO. DON VALERIANO *tiene sujetas las puertas del balcón y por el espacio que deja entreabierto miran los tres con gran curiosidad y emoción.*

DOÑA TOMASA.—
DON SEGUNDO.— } ¿Pero es él?

DON VALERIANO.—Sí, es él; no lo dudéis, es él... Miradle allí parado.

DOÑA TOMASA.—¡Por Dios, no abras tanto el balcón!

DON VALERIANO.—*(A* SEGUNDO.*)* ¿Lo ves tú?

DON SEGUNDO.—¿Es aquél de negro, verdad?

DON VALERIANO.—Sí, aquél de negro, de cara lívida, de figura esquelética, de ademanes trémulos... ¡Aquél es!...

DOÑA TOMASA.—Ahora vuelve a pasar...

DON VALERIANO.—Dirige su mirada a estos balcones... Se para en la carnicería, contempla el cerdo colgado a la puerta, nos mira a nosotros, sonríe con extraña sonrisa, como el que ha encontrado un parecido. Reanuda su paseo.

DON SEGUNDO.—*(Aterrado.)* ¿Pretenderá subir?

DOÑA TOMASA.—*(Con espanto.)* ¡Calla, por Dios!... Si Carita lo viese delante, moría sin remedio.

DON VALERIANO.—Pues para algo pasea por enfrente de estos balcones. Yo temo cualquier audacia de ese hombre fatídico.

DON SEGUNDO.—Hay que prevenir a Genoveva que no abra la puerta a nadie.

DON VALERIANO.—¡Callad!... Parece que nos hace señas.

DON SEGUNDO.—Cierra el balcón.

(DON VALERIANO *cierra las puertas vidrieras.)*

DON VALERIANO.—*(Con creciente desesperación.)* ¡Esto que nos sucede es lo más espantoso, lo más trágico, que pudo soñar la imaginación humana!

DOÑA TOMASA.—¡Ay, qué veinte días de amargura, de angustia, de sufrimientos, llevo pasados!... ¡Han sido mi martirio, mi expiación! ¡Yo no puedo, no puedo más! *(Cae llorando en un sillón.)* ¡Es horrible mi pena! ¡Horrible! ¡Horrible!

DON SEGUNDO.—¡Por Dios, más bajo, que puede oírnos Carita!

DOÑA TOMASA.—*(Bajando la voz.)* ¡Yo, haber sido yo misma la que he acarreado a mi hija una desgracia irreparable!... ¡Yo, que tanto la quiero!

DON VALERIANO.—*(Desesperado, llorando con un hipo violento.)* ¡No Tomasa, no!... ¡Yo fui, yo he sido el alucinado, el insensato que os indujo, que os precipitó en esta desdicha tan espantosa!... ¡Yo, yo!... *(Exaltándose, se golpea nerviosamente.)* ¡Miserable de mí!... ¡¡Yo!! ¡¡Yo!!

DON SEGUNDO.—¡Por Dios, Valeriano, que te saltas un ojo!

DON VALERIANO.—¡Que me salte lo que me salte!... ¿Qué falta me hace a mí un ojo para ver lo que estoy viendo!

DON SEGUNDO.—¡Más bajo, por Dios!

DON VALERIANO.—*(En voz baja y siniestra.)* ¡Ah, pero yo te juro que he de hacerme justicia, y como esto no se arregle yo me arrojo por el balcón y me rompo el cráneo contra los adoquines!

DOÑA TOMASA.—No, Valeriano, que no se rompería...

DON VALERIANO.—¿Crees tú!...

DOÑA TOMASA.—Que no se rompería solo; porque si tú murieses, ¡qué iba a hacer yo en el mundo con esta pena y este remordimiento!

DON VALERIANO.—¡No, no, Tomasa; no, no!... *(Se abrazan llorando.)*

DON SEGUNDO.—Bebe agua, hombre, bebe agua. A ver si te pasa el hipo. ¡Y no llorar, qué demonio! Esto tenía remedio cuando os lo tuve advertido; pero ahora con lágrimas nada se compone, porque ante una tal cosa, tan tremenda como ésta, lo que hace falta es energía, serenidad, resolución.

ESCENA II

DICHOS y GENOVEVA *por primera izquierda.*

GENOVEVA.—*(Entra de puntillas, acongojada, con un dedo sobre los labios.)* ¡Chist, por Dios, por Dios, señoritos, griten ustedes en voz baja, que si no la señorita se va a enterar de todo!

DON SEGUNDO.—Ya se lo estoy diciendo.

DOÑA TOMASA.—Y dime, Genoveva, ¿qué hace?... ¿Qué hace mi pobre hija?

GENOVEVA.—Vistiéndose para irse a casa de los señores de Botella, como usted la mandó.

DOÑA TOMASA.—Sí, es preciso que esta tarde se la lleven engañada a su finca del Escorial. ¡Por Dios, que se vista pronto, que se vaya a escape! En ti confío.

GENOVEVA.—Eso estoy procurando.

DON VALERIANO.—Y sobre todo, Genoveva, mucho cuidado con la puerta. No abras a nadie sin avisarnos.

DON SEGUNDO.—Ya sabes que anda por la calle él...

GENOVEVA.—Lo he visto desde el balcón. ¡Qué horror!

DON VALERIANO.—¡Y ella que le cree!... *(Gesto dando a entender que muerto.)* ¡Considera si lo viese aparecer de pronto!...

GENOVEVA.—¡Qué espanto! No me lo diga usted. ¡Jesús! ¡Jesús! *(Vase primera izquierda haciendo cruces.)*

DOÑA TOMASA.—¡Ay, Dios mío, quién iba a pensarse esto! ¡Quién iba a figurárselo!

DON VALERIANO.—Ha sido una horrible, una espantosa fatalidad, que parece un sueño de fiebre.

DON SEGUNDO.—¿Pero es que vosotros, cuando fuisteis al Hospital no adivinasteis que aquel hombre pudiera?...

DON VALERIANO.—*(Trocando su pena por la indignación más viva.)* ¡Qué íbamos a adivinar!... ¡Ha sido un timo, Segundo, ha sido un timo!... ¡Tú no sabes!... Que te diga ésta. Cuando llegamos al borde de su cama, yo creí que había fallecido. Color terroso, pupilas vidriosas, cara hipocrática...[30]. Pero no. Hidalgo le tocó en el hombro: él abrió los ojos trabajosamente, nos miró e hizo un signo afirmativo, como queriendo decir: Venga lo que sea, pero prontito, que esto se acaba. A indicaciones del sacerdote le dio la mano a Carita, la miró con la mirada turbia del moribundo, les echaron la bendición, y aquel desgraciado, como rendido a un último esfuerzo, hundió la cabeza en la almohada, cayendo en una especie de colapso intensísimo. Hidalgo dijo: «Esto ha terminado», y le tapó la cara con la sábana. Y nos íbamos ya, silenciosos y entristecidos, cuando de pronto aquel hombre se destapa y nos dice con voz quejumbrosa: *(La imita.)* «Señores, ya que he hecho a ustedes este favor, pídanle a Dios que me dé salud.»

DOÑA TOMASA.—Aquello nos dejó helados.

DON VALERIANO.—Le dijimos que bueno, que sí; pero ya comprenderás que nos fuimos resueltos a no pedir semejante cosa, Dios nos perdone.

DOÑA TOMASA.—Y cuál no sería nuestra consternación cuando a la mañana siguiente nos contó Hidalgo que al irnos nosotros aquel hombre le cogió la mano y le dijo:

---

[30] *Cara o facies hipocrática:* «Aspecto característico que presentan las facciones del enfermo próximo a la agonía».

«¡Ay, qué guapa es mi señora!» Y que desde aquel momento empezó a animarse, a revivir, a mejorar, como si hubieran echado aceite en un candil.

DON VALERIANO.—¡Aceite!... Segundo, aceite... Y cuando aún no han transcurrido ni cuatro semanas, le tienes paseando por esas calles con una salud y una gallardía que la estatua de Colón es un sarmiento comparada con él.

DON SEGUNDO.—¡Qué horror, Madre de Dios!

DOÑA TOMASA.—Y ahí tienes a mi pobre hija, casada sin pensarlo, soltera sin serlo y viuda sin poderlo ser.

DON VALERIANO.—Que es un estado civil que no se le ha ocurrido ni a Novejarque.

DON SEGUNDO.—¡Válgame Dios, qué desdicha!... ¡Pero ese hombre!...

DON VALERIANO.—*(Con tremenda ira.)* ¡Haberse puesto bueno!... ¡Era para matarlo!...

(Suena el timbre de la puerta.)

LOS TRES.—*(Muy asustados.)* ¡Jesús!

DON SEGUNDO.—¡Llamaron!

DON VALERIANO.—¿Será él?

DOÑA TOMASA.—*(Aterrada.)* ¡Calla, por Dios!

GENOVEVA.—*(Sale primera izquierda, temblorosa, muy asustada, tartamudeando.)* Han lla... lla... han llamado...

DOÑA TOMASA.—Ya lo hemos oído.

GENOVEVA.—¿Será el mama... el mamarido de la sese... sese-señorita?...

DON SEGUNDO.—¡Chist, por Dios, más bajo!

DON VALERIANO.—Por si acaso, ten precaución, y si es un señor pálido, delgado, cadavérico, más alto que yo...

DON SEGUNDO.—Más bajo...

DON VALERIANO.—Más alto...

DON SEGUNDO.—Bueno, más alto, pero que no se oiga.

DON VALERIANO.—*(Bajando la voz.)* ¡Ah, sí, es verdad!... Pues bien, si tú, al mirar por la rejilla, ves que es un señor de esas señas, no le abras y avísame.

GENOVEVA.—Descuide usted. *(Vase primera derecha.)*

DOÑA TOMASA.—¿Dios mío, será él?... ¡Estoy muerta!
DON VALERIANO.—¡Y yo!
DON SEGUNDO.—¡Calma, por Dios; no tembléis de ese modo!
DON VALERIANO.—¡Es que si fuera!...
GENOVEVA.—*(Entra vacilante.)* ¡Ay!... ¡¡Ay!!...
LOS TRES.—*(Con ansiedad.)* ¿Quién es?
GENOVEVA.—*(Que tartamudea.)* El papa...
DON VALERIANO.— ¿Eh?
GENOVEVA.—El papa... el papanadero. Que es que yo también he pasao un susto, que tengo un temblor que no puedo... Es el papanadero.
DOÑA TOMASA.—Bueno, pues dile al papanadero que deje seis bonetes[31] y una bizcochada y que vaya con Dios, porque el susto ha sido para...
GENOVEVA.—Es que además de venir a dejar el pan me ha entregado para ustedes una carta que dice que le ha dao en la calle un señor de luto, flaco, amarillo...
DOÑA TOMASA.—¡Él!
DON VALERIANO.—¡Una carta suya!
GENOVEVA.—Eso me pensé yo. Le ha preguntao si venía a casa de los señores de Cayuela y le ha suplicao que la subiese.
DON SEGUNDO.—A ver, tráela, tráela.
DOÑA TOMASA.—¿Qué nos dirá ese hombre?
DON SEGUNDO.—El sobre dice: «Señor don Valeriano Cayuela».
DON VALERIANO.—¡Para mí! Trae, trae, a ver. *(Rasga el sobre y lee.* GENOVEVA *se va primera derecha.)* «Señor don Valeriano Cayuela. Mi involuntario y querido tío.» ¡Llamarme tío a mí!...
DON SEGUNDO.—Y menos mal que te llama involuntario.
DON VALERIANO.—*(Leyendo.)* «Penetrado del espantoso, del tremendo, del inaudito, del estupefaciente...» ¡Caray! ¿Dónde acabarán los adjetivos?... *(Vuelve la carilla y mira hasta el final.)* ¡Ah, sí, aquí!... «Del insólito conflicto en que mi lamentable resurrección les ha hundido a ustedes,

[31] *Bonete:* «panecillo de varios picos».

deseo que me reciban ahora mismo. Tengo un medio para resolverlo todo satisfactoria y urgentemente, pero necesito su aprobación.»

DON SEGUNDO.—¿Que tiene un medio?...

DOÑA TOMASA.—*(A* DON VALERIANO.*)* Sigue, sigue...

DON VALERIANO.—*(Leyendo.)* «Comprendo que estarán ustedes inconsolables con mi restablecimiento, pero no pasen cuidado alguno. Esta mejoría no tiene importancia. Cosa de una semana. No se aflijan. Espero una indicación para subir. Le saluda efusivamente su desfallecido e imprevisto sobrino, Lázaro Bermejo.» ¡Imprevisto sobrino!...

DON SEGUNDO.—¡Y tan imprevisto!

DOÑA TOMASA.—¡Quiere subir!

DON VALERIANO.—¿Y qué hacemos?

DOÑA TOMASA.—Yo no lo recibiría.

DON SEGUNDO.—¿Y cómo negarse? ¿No ves que tiene todos los derechos, que puede exigirlo?

DOÑA TOMASA.—Sí, es verdad, es verdad...

DON VALERIANO.—Además, yo considero que es mejor que le veamos cara a cara; que sepamos lo que intenta, lo que pretende, lo que exige...

DON SEGUNDO.—Sin duda ninguna. Ahora, que es preciso aguardar a que Carita se vaya. Tú haz a ese hombre una seña para que espere.

DOÑA TOMASA.—Y nosotros vamos a meter prisa a la niña para que se marche a escape. *(Vanse primera izquierda* DOÑA TOMASA *y* DON SEGUNDO.*)*

ESCENA III

DON VALERIANO, GENOVEVA *que sale. Luego* LUIS *primera derecha.*

DON VALERIANO.—*(Leyendo palabras de la carta.)* «... Esta mejoría no tiene importancia...» No, una friolera... «Mi lamentable resurrección...» ¡Y tan lamentable!... «Lázaro Bermejo.» ¡Y llamarse hasta Lázaro!... Si debimos sospecharlo. *(Yendo hacia el balcón.)* ¿Por dónde andará ese imprevisto?... *(Mira.)* ¡Ah, allí le veo! *(Le hace señas.)* Aguarde... Aguarde... Creo que me habrá entendido.

GENOVEVA.—*(Entra primera derecha con el pan.)* Don Valeriano, el señorito Luis acaba de llegar.

DON VALERIANO.—¡Luis! ¿Le has dicho que pase?

GENOVEVA.—Ya se lo he dicho. Está quitándose el abrigo. Viene que da lástima. *(Vase segunda izquierda.)*

DON VALERIANO.—¡Pobre chico, se está quedando en los huesos! Vendrá con su locura de todas horas, con su obsesión de matar a Hidalgo, a quien cree el único causante de nuestra desdicha.

LUIS.—*(Entrando pálido, descompuesto, con trágica desesperación.)* ¡Ah, no; no lo he encontrado, pero no importa! Yo lo mato.

DON VALERIANO.—¡Luis, por Dios!

LUIS.—Lo mato donde lo encuentre, don Valeriano; en la calle, en el café, en el teatro, donde sea. ¡Lo mato sin remedio!

DON VALERIANO.—¡Pero, hombre, déjate de esa manía!

LUIS.—No, no es manía, es un propósito firme, decidido, inquebrantable, don Valeriano. Yo mato a Hidalgo donde lo encuentre. Por estas cruces. ¿No nos metió él en este trance horrible, amargo, irreparable?... Pues que nos saque.

DON VALERIANO.—¡Que vas a volverte loco!

LUIS.—Y si no nos saca, lo mato donde lo encuentre. Llevo siete balas en la *browning*[32]. Las siete se las meto en el cuerpo... ¡las siete! *(Da el reloj las once.)* ¡Las siete!

DON VALERIANO.—No, hombre, las once.

LUIS.—Bueno, las once; pero las siete.

DON VALERIANO.—¡Pero cálmate, Luis!

LUIS.—*(Cada vez más exaltado.)* ¡Pero si no puedo, no puedo calmarme!... ¿Pero cree usted que hay desgracia como la mía?... Estar enamoradísimo de mi novia y haberla casado con otro ¡yo mismo!... ¡Y encontrarme ahora con que tengo relaciones con una mujer casada, que se cree viuda, pero que es soltera sin dejar de ser viuda y siendo casada al mismo tiempo!...

---

[32] Véase la nota 69 a la edición de *La señorita de Trevélez.*

DON VALERIANO.—¡Por Dios, Luis, que te haces un ovillo!

LUIS.—Y todo por culpa de ese canalla de Hidalgo... ¡Ah, vengo de su casa! Le dejé un recado definitivo. O viene dentro de una hora y lo arregla todo satisfactoriamente, o a la noche va su familia de luto riguroso.

DON VALERIANO.—¡Pero no sueñes, Luis! ¿Cómo lo va a arreglar el pobre muchacho?

LUIS.—Como pueda; que robe el acta matrimonial del Registro Civil, que pida en España el establecimiento del divorcio[33], que obligue a Bermejo a morirse... lo que quiera; pero que me devuelva a Carita soltera, o por lo menos viuda.

DON VALERIANO.—Vamos, sé razonable, Luis, sé razonable... Comprendo que la situación es espantosa, desgarradora... ¿pero qué se consigue con agravarla?...

LUIS.—¡Ay, don Valeriano! Es que ahora cuando yo venía por la calle, venía pensando en que esta situación puede tener unas complicaciones que estremecen.

DON VALERIANO.—¿Cuáles?

LUIS.—Que creo que han hecho ustedes un disparate con decirle a Carita que ese señor ha muerto.

DON VALERIANO.—¿Pero qué querías que hiciésemos?... En cuanto ella vio que pasaban cuarenta y ocho horas y no le decíamos que había enviudado, le entró un sobresalto que se puso a la muerte. No hacía más que llorar; no hablaba, no comía. Y por la noche, cuando su sueño parecía más sosegado, de pronto se despertaba gritando acongojada: «¡Que viene mi marido!... ¡Que viene mi marido!» Si no le decimos que Bermejo ha muerto, se muere ella sin remedio.

LUIS.—Pero y si ese hombre viene algún día a esta casa y ella le ve... ¿Qué va a pasar?

DON VALERIANO.—¡Calla, por Dios!

---

[33] El divorcio no se estableció en España hasta la Segunda República (2 de marzo de 1932). Entonces estrenó Muñoz Seca su obra *Anacleto se divorcia.* Se derogó esta ley el 23 de septiembre de 1939. (En la zona nacional se había suspendido su aplicación ya por Decreto de 2 de marzo de 1938.) Más recientemente, la Ley de 7 de julio de 1981 determina el procedimiento a seguir en las causas de nulidad, separación y divorcio.

LUIS.—Va a creer que es un aparecido, una visión sobrenatural...

DON VALERIANO.—¡Hombre, sobrenatural no te diré, pero una visión!... En fin, Luis, esa idea tuya ha sido un presentimiento.

LUIS.—¿Pues?

DON VALERIANO.—Lee la carta que acabamos de recibir de ese hombre. *(Se la da.)*

LUIS.—*(Que la ojea rápidamente.)* ¡Jesús!... ¿Pero qué dice?... ¡Quiere subir! ¡Ese hombre en esta casa!... ¡No, no, nunca; no puede ser! Yo me opongo.

DON VALERIANO.—Luis, no olvides que es el marido de tu novia. Que lo que suplica, puede exigirlo.

LUIS.—¡Dios santo!

DON VALERIANO.—Que podría llevarse hasta a Carita si quisiera.

LUIS.—*(Firmemente.)* ¡No; eso sí que no! ¡Antes se me tendría que llevar a mí!

DON VALERIANO.—Además, es mejor que hablemos con él, que busquemos un arreglo de común acuerdo. Porque acá, para *inter nos,* yo creo que es necesario que ese hombre desaparezca.

LUIS.—*(Asustado.)* ¡Don Valeriano!...

DON VALERIANO.—Que desaparezca en el buen sentido. Que se vaya de España, que se marche a América...

LUIS.—¿Quiere usted mandarlo al otro mundo?

DON VALERIANO.—*(Con extraña expresión.)* Hombre, yo... *(Timbre.)* Llaman.

(Sale GENOVEVA *segunda izquierda.)*

GENOVEVA.—¿Abro?

DON VALERIANO.—Si es él, me avisas *(Vase* GENOVEVA *primera derecha.)* Espera a ver. Temo que se impaciente, i si sube antes que se vaya Carita...

LUIS.—¡Calle usted, por Dios!

GENOVEVA.—*(Aparece primera derecha.)* El señor Hidalgo.

(Vase segunda izquierda.)

ESCENA IV

DICHOS *e* HIDALGO

LUIS.—*(Frenético.)* ¡Él!... ¡Por fin! *(Saca la pistola.)*
DON VALERIANO.—*(Sujetándole.)* ¡Por Dios, Luis, que agravas el conflicto!
LUIS.—*(Forcejeando.)* ¡Déjeme usted!... ¡Lo mato, lo mato!
DON VALERIANO.—¡Que te pierdes para siempre!
HIDALGO.—*(Asomando la cabeza aterrado.)* Sujételo usted, don Valeriano!... *(Se oculta.)*
LUIS.—¡Entra, entra; miserable, canalla!
HIDALGO.—*(Asomándose de nuevo.)* Átelo usted, don Valeriano... *(Se oculta.)*
DON VALERIANO.—¡Por Dios, Luis, trae ese arma! *(Se la quita.)*
HIDALGO.—*(Asomándose.)* Se puede...
DON VALERIANO.—Adelante.
HIDALGO.—Se puede soltar, átelo usted. *(Entra con miedo.)*
LUIS.—*(Todavía sujeto por* DON VALERIANO.*)* ¡Tú, infame, bandido; tú nos has hecho caer en este trágico cepo en que nos vemos!
HIDALGO.—*(Afligidísimo.)* ¡Pues no dice que yo!...
LUIS.—¡Tú; tú solo eres el culpable! ¡Tú, tú!
DON VALERIANO.—*(Sentando a* LUIS *violentamente en una butaca.)* ¡Déjalo ya, Luis, déjalo!... No le hagas nada. *(Le amenaza él con un puñetazo.)* Aunque la verdad es que por culpa de usted nos... *(Le amaga de nuevo. Pausa.)* En fin... *(Vuelve a amagarle.)* ¿Cómo están en casa?
HIDALGO.—Pues figúrense ustedes cómo estarán, don Valeriano; consternados... Consternados con el recado que me dejó ese bárbaro en la portería, de que si no venía a arreglar esto hoy mismo, que mañana estaría en la Sacramental de San Lorenzo de alumno interno. *(Casi llorando.)* ¡Pero interno en un sarcófago!
LUIS.—¡Y te lo repito, canalla!... ¿Pero tú sabes lo que has hecho?

DON VALERIANO.—¡Por Dios, Luis déjalo ya!... *(Le amaga de nuevo.)*

HIDALGO.—¡Y qué culpa tengo yo!... Vuestra desgracia la lamento como algo muy mío, sí señor. *(Llorando.)* ¡Pero qué me llevó a mí a aconsejaros sino el deseo de veros ricos y felices!...

DON VALERIANO.—Sí; nosotros comprendemos la intención, pero el resultado ha sido para... *(Le amenaza con tirarle una cosa a la cabeza.)*

HIDALGO.—*(Que a cada amenaza intenta huir.)* ¿Y qué culpa tengo yo que haya sujetos que se caigan de un quinto piso y en vez de irse al depósito, insulten a los transeúntes?

DON VALERIANO.—¿Pero la ciencia no pudo prever?...

HIDALGO.—¡Qué ciencia, don Valeriano!... Mire usted si será mala la enfermedad que tenía Bermejo, que de nueve casos he visto morir a diez.

DON VALERIANO.—¿De nueve, diez?

HIDALGO.—De nueve, diez, sí, señor; porque el último caso fue un albañil cuya mujer murió también de sentimiento. Ustedes no saben lo que yo he sufrido desde que ese farsante anda por el mundo. Yo no como, yo no duermo. Por cierto que en cuanto le vea el doctor Ponce, dice que le da un estacazo, porque a él no le pone nadie en ridículo... Y le había firmado ya la papeleta. Dice que esto ha sido una estafa científica.

DON VALERIANO.—Es para darle el estacazo.

HIDALGO.—En fin, tanto me preocupa la situación de ustedes, que hace quince días que estoy pensando en buscar un medio ingenioso para solucionar el conflicto.

DON VALERIANO.—*(Vivamente.)* ¡No, no, por Dios! No, gracias; que si da usted con otra cosa ingeniosa, estallamos.

HIDALGO.—Sí, claro; me explico el recelo, la desconfianza que inspiro; pero no me importa. Yo trabajaré en la sombra. Yo encontraré una solución.

LUIS.—*(Frenético. Cogiéndole de la mano.)* Sí, sí; es preciso que la encuentres, pero hoy, hoy mismo; Bermejo va a venir.

HIDALGO.—¿Va a venir aquí?

LUIS.—Aquí. Tú lo oyes y resuelves lo que quieras. Porque como ese hombre pretenda hacer efectivo el matrimonio, yo te pego un tiro a ti.
HIDALGO.—¡Pero, Luis!
LUIS.—Por estas cruces.
DON VALERIANO.—Silencio.

ESCENA V

DICHOS, DOÑA TOMASA, DON SEGUNDO. *Luego* CARITA. *Todos primera izquierda*

DOÑA TOMASA.—Chist... Por Dios, callad, que viene Carita.
DON SEGUNDO.—Poneos alegres. Sonreid. No tengáis esas caras. Sonríe, Valeriano.
DON VALERIANO.—No sé si podré. Pero en fin. *(Sonríe con un gesto horrible.)*
DON SEGUNDO.—Oye, no sonrías con ese gesto que das miedo.
DOÑA TOMASA.—¡Alegría, alegría, por Dios!

(Sonríen todos con gran esfuerzo.)

CARITA.—*(Saliendo. Viste de luto.)* ¡Hola! ¿Pero, Luis, tú aquí?
LUIS.—Sí; hace un momento. Me habían dicho que estabas aviándote para salir y no he querido que te avisaran para no precipitar tu *toilete*.
CARITA.—Muy mal hecho, ¿verdad, tío?
DON VALERIANO.—*(Sonriendo forzadamente.)* Claro que sí... ¡je, je, je!
CARITA.—¡Y usted también, Hidalgo!
HIDALGO.—¡Carita! *(La saluda.)*
CARITA.—Ya era hora. Yo decía, ¿qué le pasará que no viene por esta casa?
HIDALGO.—El miedo... El miedo a importunarles.
DON VALERIANO.—Y que creo que éste *(por* LUIS*)* le había citado para las siete, y eso de las siete le asusta. ¡Como no es madrugador!

LUIS.—¿Y tú, qué, estás ya más tranquila, Carita?
CARITA.—Sí, ahora ya estoy tranquila. ¡Pero, ay, Luis, qué días he pasado!
DOÑA TOMASA.—¡Todos los hemos pasado, todos, hija mía!
CARITA.—Pero, en fin, ahora ya, descontada la desgracia de aquel pobre señor, que en paz descanse, ya nos sonríe la felicidad, ¿verdad, Luis?
LUIS.—Todo, todo nos sonríe, Carita.
DON SEGUNDO.—(Valeriano, que nos sonríe todo, no te quedes tan serio.)
DON VALERIANO.—*(Forzadamente.)* ¡Que sí, que sí!... ¡Je, je, je!
CARITA.— Y hoy, he de confesaros que desde hace algún tiempo es el día que estoy más contenta.
DON SEGUNDO.—¿Pues?
CARITA.—Sí, porque he cumplido un deber piadoso que me ha quitado así como un peso de encima.
DOÑA TOMASA.—¿Un deber piadoso, hija mía?
CARITA.—Sí, mamá, verás. Efecto tal vez de las impresiones recibidas por los acontecimientos pasados, me quedó un poco de inquietud, de intranquilidad de conciencia. Y quizá por esto, la sombra de aquel pobre señor, que en gloria esté, seguía mis pasos, la veía en todas partes.
DOÑA TOMASA.—¡Pero hija!
DON SEGUNDO.—*(Aparte.)* ¿Está cerrado el balcón, Valeriano?
CARITA.—Y si yo hubiese creído que los muertos se aparecen, estoy segura de que su espectro se me hubiera aparecido.
DOÑA TOMASA.—¡Qué horror, hija! ¡Calla, por Dios!
CARITA.—¿Y sabéis lo que he hecho?
DOÑA TOMASA.—¿Qué has hecho?
CARITA.—Pues he enviado su esquela de defunción al *A B C.*
TODOS.—*(Aterrados.)* ¿Eeeeeeh?
CARITA.—Invitando, como viuda, a unas misas en sufragio de su alma, que quiero que se celebren el lunes en la parroquia de San Lorenzo.
DOÑA TOMASA.—Pero hija, ¿qué has hecho?
CARITA.—¿Pero os parece mal?

DON SEGUNDO.—No es que nos parezca mal, pero figúrate tú que lo ve.
CARITA.—¿Que lo ve quién?
DON SEGUNDO.—Que lo ve la gente que no se había enterado. ¡Qué necesidad tenemos!...
LUIS.—Y luego que habrás tenido que poner: su inconsolable viuda, y me pones en ridículo.
DON SEGUNDO.—Nada, hija, no hay más remedio que ir al periódico a que retiren eso.
DON VALERIANO.—*(A parte a* DON SEGUNDO.) Hay que romperle esa esquela.
CARITA.—Pero yo quería hacer algo por su alma.
DON VALERIANO.—Hay que rompérsela.
CARITA.—¿Qué?
DON VALERIANO.—No, nada, le decía aquí, al tío Segundo.
CARITA.—Bueno, lo que ustedes quieran; pero algo he de hacer, porque yo necesito alejar de mi imaginación el recuerdo fatídico de ese hombre, y esta noche pasada he tenido un sueño horrible. ¡He soñado con él!
DON VALERIANO.—¡Y qué tiene que ver eso! ¡También he soñado yo con la Pastora Imperio[34], y mira cómo no me asusto!...
TODOS.—¡Claro! *(Ríen.)*
CARITA.—¡Sí, pero es que mi sueño ha sido espantoso! He soñado que había salido de su tumba para venir a increparme porque me casaba con Luis.
DON VALERIANO.—¡Por Dios, Carita... qué puerilidades!...
DOÑA TOMASA.—Bueno, hija; anda, anda, márchate, que si vas tarde, las de Botella te ponen de vuelta y media.

[34] *Pastora Imperio* es la gran estrella del cuplé y el baile, que estrenó en Madrid *El amor brujo*. El pueblo siguió con fervor, en 1911, la historia de su boda poco feliz con el torero Rafael *el Gallo*. También fascinaba a intelectuales como Valle-Inclán (escena X de *Luces de bohemia)* y Pérez de Ayala *(Las máscaras)*. Villaespesa presenta nada menos que a Antonio Machado leyendo sobre ella: «la gitana ideal, que, cuando avanza / agitando en el baile su melena / de tempestad, parece que en la escena / es el alma española la que danza» *(Obras,* II, pág. 888). Me he ocupado de los ecos literarios que suscitó en mis libros *Vida y literatura en «Troteras y danzaderas»* (Madrid, Castalia, 1973) y *Luces de candilejas* (Madrid, Espasa-Calpe, 1991).

Don Valeriano.—Y ya sabes lo que son las de Botella cuando se destapan... Anda, hija, anda.

Doña Tomasa.—Y si te insisten para que las acompañes al Escorial unos días, avisas por teléfono a la tienda y te enviaremos la maleta.

Carita.—Bueno, mamá.

Don Valeriano.—*(Llamando segunda izquierda.)* Genoveva *(sale* Genoveva), acompaña a la señorita.

Luis.—Y yo también iré con ella.

Carita.—Pues adiós, mamá. *(La besa.)* Hasta luego. *(Se despide de todos. Vase con* Genoveva *primera derecha.)*

Luis.—*(Aparte a Hidalgo.)* Y ya lo sabes, Hidalgo. Aquí de tu ingenio. Piensa lo que quieras, pero hoy mismo; porque si hoy no resuelves esto, ¡tu familia de luto riguroso! *(Vase primera derecha.)*

Hidalgo.—¡Nada, que está obsesionado! Y este bárbaro, en un rapto de locura, es capaz de matarme... ¿Qué haría yo?...

ESCENA VI

Doña Tomasa, Don Valeriano, Don Segundo *e* Hidalgo

Doña Tomasa.—¡Dios mío, esto no es vida!... A ver si ahora, al salir, se lo encuentra. Mira a ver, Segundo.

(Don Segundo *mira por el balcón.)*

Hidalgo.—*(A* Don Valeriano.*)* ¿De modo que Bermejo anda por ahí?

Don Valeriano.—Esperando para subir. Ha solicitado una entrevista.

Hidalgo.—¡Canalla!... ¡Si yo me atreviera!...

Don Segundo.—A él no se le ve. Carita sale ahora a la calle.

Doña Tomasa.—¡Pobre hija de mi alma, empeñada en decirle una misa!... Si ella supiera...

Don Valeriano.—Peor fue lo de ayer, que quería encargarle una lápida, y la tuve que sacar a puñetazos de casa del marmolista.

DON SEGUNDO.—Adiós, hijita, adiós. *(Se despide. Entorna el balcón.)* Ya dobló la esquina.

HIDALGO.—¿Y ustedes no saben lo que ese hombre pretende?

DON VALERIANO.—¡Qué hemos de saber!... Yo no he tenido con él más relación que una carta que me escribió el mismo día de su salida del Hospital, en la que me relataba su desastroso estado financiero y me suplicaba un auxilio. Me pareció peligroso negárselo, y le abrí un crédito en un restaurant económico, le envié un traje usado que me pedía. Y no he sabido más hasta hoy.

(Suena el timbre de la puerta intermitente y débilmente.)

DON SEGUNDO.—¿Habéis oído?

DON VALERIANO.—¡Qué extraño modo de sonar el timbre!

DOÑA TOMASA.—¿Será él?

(Suena otra vez.)

HIDALGO.—La manera débil o intermitente de llamar es propia de un anémico, o, por lo menos, de un neurótico. Debe ser él.

DON SEGUNDO.—Callaos. Yo veré por la mirilla. *(Vase primera derecha.)*

DOÑA TOMASA.—Estaría oculto, y al ver salir a Carita ha subido.

DON SEGUNDO.—*(Entrando.)* Es uno alto, pálido, de negro, muy flaco, que anda doblándose. El que hemos visto ahí enfrente.

(Vuelve a sonar el timbre del mismo modo.)

DON VALERIANO.—Es él. Ábrele.

(Sale DON SEGUNDO.*)*

DOÑA TOMASA.—¡Ese hombre aquí! ¡Dame fuerzas, Dios mío!
HIDALGO.—Y a mí también. *(Como el que se dispone a boxear.)*
DON VALERIANO.—Calma, Hidalgo. Oigámosle antes de nada.

(Se oye ladrar y aullar al perro.)

DOÑA TOMASA.—*Caruso* le aúlla. Le ha conocido.
DON SEGUNDO.—*(Entrando.)* Aquí está. *(A alguien que queda fuera.)* Pase usted.

ESCENA VII

DICHOS *y* BERMEJO

(Este BERMEJO *es un convaleciente, pálido, ojeroso, fino, amabilísimo, que habla, que anda y acciona como un hombre sin energía, sin alientos para nada. Viste un traje negro. En conjunto es un derrotado.)*

BERMEJO.—¡Señora!... ¡Señores!... *(Queda en la puerta, hace una profunda reverencia y queda con la cabeza baja.)* ¿Dan ustedes su aquiescencia?
DON VALERIANO.—Adelante.
BERMEJO.—¡Ah, señora!... *(Da un traspiés, vacila y se sostiene en una silla.)* ¡Ah, señores!... Se puede pasar...
DON VALERIANO.—Ya hemos dicho que adelante.
BERMEJO.—Gracias; no es eso. Se puede pasar en la vida por trances amargos... por trances crueles; pero como este mío, no; ¡no es posible! *(Pausa.)* Señores, yo he creído que me moría.
DON VALERIANO.—Y nosotros.
BERMEJO.—Yo he creído que me moría al subir por esa escalera. A mí me faltan las fuerzas... Las palabras expiran en mi garganta. Yo estoy muerto.
DON VALERIANO.—¡Quiá!
BERMEJO.—*(Mirando a* DON VALERIANO.*)* Muerto de ver-

güenza... *(gesto de duda de* DON VALERIANO) de indignación contra mí mismo, y me explico que en esta casa todo me sea hostil. Pero ustedes comprenderán muy en breve que esa hostilidad carece de fundamento; porque yo sólo vengo aquí, dolorida el alma, a caer de rodillas a sus pies, y a decirle con lágrimas en los ojos... ¡perdóneme usted, señora, perdóneme usted que no me haya muerto! *(Le besa la mano de rodillas.)*

DOÑA TOMASA.—¡Por Dios, caballero!...

BERMEJO.—Perdóneme usted; pero es que materialmente no me ha sido posible... ¡ni con diez y ocho médicos, señora; ya ve usted! Todo ha sido inútil. No, no he sabido morirme.

DON VALERIANO.—(Los hay torpes.)

BERMEJO.—Con la alegría que yo hubiera tenido con tal de complacer a ustedes. Pues nada... ¡Y es que cuando las cosas se ponen mal!...

DOÑA TOMASA.—Por Dios, caballero, no necesita usted disculparse... Pero yo no sé qué decirle. Comprenderá usted el estado de mi ánimo...

BERMEJO.—Todo; lo comprendo todo, bella señora. Y usted no sabe los esfuerzos que yo he hecho para no producirles a ustedes esta aflicción en que los veo sumidos... ¡Ah, noble señora; ah, inesperados y cordiales tíos!... ¡Ah, señor Hidalgo!... Ustedes no saben, no calculan, no penetran la tortura que me corroe... ¡Ah, sí, sí!... *(Cae en una silla medio desvanecido.)*

DON SEGUNDO.—¿Qué le pasa a usted?

(Entra GENOVEVA *de la calle, le mira atónita y vase segunda izquierda.)*

BERMEJO.—No, nada, nada; un pequeño desvanecimiento o mareo, vulgo lipotimia. ¿Se me podría suministrar un modesto y reconfortante caldo?

DOÑA TOMASA.—Sí, señor; con mucho gusto. Que le den un caldo, Segundo.

(DON SEGUNDO *va a dar el recado y sale de nuevo.)*

BERMEJO.—Gracias, digna y bella dama.

DOÑA TOMASA.—Pero tome usted asiento.

BERMEJO.—No, no, señora... yo no soy digno de tomar nada en esta acogedora mansión.

DOÑA TOMASA.—¡Por Dios!...

BERMEJO.—¡Ah, y no encontrar un fin! ¡Un fin a esta miserable vida; yo, señores, yo, que en mi afán de desaparecer de este mundo hago cosas horribles! Figúrense ustedes que atravieso todas las tardes la Puerta del Sol de siete a ocho, y yo no sé qué hacen esos automóviles que ni me tropiezan. Yo me coloco intencionadamente ante los tranvías. Me tocan el timbre y como si me tocaran el *Conde de Luxemburgo*[35]. Pues nada; llegan, me empujan con más delicadeza que me empujaría un guardia de Orden público, me apartan solícitos y pasan rápidos. Ayer, sin ir más lejos, ya resuelto a terminar de una vez, me fui de cabeza contra un *seis;* pues me tiró al suelo, me rozó el estribo y me hizo un *siete;* me recogió un *ocho* y el cobrador me convidó a un «quince» para que no diera parte. ¿No es esto una desgracia?

DON VALERIANO.—Una verdadera desgracia.

GENOVEVA.—*(Entra segunda izquierda con el servicio. Al acercarse a* BERMEJO *le mira temerosa.)* El caldo.

BERMEJO.—Gracias, estupefacta y amable doncella, muchas gracias. *(A* DOÑA TOMASA.*)* ¿Se me podría suministrar una fútil y exigua copa de Jerez, marca indistinta?[36].

DOÑA TOMASA.—*(A* GENOVEVA.*)* Una copa de Jerez al señor. *(Vase* GENOVEVA *a servirla.)* ¡Pero por Dios, tome usted asiento!

---

[35] El 19 de octubre de 1910 se estrenó en el madrileño Teatro Eslava *El Conde de Luxemburgo,* la opereta de Lehar. Al día siguiente, la crítica comentaba: «Estupendo, piramidal, desopilante, como diría el príncipe Basilio, fue el éxito que ayer obtuvo *El conde de Luxemburgo,* bien aderezado y servido a la española por José Juan Cadenas y reforzado con algunas páginas musicales de Lleó [...] En suma, un éxito de los gordos. Hay *Conde de Luxemburgo* para rato. *La viuda alegre* ya tiene pareja» *(ABC,* 20 de octubre de 1910).

[36] Bermejo utiliza un lenguaje rebuscado, seudoculto, con parejas de adjetivos librescos: *estupefacta y amable... fútil y exigua...* Más abajo, *caritativa y honorable.*

BERMEJO.—No, no, de ninguna manera; yo no soy digno de tomar nada en esta caritativa y honorable casa. *(Bebe un poco de caldo.)* ¡Jesús, qué caldo! Esto resucita a un muerto.

DON VALERIANO.—*(Indignado.)* ¡Quitarle la taza, hombre!

BERMEJO.—¡Ah, unas personas tan buenas, tan dignas, tan entrañables!... ¡Ah, ustedes no saben lo que yo hubiese dado por evitarles el conflicto de mi resurrección!

(GENOVEVA *saca el Jerez y sirve una copa.)*

DON SEGUNDO.—Señor Bermejo, no se moleste más, nosotros aceptamos de buen grado sus disculpas. No ha podido usted realizar su propósito, ¡qué se le va a hacer, paciencia!

DON VALERIANO.—¡Paciencia!... Pero perdone que le digamos que, en cierto modo, lo que ha hecho usted ha sido una informalidad.

BERMEJO.—¡Una informalidad!

HIDALGO.—¡Una informalidad, sí, señor! ¿Se pone uno en trance de muerte? Pues hay que morirse. Esto es lo serio.

BERMEJO.—¡Pero, por Dios, señores, son ustedes injustos conmigo!... ¿He podido yo hacer más para fallecer, que tomarme todas las medicinas que me han dado?... A mí se me han inyectado cuarenta y seis clases de vacunas. Tengo vacunada hasta la camiseta. A mí se me han administrado veinticuatro sueros; se me han administrado diecisiete caldos microbianos; a mí se me han administrado hasta los últimos sacramentos... Y yo, tomándomelo todo. ¿He podido hacer más? ¡Ah, pero no les importe a ustedes, no! A eso vengo precisamente.

DON VALERIANO.—¿Cómo que a eso viene usted?

BERMEJO.—*(Con gran exaltación.)* A eso vengo: a decir a ustedes que contra esta fatalidad de no poderme eliminar, está mi resolución inquebrantable de desaparecer ¡y desapareceré!

DOÑA TOMASA.—¡Por Dios, caballero, eso no; de ningún modo!

BERMEJO.—¿Cómo que no?... ¡Pero cree usted que puedo yo tolerar la desdicha que ocasiono?... ¿A una joven bellísima, sumirla en la desesperación? ¡A un joven que es su novio, su pasión, sumirlo en la tragedia!... ¡Ah, no, no, no!... *(Se sirve otra copa.)* Esto acabará, y acabará muy pronto...

DON SEGUNDO.—¿Pero qué intenta usted?

BERMEJO.—¿Que qué intento?... Pues sépanlo de una vez. He venido a esta casa a despedirme de ustedes, y luego a... *(Se tienta ansiosamente los bolsillos como buscando algo y al fin saca una pistola.)*

TODOS.—*(Le sujetan.)* ¡No, no!...

DOÑA TOMASA.—¡No, por Dios, no por Dios, caballero!

DON VALERIANO.—¡Aquí, no! ¡De ninguna manera! ¡Aquí, no!

BERMEJO.—¡Sí, sí, aquí; debo morir aquí!

DON VALERIANO.—Aquí, no, caramba. Y ruego a usted, señor Bermejo, que nos evite un espectáculo que... ¡Aquí no!

BERMEJO.—¡Sí, sí... dejadme!

DON SEGUNDO.—¡Que eso no es cristiano, porra!

DOÑA TOMASA.—*(Se arrodilla suplicante.)* ¡Se lo pido a usted de rodillas, señor Bermejo!

BERMEJO.—¡Por usted lo hago, señora! No quiero que brote de sus plácidos ojos una sola lágrima por culpa mía. Pero le ruego, que usted y ustedes, me dejen solo unos instantes con mi querido tío Valeriano.

DON VALERIANO.—*(Muy escamado.)* ¿Solo conmigo?...

BERMEJO.—Con usted. He de hacerle ciertas confidencias precisas. El tiempo apremia. Que nos dejen. *(Pasea preocupado.)*

DON VALERIANO.—(Caray, si querrá un compañero de viaje.) *(Alto.)* Bueno, dejadnos solos.

DON SEGUNDO.—Por Dios, que no se mate aquí.

DON VALERIANO.—Lo procuraré; pero de todos modos, si oís un tiro, no alarmaros: si oís dos, sí. Salid, os lo ruego.

(Vanse DOÑA TOMASA, DON SEGUNDO *e* HIDALGO *por la primera izquierda.)*

ESCENA VIII

DON VALERIANO *y* BERMEJO

DON VALERIANO.—Bueno, amigo Bermejo; ya estamos solos.

BERMEJO.—¿Pero por qué no me llama usted Lázaro, que es más familiar?

DON VALERIANO.—No, perdone usted; les tengo cierta animadversión a los Lázaros[37].

BERMEJO.—Como usted guste.

DON VALERIANO.—Siéntese. Y antes de hacerme las confidencias que sean de su agrado, me va usted a permitir que yo le dirija unas breves indicaciones. (Yo me preparo por si acaso.)

BERMEJO.—Escucho conmovido.

DON VALERIANO.—Si por una decisión irrevocable, pretendiese usted realizar alguno de esos siniestros designios que antes ha manifestado, y que yo sería el primero en lamentar, suplico a usted que no los ponga en práctica dentro de esta casa, de ninguna manera. En el caso de que usted, yo, alguien, queramos suicidarnos, en uso de un libérrimo derecho, ahí tenemos el Retiro, la Moncloa, lugares de una amenidad y una belleza que envuelven el suicidio en un ambiente de poesía que conmueve. Una sutil detonación, una leve espiral de humo que se pierde en el aire azul, una postura trágica sobre el verde césped, el guarda que aparece atónito... y sobre todo esto la muerte batiendo sus alas augustas en la tarde radiante. Y al fin, como único rastro, el amable juez, el humilde depósito, la piadosa gacetilla[38]. Usted, que es poeta, piense en todo esto. Espronceda no lo hubiese desdeñado. (Se lo he pintado, que ni Sorolla.)

---

[37] *Los Lázaros:* «los presuntos muertos, que resucitan».

[38] Ahora es Don Valeriano el que adopta el lenguaje retórico, libresco, con muchos adjetivos tópicos.

BERMEJO.—¡Ah, don Valeriano, qué elegante descripción!

DON VALERIANO.—Y, en otro caso, ahí tenemos también el Canalillo. No echemos el Canalillo en saco roto. Una cinta de plata, álamos en las orillas...

BERMEJO.—Sí, don Valeriano, sí; yo agradezco a usted mucho sus cariñosas indicaciones. Pero en este caso, son, por desgracia, perfectamente inútiles.

DON VALERIANO.—¿Pues?

BERMEJO.—Porque yo fatalmente —y esto era lo que quería decirle cuando he suplicado que nos dejasen solos—, yo, fatalmente, precisamente, tengo que matarme esta tarde y en esta misma casa.

DON VALERIANO.—*(Con indignación.)* ¡Y dale!... ¡Pero señor mío, esa insistencia!...

BERMEJO.—No, don Valeriano; si no es una obstinación morbosa, un capricho fementido, no. Oiga la terrible verdad y lo comprenderá todo.

DON VALERIANO.—¿Pero hay algo más?

BERMEJO.—Lo que ha ocurrido hasta hoy en esta casa con motivo de mi boda es un juguete cómico, comparado con lo que va a pasar esta tarde.

DON VALERIANO.—¡Repeine!, ¿pero qué está usted diciendo?

BERMEJO.—Sí, don Valeriano, sí... Ustedes, guiados del noble propósito de quedarse con los tres millones del padrino de mi mujer en cuanto yo finiquitara, vinieron al borde de mi lecho doliente y me casaron... ¡Me casaron!, ignorando que yo tenía relaciones con una mujer. Y la llamo mujer, porque algo hay que llamarla.

DON VALERIANO.—¡Santo Dios!

BERMEJO.—Y que tengo con ella cuatro hijos.

DON VALERIANO.—¡Madre mía!

BERMEJO.—Y el compromiso formal de legitimar nuestra descendencia.

DON VALERIANO.—¡Virgen Santa!

BERMEJO.—Y si esa mujer fuera una mujer prudente, pues no la hacíamos caso y en paz. Pero es una hiena. Es una mujer...

DON VALERIANO.—¿De armas tomar?

BERMEJO.—De armas tomar... y utilizar... que es lo peor. Se

trata de una histérica, de una loca, de una impulsiva, que enterada de mi matrimonio —que cree una traición mía— ha jurado venir a esta casa y no dejar títere con cabeza. Y usted perdone lo de títere. Ha jurado que me mata a mí, que mata a mi mujer, a mi suegra, a mis tíos...

DON VALERIANO.—¡Canastos!... ¿Y cree usted, en serio, que será capaz de realizar su amenaza?

BERMEJO.—¿Cómo capaz?... Anoche se ha comprado una navaja de lengua de vaca de este porte; y esa arpía viene hoy a esta casa y saca la lengua y lo que a las cuatro es una agradable familia, a las cuatro y diez será un informe picadillo de almóndigas.

DON VALERIANO.—¡Dios mío!

BERMEJO.—Además, tiene un hermanito, Pepe *El Yesca,* le llaman el Yesca por lo deprisa que hace fuego.

DON VALERIANO.—¡Caray!

BERMEJO.—Que si viene a acompañarla, yo les aconsejo a ustedes que quiten los gabanes del perchero.

DON VALERIANO.—¡Ay, Dios mío, qué complicación! Pero diga usted, amigo Bermejo, ¿no habría medio de evitar que esa... esa señora desistiera de sus criminales propósitos?

BERMEJO.—Uno. No hay más que un medio que lo resolvería todo pacíficamente; pero yo no dispongo de recursos para ponerlo en práctica.

DON VALERIANO.—¿Y qué medio es ése?

BERMEJO.—Yo no sé si será delicado...

DON VALERIANO.—Sí, hombre... que no le hagan a uno picadillo, ¿pues no ha de ser delicado?... diga, diga.

BERMEJO.—Yo creo que con catorce mil pesetas se solucionaría todo pacíficamente.

DON VALERIANO.—¡Catorce mil pesetas! *(Cae sentado, como el que he recibido un golpe en la sien. Se pasa la mano por la frente.)* ¡Mi madre!

BERMEJO.—¿Qué le pasa a usted?

DON VALERIANO.—No, nada; un pequeño desvanecimiento o mareo, vulgo lipotimia.

BERMEJO.—Con seis mil pesetas podríamos mandar a la Hipólita a Buenos Aires, que es su ideal viajero; y con las ocho mil restantes podría yo dejar a salvo la vida de mi anciana y respetable madre, poniéndola un modo de vivir. ¿Comprende usted?

DON VALERIANO.—Sí, un modo de vivir, sin hacer nada, ya comprendo.

BERMEJO.—Yo, resuelto esto, ya sabré lo que hacer... en la Moncloa. *(Con abatimiento.)* Pronto, muy pronto, recogerán ustedes los tres millones.

DON VALERIANO.—*(Echando cuentas.)* De modo que seis para la Hipólita, ocho para su anciana y respetable madre... En fin, señor Bermejo, usted me permitirá un momento. Tengo que consultar a la familia el nuevo aspecto de este asunto, al que yo llamaría...

BERMEJO.—Económico.

DON VALERIANO.—No, perdone usted; para mí no es económico un asunto que me puede costar catorce mil pesetas. Tenga la bondad un instante. *(Haciendo mutis.)* Nada, que no tenemos más que dos dilemas, que decía mi suegra: o una puñalada o un sablazo[39]. *(Vase primera izquierda.)*

ESCENA IX

BERMEJO *e* HIDALGO

BERMEJO.—¡Dios mío, si me resuelven lo de las catorce mil pesetas, me ponen en mi domicilio! *(Mirando la segunda izquierda.)* ¡El comedor! ¡Qué confortable!... Un balcón... *(Lo abre y se asoma.)* Es piso primero. Si anduviese por ahí la Hipólita la hablaría. Temo que venga, introduzca una extremidad[40] y me deteriore la negociación. Y sería lástima. ¡Una familia tan maleable!... *(Queda asomado.)*

HIDALGO.— *(Sale primera izquierda.)* ¡Solo!... Yo me atrevo.

---

[39] Juego con el doble significado de *sablazo:* «golpe dado con el sable» y «acto de sacar dinero». Buena parte de la literatura humorística de comienzos de siglo está llena de *sablistas* y *sablazos.*

[40] Cultismo redicho: «meta la pata».

Claro que esto de invitar a un hombre a que se rompa la crisma no es ninguna fruslería, pero si este señor no se mata, Luis me revienta... Y entre Bermejo y yo... *(Pausa.)* ¡Ah, ya sé lo que he de decirle!... ¡Pecho al agua! *(Alto.)* Amigo Bermejo.

BERMEJO.—¿Quién?

HIDALGO.—Gente de paz.

BERMEJO.—¡Caramba, usted, mi cordial y solícito enfermero!... ¿Qué desea usted de mí, mi cariñoso amigo?

HIDALGO.—Pues nada, que quería pedirle a usted un favor, un gran favor.

BERMEJO.—Concedido.

HIDALGO.—Es que se trata de algo muy grave.

BERMEJO.—Para mí no hay nada grave.

HIDALGO.—Ya lo sé, ya. Sin embargo, esto...

BERMEJO.—Diga usted, diga usted lo que sea.

HIDALGO.—Amigo Bermejo: usted comprenderá mi situación con esta familia. Yo los metí en el lance en que se encuentran, creyendo que usted iba a morirse formalmente. Le casaron a usted con Carita... el conflicto se ha hecho irreparable... y ahora Luis me exige a mí que solucione el asunto... ¡matándole a usted en duelo!

BERMEJO.—*(Aterrado.)* ¡Caray!

HIDALGO.—Pero esto sería para mí muy doloroso.

BERMEJO.—Y para mí muchísimo más. ¿Pero quiere usted callarse? ¿Para qué un duelo?... Nada de duelos, nada de bárbaras agresiones... A usted le hace falta, digámoslo claramente, a usted le hace falta mi vida... ¿no es esto?

HIDALGO.—Hombre...

BERMEJO.—¿Pues para qué somos amigos?... Antes de la noche será usted complacido. Yo soy así con mis amistades.

HIDALGO.—Hombre, mi gratitud...

BERMEJO.—No vale la pena. Hoy hago yo esta insignificancia por usted. ¡Quién sabe en el correr de los años lo que podrá usted hacer por mí!...

HIDALGO.—¿En el correr de los años?...

BERMEJO.—En el correr de los años de ultratumba.

HIDALGO.—¿Y va usted a realizar en esta casa?... *(Acción de pegarse un tiro.)*

BERMEJO.—No. El tío Valeriano y yo hemos buscado un sitio precioso: la Moncloa.

HIDALGO.—¿No hay muchos guardas?

BERMEJO.—Sí, pero yo sé un lugar tan solitario, tan escondido... para... *(Acción de pegarse el tiro.)* ¡Una delicia!

HIDALGO.—¡Caramba, es usted admirable! Me conmueve la serenidad conque habla usted de... *(Repite el ademán.)*

BERMEJO.—¡Oh!, es que... ¡odio la vida, sí; la odio!... ¡Caramba, con permiso voy a cerrar el balcón, que estamos en una corriente!... *(Cierra el balcón.)*

HIDALGO.—Señor Bermejo. Yo no sé cómo pagar...

BERMEJO.—Nada, nada... mañana viene usted a mi tumba, deposita usted allí un ave...

HIDALGO.—¿Para qué?

BERMEJO.—¡Un Ave María y una siempre viva y en paz!

HIDALGO.—¿Siempre viva?

BERMEJO.—¡Viva!... (Este tío invita a pegarse un tiro como el que invita a casa de Camorra[41].) Adiós, joven. ¡Siempre viva!

HIDALGO.—Adiós, señor Bermejo. *(Vase* BERMEJO *segunda izquierda.)* ¡Caramba, qué persona tan complaciente! Eso son ganas de servir a un amigo. Corro a avisar a Luis, a tranquilizarle. Quizá cuando volvamos ya esté todo resuelto. *(Vase primera derecha.)*

ESCENA X

DON VALERIANO, DON SEGUNDO *y* GENOVEVA

DON VALERIANO.—*(Saliendo por la primera izquierda, al no ver a* BERMEJO *se dirige a la segunda.)* ¡Ah, está en el comedor! *(A* DON SEGUNDO, *que ha salido detrás de él.)* De modo que ya lo has oído, ese hombre exige indirectamente catorce mil pesetas, Segundo.

---

[41] Célebre restaurante madrileño.

DON SEGUNDO.—¡Qué horrible complicación!... ¿Pero de donde vamos a sacarlas?...
DON VALERIANO.—Porque si no, ahora mismo tienes ahí a la Hipólita con la lengua de vaca... A su hermanito con algo parecido... ¡El peligro, el escándalo!...
DON SEGUNDO.—Y que además nada se resuelve; porque das el dinero y la chica sigue casada, y este hombre en condiciones de hacer efectivo el matrimonio cuando quiera.
DON VALERIANO.—¡Es para morir de angustias!... ¡Es para cometer un crimen!...
DON SEGUNDO.—¡Calla, por Dios!... ¡Y un sablazo sobre tanta desdicha!

(Llaman con timbrazos breves pero muy seguidos.)

DON VALERIANO.—Llaman.
DON SEGUNDO.—Y con qué insistencia.
DON VALERIANO.—A lo mejor es la Hipólita, de seguro.
DON SEGUNDO.—¿La de la lengua?

(Timbre.)

DON VALERIANO.—La misma.
DON SEGUNDO.—¡Y que deprisa!
DON VALERIANO.—Debe venir con la lengua fuera.

(GENOVEVA *pasa de segunda izquierda a primera derecha.)*

DON SEGUNDO.—¿Y qué vas a hacer?
DON VALERIANO.—Recibirla. Jugarme la vida, si es preciso. De perdidos al río. ¡Todo menos soltar una peseta! Puñaladas, bueno; sablazos, no. Déjame solo.

(Vase DON SEGUNDO *primera izquierda.)*

GENOVEVA.—*(Por la primera derecha.)* Una señora.
DON VALERIANO.—*(Heroicamente.)* Que pase.
GENOVEVA.—Me ha dado su tarjeta.

DON VALERIANO.—Venga. *(La toma.* GENOVEVA *sale primera derecha.)* ¡Ánimo, Valeriano! Con esta gentuza, el que se achica se pierde. *(Lee la tarjeta.)* «Hipólita Beloqui...» Está bien.

ESCENA XI

DON VALERIANO *e* HIPÓLITA. *Luego* NIÑOS *y dos* NIÑAS. *Después* MATEA.

HIPÓLITA.—*(Es una mujer del pueblo de Madrid de aspecto agradable. De treinta y cinco a cuarenta años. Lleva mantón.)* ¿Da usted su permiso?

DON VALERIANO.—Adelante.

HIPÓLITA.—Caballero, usted dispense que me haiga tomao la libertad de permitirme de que le pasasen mi tarjeta.

DON VALERIANO.—Sí, ya la he leído. Hipólita Beloqui.

HIPÓLITA.—Servidora de usté. Bueno, pero usté me dispense, que es que me s'ha olvidao poner debajo y familia, porque no vengo sola.

DON VALERIANO.—Lo mismo da.

HIPÓLITA.—*(Dirigiéndose a alguien que está fuera.)* ¡Ángeles, adentro!

DON VALERIANO.—(Viene con alguna parienta.)

HIPÓLITA.—Pasar, ricos.

(Entran dos NIÑOS *y dos* NIÑAS, *cogidos de la mano. Visten bastante derrotados. Una de las niñas lleva un liíto de ropa. Uno de los chicos, que va de marinero, lleva un pequeño botijo.)*

DON VALERIANO.—¡Caray!... ¡Deben ser los cuatro Bermejitos!

HIPÓLITA.—Pase usted también, señá Matea. Ande usté, que no se la van a comer.

(Entra una anciana.)

SEÑÁ MATEA.—*(Entrando.)* ¡Hija, si yo no digo que se me coma nadie!... Servidora...
HIPÓLITA.—Fíjese usté. Cuatro calcos del padre.
DON VALERIANO.—Son monos. ¿Y esa anciana?
HIPÓLITA.—La mamá del moribundo.
SEÑÁ MATEA.—Servidora.
HIPÓLITA.—Con permiso de usté, se podían sentar en este sofá, si usté nos hiciera ese favor.
DON VALERIANO.—Si caben, sí, señora.
HIPÓLITA.—Tantísimas gracias. Señá Matea, usté donde le cumpla. Y una servidora con permiso. *(Se sienta delante de él, junto a la mesa del despacho.)*
DON VALERIANO.—Usted es muy dueña.
HIPÓLITA.—Bueno, caballero, haga usté el obsequio de decirle a ese indigno convaleciente que dé la carita; porque sé que está en esta casa. Lo he visto de subir[42].
DON VALERIANO.—Le advierto a usted que el señor Bermejo, si es a él a quien usted se refiere, no está en esta casa.
HIPÓLITA.—¡Ah! ¿No está?... Bueno, pues entonces, si no está, haga usté el favor de decirle que salga, de todas las maneras.
DON VALERIANO.—¿Pero cómo se lo voy a decir, si no está?
HIPÓLITA.—Pues dándole el recao. Porque hasta que una servidora le eche la vista encima, no me meneo de aquí. Precisamente me coge sin ná que hacer... Los niños se han traído el botijito, y ellos, en teniendo agua, tan ricamente. Conque hasta pasao mañana no nos urge. Señá Matea, entreténgase usted en algo.
SEÑÁ MATEA.—Bueno. *(Se pone a hacer media.)*
HIPÓLITA.—Jugar a lo que queráis, niños.

(Las niñas se sientan en el suelo y juegan a las tabas. Los chicos se ponen a jugar al paso.)

DON VALERIANO.—¡Caramba!... ¡Chist!... Eh, niños, si os fuese lo mismo jugar a la lotería que no levanta polvo,

[42] Queriendo ser fina, Hipólita incurre repetidamente en el «dequeísmo».

mañana se sortea. ¡Me gusta la libertad! Bueno, señora, usted se hará cargo.

HIPÓLITA.—Usté dispense que no me haga nada, caballero. Yo he venido aquí con una educación que ni en las Ursulinas. Pero ya me s'ha acabao la pacencia. Porque lo que me ha hecho a mí ese moribundo, amos, que es pa matarlo. ¡Miá que decirme que le han casao sin darse cuenta en artículo *muertis!* ¡Pa su abuelita!

DON VALERIANO.—Señora, verdaderamente, algo de lo que ha dicho...

HIPÓLITA.—Y me quié dejar abandoná con esa pléyade, que dice él, como es poeta, ¿sabe usté? Pero vamos, que yo le llamo reata[43]. ¡Y a una servidora, no!...

SEÑÁ MATEA.—*(Suspirando.)* ¡Qué cosas!

DON VALERIANO.—*(Al niño de marinero, que ha cogido un bastón y está dando estacazos al sofá.)* Marinero... marinero, deja el palo... haz el favor.

HIPÓLITA.—¡Con lo que he hecho yo por ese hombre, madre mía!... Porque usté no sabe la historia. Cuando nos conocimos me se declaró en poeta y me dijo que pa él había empezao la égloga y que nuestros amores eran un poema bucólico. Yo no sé si lo diría porque mi padre tenía un merendero. Total, que con aquello de los amoríos se hizo parroquiano, y se nos comió hasta la empalizada.

DON VALERIANO.—¡Esos poetas!... ¡Tienen una fuerza de asimilación!...

HIPÓLITA.—Bueno, ¿pues qué dirá usté que le tengo que agradecer en catorce años de relaciones?

DON VALERIANO.—¡Qué sé yo!

HIPÓLITA.—Pues dos sonetos y eso que ve usté aquí.

DON VALERIANO.—Que son cuatro ovillejos.

HIPÓLITA.—Y que de vez en cuando diga que soy una mujer nefasta, que no sé lo que es.

DON VALERIANO.—No es ningún piropo; pero vamos...

HIPÓLITA.—En fin, sea lo que sea. Conque volviendo a lo

---

[43] *Pléyade* es «grupo de personas famosas». *Reata,* en cambio, se aplica a la «hilera de caballerías que van atadas».

nuestro, haga usté el favor de decirle a ese distinguido agonizante que se dé a luz.

DON VALERIANO.—Pero, señora, ¿cómo quiere usté que le diga que no está en esta casa?

HIPÓLITA.—*(Dando un golpe en la mesa.)* ¡Está!

DON VALERIANO.—¡No está!

HIPÓLITA.—*(Levantándose.)* Está bien. Bueno, pues no canso más. Yo le encontraré. Pero si viniese antes que vuelva una servidora, le dice usté que mi objetivo es el siguiente: Que ya se hará cargo que estando él casao con una mujer rica, pues no voy a mantenerle yo a la pléyade, y que si mañana, antes de las nueve, no me se mandan siete u ocho mil pesetas, pa que yo me vaya a Buenos Aires y no me acuerde más del santo de su nombre, que a las nueve y cuarto estoy aquí con mi hermano y vamos a armar una tremolina que se le van a poner los pelos de punta a un queso de bola. No le digo a usté más. Hasta mañana. Que usté siga como es debido. *(Indica el mutis.)*

DON VALERIANO.—¡Chist!... Señora...

HIPÓLITA.—¿Qué pasa!

DON VALERIANO.—Que se le olvidan a usted los niños.

HIPÓLITA.—No, quiá; es que ésos se quedan aquí.

DON VALERIANO.—¿Cómo aquí?

HIPÓLITA.—Pa siempre. Con náa los tienen ustés mantenidos; y si salen listos, Dios sabe de lo que les puén a usted servir.

DON VALERIANO.—Señora, tenga usted la bondad de recoger ese manojo de espárragos y llevárselos.

HIPÓLITA.—¡Quiá, hombre, pa su papá! Los niños son de él, pues pa él. Su madre es suya, pa él... Y muchísimos recuerdos, que yo le doy a usté pa él. Servidora. *(Vase puerta primera derecha.)*

DON VALERIANO.—Pero, señora, la anciana... Siquiera llévese usted la anciana...

HIPÓLITA.—Tampoco. No metiéndose con ella no hace nada. *(Mutis.)*

SEÑÁ MATEA.—¡Qué cosas! *(Sigue haciendo media.)*

DON VALERIANO.—Bueno. ¿Y qué hago yo con la pléyade?

(Los niños, que hasta este momento estarán sentados en el suelo en el centro de la escena jugando a la taba, se levantan y vuelven a sentarse en el sofá.)

ESCENA XII

DICHOS, DON SEGUNDO *y* DOÑA TOMASA *por la primera izquierda.*

DON SEGUNDO.—*(Saliendo y mirando a los niños.)* ¿Pero qué es esto?
DOÑA TOMASA.—¿Pero esos niños?...
DON VALERIANO.—No creáis que es que he puesto un colegio, ¿eh?... Es la progenie de Bermejo.
DON SEGUNDO.—¿Y esa anciana?
DON VALERIANO.—Descabalada, pero hacendosa. Es su mamá.
DOÑA TOMASA.—¿Y ese marinerito?
DON VALERIANO.—El encargado del agua.
DON SEGUNDO.—Ya le veo el botijo.
DOÑA TOMASA.—¿De modo que esa señora nos dejó todo esto?...
DON VALERIANO.—Y una conminación fatal. O se le envía mañana el dinero, o viene con *El Yesca* a pegarle fuego a la casa.
DON SEGUNDO.—¡Santo Dios! ¿Y qué hacemos?...
DON VALERIANO.—¿Cómo que qué hacemos?... Proceder con rapidez y energía y jugarnos el todo por el todo. Ahora veréis. *(Llamando segunda izquierda.)* ¡Bermejo, señor Bermejo, haga usted el favor un momento!...

ESCENA XIII

DICHOS *y* BERMEJO

BERMEJO.—A sus órdenes, mi eventual y querido tío. ¿Qué desea?
DON VALERIANO.—Haga el favor de dirigir el periscopio al sofá.

BERMEJO.—Caramba; ¿pero qué es eso?
DON VALERIANO.—¿No adivina?
BERMEJO.—Sí, ya veo. ¡Cosas de la Hipólita!...
DON VALERIANO.—Cosas de la Hipólita, y de usted... ¡A medias!
BERMEJO.—Y mi anciana y venerable madre. ¡Mamá!
SEÑÁ MATEA.—¡Hijo mío!

(Se abrazan.)

BERMEJO.—Bueno, pero...
DON VALERIANO.—Yo le ruego, amigo Bermejo, que si conserva un resto de delicadeza procure no aumentar con nuevas inquietudes el irreparable dolor que abruma a esta familia. Por consecuencia, llévese inmediatamente a esos niños y a esa señora.
BERMEJO.—¡Yo! ¿Que me los lleve yo?... ¡Sin recursos, sin medios de fortuna, pobre y enfermo!... ¿Que me los lleve yo?... ¿Pero dónde?...
DOÑA TOMASA.—¡Hágase usted cargo de nuestra tristeza!
DON SEGUNDO.—Y últimamente, si es ese su propósito, diga de un modo concreto en qué forma puede esta familia pagar el error cometido.
BERMEJO.—*(En un arranque heroico.)* ¡Ah, basta, basta ya de tal tortura!... ¡A mí no se me puede juzgar como un granuja, señor mío! Nada necesito, nada; sino librar a ustedes del peso de mi maldita existencia. ¡Enjúguense las lágrimas, alégrense los corazones! El maldito de todos, el paria, el sinventura, va a terminar! ¡Adiós, mamá! *(La abraza.)* ¡Adiós, hijos míos!... ¡Adiós para siempre! *(Los besa. Corre hacia el centro de la escena, los niños se agarran a su americana, sujetándole. Todos tratan también de sujetarle.)*
TODOS.—¡No, no, por Dios!
DON VALERIANO.—¡No, en casa no!
BERMEJO.—¡Aquí, aquí me mataré!
DOÑA TOMASA.—¡Ay, que se mata!
DON SEGUNDO.—Aquí, no. Reflexione, atienda.
BERMEJO.—¡Dejadme, dejadme! *(Se desase de todos. Entra segunda derecha y cierra tras sí.)* ¡Quiero morir!... ¡Quiero morir!...

DON VALERIANO.—*(Golpeando la puerta.)* ¡Por Dios, Bermejo!... ¡Aquí no, aquí no!...
DON SEGUNDO.—Abra, abra...
LOS NIÑOS.—¡Papá, papá!...
SEÑÁ MATEA.—¡Hijo mío!...
DON VALERIANO.—La Moncloa, el Canalillo. *(Mirando por la cerradura.)* Ha abierto el balcón.

(Se oye un grito terrible en la calle. Rumor creciente de voces, y entre ellas, bien clara, una que diga:)

VOZ.—¡Muerto!... ¡Se ha matado!...
OTRA.—¡Muerto, muerto!... ¡Por el balcón!
TODOS.—*(Los de escena.)* ¡Jesús!

(Caras de terror.)

DOÑA TOMASA.—¡Gritan que muerto!
DON VALERIANO.—¡Se ha tirado por el balcón!
DON SEGUNDO.—¡Pero ese condenado! *(Sale corriendo primera derecha.)*

ESCENA XIV

DICHOS *y* LUIS; *después* HIDALGO

LUIS.—*(Entra despavorido.)* ¡Ay, qué desgracia!... ¡Reventado!... ¡Ahí lo suben!... ¡Ese Bermejo!...
DON VALERIANO.—¿Pero se ha tirado por el balcón?
LUIS.—Sí, yo lo ví. ¡Se tiró por el balcón, dio sobre el toldo de la tienda; les ha roto a ustedes el toldo, y cayó sobre Hidalgo, que venía conmigo por la acera, y medio le ha reventado!
HIDALGO.—*(Que sale en brazos de* BERMEJO *y* DON SEGUNDO.*)* ¡Ay, ay!... ¡Me ha matado!... ¡Me cayó encima!... ¡Me ha matado!...

(Le sientan en un sillón.)

BERMEJO.—¡Oh, cuán negro es mi sino! ¡Pobre muchacho!... Me suplica él mismo que me suicide, voy a complacerle, y de poco lo mato... Y es que no puedo morir..., ¿lo ven ustedes?.... No puedo, no puedo...

(Telón.)

FIN DEL ACTO SEGUNDO

Acto tercero

La misma decoración del acto segundo. Empieza a atardecer.

ESCENA PRIMERA

DON VALERIANO *e* HIDALGO.

(DON VALERIANO, *agachado en el suelo, con un pequeño serrucho está acabando de aserrar la pata de la librería.* HIDALGO *manipula misteriosamente en los hilos de un enchufe eléctrico colocado al lado de la puerta segunda izquierda y que corresponde a la lámpara de la mesa del despacho.)*

HIDALGO.—Acabe usted de aserrar la pata de la librería, que esto mío ya está.
DON VALERIANO.—Por Dios, silencio, que no nos oigan.
HIDALGO.—Sí, es verdad. Trabajemos en el misterio.

(Trabajan.)

DON VALERIANO.—¿Y qué te parece que haga, meto la pata[44] o la dejo en el aire?
HIDALGO.— No, déjela usted en una resistencia calculada para diez minutos.

[44] Otro juego con el doble sentido (literal y figurado) de la expresión.

DON VALERIANO.—Entonces ya está, seguramente. Sin embargo, afinaré por aquí, para... *(Sigue aserrando.)*
HIDALGO.—Esto mío terminó. Tengo los hilos en contacto y ahora ajusto la llave y...
DON VALERIANO.—¡Dios mío! ¡Tener que recurrir a esto!...
HIDALGO.—No retrocedamos, don Valeriano. La necesidad de una legítima defensa impone este sacrificio moral.
DON VALERIANO.—¡Ah, si no fuera por lo que es!...
HIDALGO.—Adelante, don Valeriano. *(Examina el cajón de la derecha de la mesa despacho.)* Esto del cajón está admirablemente dispuesto. En cuanto se toque se producirá el... Sin embargo, voy a colocar este alambre más... *(Manipula en el cajón con unos alicates.)*

ESCENA II

DICHOS. LUIS *y* DON SEGUNDO *primera izquierda.*

LUIS.—*(En voz baja, misteriosamente, como quien está en el secreto.)* ¿Está ya todo?
DON VALERIANO.—Faltan algunos perfiles.

*(*LUIS *trabaja con* HIDALGO.*)*

DON SEGUNDO.—*(Saliendo.)* ¿Pero qué hacen ustedes?
DON VALERIANO.—¡Chist!...
DON SEGUNDO.—¿Pero qué trabajas ahí, con un serrucho en la mano?
DON VALERIANO.—¡Ah, Segundo, si tú supieras!...
DON SEGUNDO.—Si llevarais antifaz, pareceríais algo de una película. La mano que aprieta.
DON VALERIANO.—O la pata que afloja.
DON SEGUNDO.—Bueno, ¿pero queréis explicaros a qué viene este misterio?
DON VALERIANO.—Ahora lo sabrás todo. ¿Y Tomasa?
DON SEGUNDO.—¡Vistiéndose para ir con Luis a casa del abogado por quinta vez!... Es su manía. La pobre cree que consultando encontrará el remedio de este mal. Dará en loca. ¡Válgame Dios!

LUIS.—¡En loca!... ¡En locos acabaremos todos!
DON VALERIANO.—¿Y Bermejo? ¿Qué hace ese... ese hombre?
DON SEGUNDO.—En el comedor está. Se ha quedado profundamente dormido en una mecedora. ¡Por cierto que había un tufo!... Metiéronle un brasero y cerraron las puertas. ¿Quién haría tal?
DON VALERIANO.—*(Un poco azorado.)* Habrá sido la muchacha... nada; un descuido disculpable...
DON SEGUNDO.—¡Hombre, pues hay que tener cuidado!
DON VALERIANO.—*(Indignado.)* ¡Nosotros cuidado con!...
LUIS.—*(Lo mismo.)* ¡Cuidado nosotros con ése!
DON SEGUNDO.—*(Conteniéndose.)* ¡Hombre, por Dios!
HIDALGO.—¡Nosotros cuidado con ese granuja!... Con ese farsante que lleva dos meses que si se mata hoy, que si se mata mañana, y...
DON VALERIANO.—¡Y ya no puede abrocharse, de lo que ha engordado!... ¡Maldita sea!
DON SEGUNDO.—¡Me asusta oíros hablar así!
LUIS.—*(Con resolución.)* Es que ya no podemos más, don Segundo; afuera caretas. Es que ese hombre nos pesa ya como una losa de plomo. Les sacó a ustedes dos mil pesetas a cuenta de las catorce mil; se equipó. Ofreció suicidarse el dieciocho del mes pasado y luego nos dijo que cuando se pusiera bueno del catarro.
DON VALERIANO.—Se puso bueno. Nos ofreció lo del estanque del Retiro, y ahora nos dice que no se atreve con el reuma.
HIDALGO.—Nos está dando el timo del entierro.
DON SEGUNDO.—¡Callarse, hombre, callarse!... ¡Válgame Dios! ¡Que escuche yo tal, de personas tan honradas!
DON VALERIANO.—¡Es que no podemos más, Segundo, no podemos más!... ¿No lo oyes?
LUIS.—Ese hombre nos abruma, nos ahoga, nos enloquece...
DON VALERIANO.—¡Y nos arruina, que es lo peor! Hemos de mal vender la tienda, para acabarle de entregar las doce mil pesetas. Carita, aburrida de vivir en un pueblo, me temo que llegue de un momento a otro y lo descubra todo y muera del pesar. El problema sigue sin solución.

Tomasa está enferma, Luis loco, Hidalgo trastornado, tú violento, yo frenético... ¡y Bermejo nutriéndose!... ¿Para qué queremos vivir así?... ¡Es preferible la muerte cien veces!... ¡Cien veces, ante este sufrimiento!

DON SEGUNDO.—¿Pero no decía usted que la salud de Bermejo...?

HIDALGO.—Sí, pero es que luego me he convencido de que es un ser absolutamente indestructible. Ya ve usted, de acuerdo con él, le puse un plan de contraindicaciones, que era para no acabarlo de leer. Estómago débil, callos con chorizo. Pulmones deshechos, alcoholes fuertes. Corazón enfermo, tabaco y café. Artrítico, baños fríos. Bueno, pues ya han visto ustedes el resultado. Aumento de peso, ha mejorado el color, se duerme encima de un palo...

LUIS.—¡Y tiene unas fuerzas, que ayer le encontré con la nuera del portero en brazos y pesa ochenta kilos!...

HIDALGO.—¿No es esto para desesperarse?...

DON VALERIANO.—¡Esto es para morirse!... Yo, en mi indignación he llegado ya al cinismo... Antes le aconsejaba lo de la Moncloa y el Retiro, ahora ya le he dicho que elija el gabinete que más le guste... incluso el despacho, pero que despache pronto.

DON SEGUNDO.—Bueno, ¿pero todo ese misterio que hacíais antes, manipulando con los muebles?...

DON VALERIANO.—Nada, puerilidades... Una cosa inocente.

DON SEGUNDO.—¡Es que os llegué a tomar miedo, Valeriano!

HIDALGO.—No, si después de todo, verá usted de qué se trata. Es casi por hacerle un favor.

DON SEGUNDO.—¡Vosotros un favor!...

HIDALGO.—Un verdadero favor. Si ese hombre procede de buena fe, y realmente es la fatalidad la que se opone a que realice sus propósitos, ¿por qué no ayudarle?...

DON VALERIANO.—Nada más laudable. Y como Hidalgo, que le ha reconocido muchas veces, sabe que es algo cardiaco, dice que quizá dándole dos o tres pequeños sustos...

HIDALGO.—Podría llegar... sin ninguna molestia, al logro de sus deseos, de un modo fulminante.

DON VALERIANO.—Nosotros queríamos contar con él.
LUIS.—Pero es lo que yo les he dicho; si contamos con él para asustarle, pues no se va a asustar...
DON SEGUNDO.—¿Y estos sustos?...
DON VALERIANO.—No te asustes... ¡Dos o tres cositas!... Nada, ya verás. Tú baja a la tienda y no te ocupes.

ESCENA III

DICHOS, DOÑA TOMASA *primera izquierda.*

DOÑA TOMASA.—*(Con traje de calle y dispuesta a salir.)* ¿Nos vamos, Luis?
LUIS.—Vamos allá, doña Tomasa.
DOÑA TOMASA.—*(Denotando un cansancio moral abrumador.)* ¡A casa del abogado!... ¡Otra vez!... ¿Y para qué?... ¡Si no hay esperanza!... Estoy abrumada... enferma... ¡y mi pobre hija!... ¡Vamos allá, Luis, vamos allá!
LUIS.—Vamos, doña Tomasa... Yo también he caído en una especie de marasmo que me aplana, que me enerva, que me insensibiliza... pero vamos...
DON SEGUNDO.—Ese hombre nos mata a todos... ¡Nos mata a todos sin remedio! *(Sale tras* DOÑA TOMASA *y* LUIS *por primera derecha.)*
DON VALERIANO.—¡Ya lo creo que nos mata ese hombre!...
HIDALGO.—¡Que si nos mata!... Ya ve usted, a mí si me descuido... Ocho días derrengado. ¡Como que me dejó caer encima seis arrobas de huesos!
DON VALERIANO.—Y a mí, te juro que me ha hecho perder hasta la conciencia de la dignidad, de la honradez... porque yo no sé si esto que hacemos...
HIDALGO.—¡Don Valeriano, no retrocedamos! Al fin la cosa no es...
DON VALERIANO.—Es que le hemos preparado tres sustos, Hidalgo, que son para quitarle el hipo al Cid Campeador.
HIDALGO.—Déjeme usted probar. Después de todo, es casi una curiosidad científica. Pondré aquí el papel que le ser-

virá de cebo. *(Lo deja encima de la mesa del despacho.)* Y ahora a la calle. Dejémosle solo.

DON VALERIANO.—¡Dios mío, pero tú crees que esto no será!...

HIDALGO.—¡Chist!... ¡Puramente científico!... *(Vanse primera derecha.)*

ESCENA IV

GENOVEVA *y* BERMEJO *segunda izquierda.*

BERMEJO.—*(Sale ya mucho mejor vestido. Está alegre, colorado, radiante. Viene fumando un magnífico habano. Le sigue* GENOVEVA *con un servicio de café y una botella de cognac.)* ¡Caramba, se han marchado mamá y los tíos... y el novio de mi mujer; que yo no sé si llamarle primo, en el sentido afectuoso, o cómo llamarle, porque la verdad es que es un parentesco que se las trae... En fin... aquí está más despejado. ¡En el comedor había un tufo!... *(Llamando.)* Genovevita, traeme eso aquí, que no haya nadie, rica. *(Se arrellana en un sillón que habrá al lado de la mesita.)*

GENOVEVA.—*(Saliendo.)* ¡La verdad es que estaba el comedor!... Debía usted haberse asfixiado.

BERMEJO.—¿Asfixiado yo?... Nada... un ligero mareíllo. Destápame esa botella de cognac, a ver si me recobro.

GENOVEVA.—Pero por Dios, señor Bermejo, ¿no le da a usted cargo de conciencia beber tanto?... ¡Entre cognac, ron y aguardientes, lleva usted consumidas cuarenta y dos botellas en quince días!

BERMEJO.—Sí, estoy cometiendo una infamia conmigo mismo; lo sé... ¡pero qué le voy a hacer!... Dame la cajetilla de las señoritas, que este puro no tira.

GENOVEVA.—*(Dándole la cajetilla que estará sobre la mesa de despacho.)* ¡Esa es otra!... ¡El tabaco! Hay que verle a usted fumar.

BERMEJO.—Sí, verdaderamente. ¡Fumo con una elegancia!...

GENOVEVA.—No, yo me refiero al abuso. ¡Pues y el café!... ¡Lleva usted dos kilos en una semana!

BERMEJO.—¡Ah, desgraciada! ¿Pero tú no has comprendido el significado de este exceso?... Es que tiro a matarme, Genoveva, a matarme realmente. *(Bebe cognac.)* Persuadido como estoy de que mis ideas religiosas no me permitirán nunca atentar de un modo violento contra mi existencia, me he sometido hace quince días a un régimen que pudiera llamarse sin hipérbole, mortal de necesidad. Yo toso, cognac. *(Bebe cognac.)* Yo me acatarro, moka. *(Bebe café.)* Yo me caigo de debilidad, una señorita... *(Enciende el cigarro.)* A mí me conviene vida activa, vida de movimiento, que acelere esta inercia circulatoria que padezco; yo debía moverme, yo debía trabajar... pues nada, no me da la gana. *(Se arrellana más cómodamente.)* ¡Me he impuesto este amargo sacrificio y lo cumpliré! Yo libro a esta noble familia del peso ominoso de mi presencia.

GENOVEVA.—¡Sí, pero es que cuando les libre usté de su presencia les ha vaciao la tienda!

BERMEJO.—Y lo mismo hago con las comidas. ¡Ya ves, yo como las cosas más absurdas!... A mí los callos siempre me han molestado.

GENOVEVA.—Y a mí.

BERMEJO.—Pues yo, callos. A mí me dicen que con riñones se puede coger una indigestión; pues yo riñones, cuando en realidad solamente debía tomar alguna que otra merluza[45]. *(Bebe.)*

GENOVEVA.—La tomará usted.

BERMEJO.—Platos de verduras y carnes blancas.

GENOVEVA.—¿Le gustan a usted las carnes blancas?

BERMEJO.—*(Mirándola muy insinuante.)* ¡Caramba, Genovevita!... ¡qué preguntas me haces!... ¿Que si me gustan a mí las carnes blancas?... ¡Una locura!... ¡Si no fuera por el miedo a las chuletas, ya verías!... *(Pausa. Muy meloso.)* ¿Sales el domingo?

GENOVEVA.—No me toca.

BERMEJO.—¿Que no te toca?... ¿Pero hay algo en el mundo que no te toque a ti?

---

45 Además del pescado, *merluza* es una de las muchas denominaciones populares de la borrachera. Arniches la usa también en *Rositas de olor.*

GENOVEVA.—Del domingo en ocho, me toca.
BERMEJO.—¿Del domingo en ocho?... ¡Ah, ya no viviré!
GENOVEVA.—¡Calle usted, por Dios!
BERMEJO.—*(Cogiéndole una mano.)* ¡No, no viviré, Genoveva! Y yo te lo decía porque como de todos modos tengo que ir al cementerio, podías tú acompañarme hasta las Ventas.
GENOVEVA.—¡Jesús, la verdad es que piensa usted unas cosas!...
BERMEJO.—¡Ah, qué amargo es esto! *(Le besa la mano.)*
GENOVEVA.—Pero por Dios, ¿qué hace usted?...
BERMEJO.—¡Ah, no te ofendas, hija; soy un moribundo! Te acaricio como te podía acariciar un hermano que se hallase en la hora postrera. Me encuentro muy mal. Tócame la frente.
GENOVEVA.—Ardorosa.
BERMEJO.—Una salamandra[46].
GENOVEVA.—Y las manos frías.
BERMEJO.—¿Ves qué malo estoy?
GENOVEVA.—Ya lo veo.
BERMEJO.—Ves...
GENOVEVA.—Sí, señor...
BERMEJO.—No; digo que ves por el ron, que ya me cansa esto. ¡Quiero cambiar de veneno!
GENOVEVA.—Bajaré a la tienda, porque en casa ya no queda de «La negrita»[47]. *(Vase primera derecha.)*
BERMEJO.—¡Sí, baja, baja!... ¡Ah, qué criatura!... ¡Se baña en el Océano Glacial y hierve!... ¡Y me pregunta que si me gustan las carnes blancas!... ¡Bueno, la verdad es que esto es vergonzoso! Me estoy poniendo que se me ha quedado estrecho el pellejo; yo que lo llevaba con frunces. Pero, claro, cómo no voy a engordar... ¡si un canónigo a mi lado es un arriero! Molicie, refinamiento alimenticio; y luego una vida sin inquietudes, sin sobresaltos, sin emociones fuertes... Y ya lo dijo el poeta jocoso: «Sin sustos ni sobresaltos vivirás gordo y feliz...» *(Se acerca a la*

46 *Salamandra:* «calentador de combustión lenta».
47 Sigue siendo una de las más populares marcas de ron.

mesa despacho.) ¡Calle, qué dice este papel!... *(Leyendo.)* «Bermejo, cajón de la derecha. Papeles importantes.» ¡Canario! Esto parece una nota. ¡Papeles importantes que se refieren a mí en el cajón de la derecha! Yo voy a ver qué es esto. Este es el cajón y tiene la llave en la cerradura. La cosa no es muy correcta, pero la curiosidad me disculpa. Ya se ve poco. Encenderé la lámpara para esta pequeña requisa. *(Coge el flexible del portátil.)* Aquí está el enchufe. *(Al ir a meterlo se produce una fuerte descarga, con explosión de chispas que le hace dar un salto. Pálido y con los pelos de punta, se lleva las manos al corazón. El enchufe del portátil que estará instalado con corriente, llevará, en lugar de los pitoncitos de acero, un carbón, que al ponerlo en contacto con el enchufe colocado en la pared, y que estará cubierto de una chapita de metal con corriente en resistencia, producirá un arco; al mismo tiempo, desde dentro se enciende un chispero de pólvora que hace saltar una profusión de chispas; para esto es conveniente que el enchufe esté instalado en el quicio de la segunda izquierda.)* ¡Jesús! ¡¡Qué descarga!! ¡El susto ha sido de ésos de «no te menees, pulguita!» Tengo el corazón que es una devanadera... Se conoce que algún contacto. Mi torpeza tal vez. Bueno, estos enchufes, en el Insonzo, no estarían mal, pero aquí... ¡Tengo un temblor!... En fin, nada, un ligero accidente. Veamos los documentos del cajón, que es lo importante. *(Lo abre y al abrirlo encuentra como una resistencia; tira más fuerte y al hacerlo se producen dos detonaciones consecutivas. Consiste el truco en que será hueco el cuerpo derecho de la mesa ministro, para que pueda así, por una abertura hecha en el suelo del escenario, disparar los dos tiros dentro de la mesa.)* ¡Mi madre! *(Retrocede con los pelos de punta y cae sobre el sillón de al lado de la mesita. Se lleva las manos a la garganta, como el que se ahoga o quiere hablar y no puede.)* ¡¡Ay!!... ¡¡Me he quedado sin habla!!... ¿Pero qué... pero qué... es esto?... ¡¡La batalla del Piave[48] en un cajón!!... ¡Qué ha podido ser!...

---

[48] El *Piave* es un río italiano que desemboca en el Adriático, cerca de Venecia. Allí, derrotado el ejército italiano, que había alcanzado la línea del Isonzo (citado también por Arniches, unas líneas más arriba) y habiendo logrado ya traspasar este último río, fue obligado a retroceder por los aus-

¡Yo me ahogo!... ¡Beberé un poco!... *(Bebe con un temblor de muerte.)* Bueno, esto... esto me lo han dedicado. ¡Esto es cosa de los tíos... de los tíos esos! Lo veo con luz meridiana. ¡Pero, caramba, me parece que están abusando! Paso por lo del brasero cuando me quedo dormido, y paso porque ahora me abonen a ver los dramas de Rambal[49], pero que apelen a la dinamita, me parece un tanto abusivo. Observo que les voy cansando. Bueno, pues abreviaré. Hoy les exijo las doce mil pesetas que me restan como saldo a mi favor o hago valer mis derechos de marido. Ellos verán. Y ya podéis venirme con sustos. Se hunde la casa y entre los escombros encontrarán mi cadáver con la siguiente sonrisa, ¡je, je, je! *(Hace una sonrisa muy cómica.)*

ESCENA V

BERMEJO *y* GENOVEVA *por primera derecha.*

GENOVEVA.—*(Entrando con una botella y con un sacacorchos. Al entrar enciende el aparato del centro y la escena se ilumina en su totalidad.)* Aquí está el ron.
BERMEJO.—Muy bien.
GENOVEVA.—«La Negrita.»
BERMEJO.—Trae que la destiña.
GENOVEVA.—¡Caramba, señor Bermejo! ¿Qué le ha pasado a usted? Le encuentro así algo...

---

tro-alemanes, sufriendo grandes pérdidas. Auxiliados los italianos por franceses e ingleses, se hicieron fuertes en el Piave, logrando detener el avance de los ejércitos enemigos el 11 de noviembre de 1917. Un monumento conmemora, allí, esta batalla.

[49] Enrique Rambal es el gran actor del teatro popular. Al comienzo de su carrera le apodaron *El chico del folletín*. De ese mundo venía y desembocó en el melodrama post-romántico en sus diversas facetas: histórico, religioso, policiaco... Le hicieron famoso las caracterizaciones y los efectos escenográficos llamativos. Recorría la geografía española e hispanoamericana como un verdadero ídolo (véase mi libro *Luces de candilejas,* ya citado, páginas 81-82).

BERMEJO.—Nada, que si no llego a tener el corazón como una peña, saco plaza para una sacramental.
GENOVEVA.—¿Pues?
BERMEJO.—Nimiedades explosivas. Descorcha, Pitonisa.
GENOVEVA.—Qué motes tan bonitos pone usted. *(Va a descorchar.)*
BERMEJO.—Si te gusta, quédatelo.

(Suena el timbre de la puerta.)

GENOVEVA.—*(Dejando la botella encima de la mesita.)* Espere usted que llaman. Voy a abrir.
BERMEJO.—Abre con cuidado, no se te dispare.
GENOVEVA.—¿Qué?
BERMEJO.—No, nada. *(*GENOVEVA *vase primera derecha.)* ¿Quién será? *(Coge un puro de la caja que habrá sobre la mesita.)* Bueno, yo encendería este puro, pero ¿y si tiene un torpedo?...
GENOVEVA.—*(Entra consternada.)* Señor Bermejo... Señor Bermejo...
BERMEJO.—¿Qué te pasa?
GENOVEVA.—¡Dios mío!
BERMEJO.—¿Ha estallado algo?...
GENOVEVA.—La señorita, que es la señorita...
BERMEJO.—¡Demonio!... ¿Qué dices?...
GENOVEVA.—Que he mirado por la rejilla y he visto que es la señorita. Se conoce que ha venido del pueblo sin avisar.

(Llaman de nuevo.)

BERMEJO.—¡Mi mujer!... ¡Mi mujer aquí!
GENOVEVA.—¡Ay, si le ve!... ¡Ella que le cree a usted muerto!
BERMEJO.—¿Y qué hago?
GENOVEVA.—¡Por Dios, escóndase usted!
BERMEJO.—¡Sí, porque como me reconozca se lleva un susto que no dice ni Jesús!...
GENOVEVA.—Pronto, en este cuarto.
BERMEJO.—Por Dios, tú no te alejes mucho. *(Vase* GENOVE-

VA *a abrir.* BERMEJO *se oculta segunda derecha, después de echar las cortinas.)* ¡Dios mío, qué situación!... ¡Una entrevista con mi viuda! *(Se esconde.)*

ESCENA VI

CARITA, GENOVEVA, BERMEJO *al paño.*

CARITA.—*(Entrando con un saco de mano.)* ¿Y mamá y los tíos?

GENOVEVA.—Pues han salido hace un momento. Ya no tardarán. ¿Pero usted aquí?... ¡Quién iba a figurarse!...

CARITA.—He querido venir sin decir nada. No podía estar en el pueblo. Me mataba la tristeza. Además, mañana hará dos meses que murió aquel pobre señor, que en paz descanse (BERMEJO *se asoma.),* y he venido a encargarle una magnífica corona, que luego traerán; verás qué preciosa. Además, quiero que le hagan un funeral y deseo asistir a él.

GENOVEVA.—¿Pero por Dios, aún sigue usted con esa manía?... ¿Pero usted qué tiene que ver con aquel caballero?

CARITA.—Con aquel caballero no, con su alma sí. (BERMEJO *vuelve a asomarse.)* Soy una mujer cristiana y, aunque sólo unos días, fue mi marido. Murió sin parientes, sin amigos. No tiene nadie que le llore ni que le rece.

(BERMEJO *se asoma, se enjuga una lágrima y le tira un beso.)*

GENOVEVA.— No, si... Yo comprendo...

CARITA.—Además, Genoveva, no estoy tranquila. Yo no sé qué me sucede, que cuanto más tiempo pasa, más aferrado está a mi memoria el recuerdo de aquel hombre. No entro en una sola habitación, si está a oscuras, que no vea aquella cara inolvidable que vi en el Hospital aparecer y colorearse en la penumbra, mirándome fijamente como si quisiera hablarme.

GENOVEVA.—¡Qué horror! ¡Calle usted, por Dios! ¡Ay, si le ve!

CARITA.—¡Y si vieras lo que yo le rezo!...
GENOVEVA.—¿Mucho?
CARITA.—Debe estar en la gloria.
BERMEJO.—*(La sonríe.)* (Si no fuera por los sustos, ya lo creo.)
GENOVEVA.—¿Y usted le recuerda bien?
CARITA.—Como si le estuviera viendo, Genoveva. Era muy simpático...

(BERMEJO *alarga el cuello por entre las cortinas para ver mejor.)*

GENOVEVA.—¿Sí?...
CARITA.—Tenía unos ojos hermosos... azules...
BERMEJO.—(¡Requiebros póstumos!)
CARITA.—Y en todo su rostro una expresión dulce y resignada, como de mártir!... ¡Pobre hombre! En fin, ven a mi cuarto. Me quitaré el sombrero y mientras le rezaremos unos Padrenuestros.
GENOVEVA.—Con mucho gusto...
CARITA.—*(Haciendo mutis primera izquierda.)* «Padre Nuestro, que estás en los Cielos...»

(La sigue GENOVEVA.*)*

BERMEJO.—*(Saliendo.)* ¡Y se va rezándome! ¡Ora por mí!... ¡Ora por nobis, como quien dice!... ¡Bueno, tengo una mujer que es capaz de sacarle a uno, no digo yo del purgatorio... de sus casillas!... ¡Cuando estaba preocupada por mi alma, me estaba yo fijando en su cuerpo, y... la Venus de Médicis es una alcuza comparada con ella!... Y ha dicho que mis ojos eran hermosos... ¿Eran? El pretérito es para ponerle los pelos de punta a un estoico... ¡Son, joven, son!... Bueno, yo la hablo. Naturalmente, que con ciertas precauciones, para que no fallezca del susto; pero la hablo. Yo no puedo consentir que me obsequie con coronas ni que se esté gastando un dineral en misas... prefiero que me lo dé en metálico. Además, es un cargo de conciencia tenerla alejada de los suyos. ¿Qué la diría yo para empezar?... ¡Ah, sí!... la doy el pésame, así no se figura que soy yo... ¿porque quién da el pésame de sí mismo?... Y desde luego empezaré a hablarla sin que me vea. *(Se oye rumor del rezo.)* Ella vuelve. *(Se oculta segunda derecha cubriéndose con las cortinas.)*

ESCENA VII

DICHO, CARITA *y* GENOVEVA, *primera izquierda.*

CARITA.—Y allá nos espere muchos años, gozando de la Gloria eterna. *(Se persigna.)*

GENOVEVA.—*(Que sale detrás.)* Amén.

BERMEJO.—(¿Dónde ha dicho que la espere?)

CARITA.—Bueno, pues tú anda a la cocina, que yo hasta que venga mamá voy a entretenerme escribiendo a las de Botella para decirlas que llegué sin novedad. *(Se sienta a escribir de espaldas a la segunda derecha.)*

GENOVEVA.—Sí, señora. Acabaré de planchar. (¿Dónde se habrá metido?... ¡Allí está!... ¡Ay, que se le ven los pies por debajo de la cortina! ¡Dios mío, si se fija! Voy a avisarle.) *(Va y deja caer sobre uno de los pies de* BERMEJO *la pata de una silla que ha movido. Se escucha algo así como ese sonido que se produce cuando el que, por contener una queja sorbe el aire con los dientes cerrados.)*

CARITA.—¿Qué ha sido?

GENOVEVA.—Nada, mi pie. Que me he pisado con la silla. *(Vase primera derecha.)*

CARITA.—*(Escribiendo.)* «Querida María Luisa...»

BERMEJO.— (¡Tendrán azahar en la casa... porque el susto va a ser para un aneurisma! Sin embargo, yo me decido. *(*BERMEJO *da dos golpes casi imperceptibles en la puerta.* CARITA *levanta la cabeza y mira a todas partes con extrañeza.)* ¡Dios mío, empezar a golpes con mi mujer, la primera vez que la hablo!... Los daré más fuertes.) *(Da dos golpes más fuertes.)*

CARITA.—*(Se levanta asustada.)* ¡Jesús!... ¡Han dado dos golpes!... *(Otros dos golpes.)* ¿Quién?

BERMEJO.—*(Oculto tras la cortina sigue hablando hasta que se indique.)* ¡Señorita!

CARITA.—¡¡Ah!! *(Aterrada.)* ¡Jesús!... ¿Quién habla ahí? ¿Quién es?

BERMEJO.—Nadie, señorita.

CARITA.—¡Un hombre!... *(Llamando.)* Genoveva, Genoveva...

GENOVEVA.—*(Saliendo primera derecha.)* (¡Le ha visto!) ¿Qué le pasa a usted?

CARITA.—Un hombre... Ahí hay un hombre.

GENOVEVA.—No lo crea usted.

CARITA.—Sí, que me ha hablado. Pide socorro...

BERMEJO.—Dila que no se asuste.

GENOVEVA.—Pero si no me hace caso.

CARITA.—¿Quién es ese hombre?

BERMEJO.—Tranquilícese, señorita. Ya ve cómo Genoveva no se altera.

CARITA.—¿Pero qué hace usted aquí?... ¿A qué ha venido?

BERMEJO.—Pues he venido a decirla de parte de su difunto que no se moleste usted más en rezar por él.

CARITA.—¡Jesús!

BERMEJO.—Está usted haciendo un esfuerzo inútil, señorita, porque ¿cómo va usted a sacar del purgatorio un alma que no ha entrado todavía?

CARITA.—¿Qué dice ese hombre?

BERMEJO.—Que el señor Bermejo, con el que usted se casó *in artículo mortis,* no ha muerto.

CARITA.—¡¡Que no ha muerto!!

GENOVEVA.—No, señorita; no ha muerto.

CARITA.—¿Y dónde está ese hombre?

GENOVEVA.—*(Saliendo.)* A los pies de usted, señorita.

CARITA.—¡¡Ah!! ¡¡Él!!... *(Da un grito terrible y cae desmayada en brazos de* GENOVEVA.*)*

GENOVEVA.—¡Por Dios, señorita!... ¡Ay, que se me muere! *(Socorriéndola.)* ¡Señorita, por Dios!... ¡Agua, dale agua!... Mójale las sienes.

GENOVEVA.—*(Espurreándole la cara.)* ¡Ay, mi señorita!

CARITA.—*(Vuelve en sí y mirando fijamente a Bermejo, retrocede aterrada, con los ojos extraviados, como enloquecida.)* ¡¡Sí!!... ¡¡Es él!!... ¡¡Le reconozco!!

BERMEJO.—¡He mejorado, como habrá usted visto!...

CARITA.—¡Pero usted!... ¡vivo!... ¡¡¡vivo!!!

BERMEJO.—Sí, señora, mal, pero vivo. Cálmese por favor.
CARITA.—¿Pero no es que sueño?... ¿No es usted algo sobrenatural, algo que vuelve del otro mundo?
BERMEJO.—¡Pero por Dios, señorita, ¿usted cree que hay alguien que vuelva del otro mundo con chaleco de fantasía?...
CARITA.—*(Llorando en brazos de* GENOVEVA.*)* ¡Dios mío, le he estado rezando a un vivo!
BERMEJO.—En el buen sentido de la palabra; pero sí, señora, a un vivo[50].
CARITA.—*(Con profundo desconsuelo.)* ¿De modo que estoy casada?
BERMEJO.—Sí; pero no lo va usted a notar... Cosa de unos días... *(Hace señas a* GENOVEVA *para que se vaya. Sale por segunda izquierda.)* Señorita...
CARITA.—*(Aterrada.)* No... no se acerque usted.
BERMEJO.—¡Señorita, por Dios!
CARITA.—*(Exaltada todavía.)* ¡No!... ¡Me parece usted una visión!
BERMEJO.—¡Pues los hay más feos!
CARITA.—¡Ay, Dios mío, qué horror!... ¡Y no soy viuda! ¿Por qué, por qué me engañaron? *(Llora desolada.)*
BERMEJO.—Hágase usted cargo, señorita; su familia, que lo es mía, aunque temporalmente, me extendió el certificado de defunción para tranquilizarla. ¡Hizo bien! ¿Pero a qué continuar la farsa? Yo no puedo consentir que se esté usted gastando un dineral en coronas y en oficios de difunto... Gásteselo usted en el *trousseau*... Y si acaso, cuando yo desaparezca del mundo, es cuando puede encargarme todos los oficios que quiera, antes no.
CARITA.—¡Dios mío, yo casada! ¿Pero Luis sabe esto?
BERMEJO.—De memoria.
CARITA.—¿Y qué dice, qué dice el pobre?
BERMEJO.—Pues nos llevamos divinamente. Está tan contento conmigo. No hemos tenido más que un pequeño

---

[50] *Vivo:* además de «que tiene vida», significa «listo, hábil». En este sentido lo utiliza también Arniches en *El agua del Manzanares, La chica del gato...*

disgusto un día que intenté escribirla a usted una carta y puse en el encabezamiento: «Muy señora mía». ¡Ya ve usted si era respetuoso!... Pues dijo que no le daba la gana que dijese que era usted señora mía, ¡ni en las cartas!... Un abuso.

CARITA.—¡Ah, sí, sí!... ¡Lo que estarán sufriendo! ¡Pero ellos tienen la culpa! La resurrección de usted es el castigo que Dios nos impone por nuestra codicia.

BERMEJO.—¡Por Dios, Carita!

CARITA.—¡Ah, sí, ya lo decía yo! Ya lo vaticiné y no quisieron creerme, ciegos por coger una fortuna que no nos pertenecía. ¡Y ahora yo, casada, casada sin remedio! *(Con energía, poniéndose en pie.)* Pero sé lo que debo hacer, lo que me corresponde. Sé la única solución que tiene esta irreparable catástrofe, que ha destruido para siempre mi amor y mi felicidad.

BERMEJO.—¿Y qué va usted a hacer?

CARITA.—Meterme en un convento.

BERMEJO.—¡Más oficios!

CARITA.—Meterme en un convento para siempre.

BERMEJO.—Usted no se mete en nada. ¡Renunciar usted al mundo, a la juventud, al amor, por culpa mía?... No, jamás. Yo sabré impedirlo.

CARITA.—Pero aquí en el mundo, ¡qué martirio no será el de mi vida! ¿No lo comprende usted? ¡Unida para siempre a un hombre que no quiero, y usted perdone, y separada del que amo con idolatría!... ¡Ah, no, nunca, nunca!... ¡Un convento, un convento!...

ESCENA VIII

DICHOS, LUIS, DOÑA TOMASA, *por primera derecha.*

LUIS.—*(Con asombro.)* ¡Ah! ¡Tú aquí! ¿Tú con él?

BERMEJO.—*(Altivo, cruzándose de brazos.)* ¡Conmigo, sí, conmigo!

DOÑA TOMASA.—¿Pero qué es esto?... ¡Usted con mi hija!...

CARITA.—Sí, mamá, sí.

LUIS.—*(A* BERMEJO.*)* ¿Pero cómo se ha atrevido usted?...

BERMEJO.—Se lo he revelado todo con la discreción y el respeto que me impone su dolor. Que lo diga ella.

CARITA.—Sí, Luis, sí; este señor me ha dicho toda la horrible verdad.

DOÑA TOMASA.—¡Hija mía! *(Cruza al lado de* CARITA.*)*

CARITA.—¿Por qué me lo ocultasteis? *(A* LUIS.*)* ¡Y tú, engañarme tú!... No te lo perdono.

LUIS.—Carita, comprende mi espantosa, mi desesperada situación. ¿Qué iba yo a hacer?... ¡Y este hombre!...

BERMEJO.—Este hombre, señor mío, ha dicho lo que debía decirle, porque este hombre sabe comprender la ternura de los corazones. Y aunque ante Dios y los hombres soy su esposo, mire usted de qué temple es mi alma. Venga usted aquí. *(Desprende a* CARITA *de los brazos de su madre y la une a* LUIS.*)* Abrácela usted... abrácela fuerte. *(Les obliga a que se abracen.)*

DOÑA TOMASA.—¿Pero qué hace?

BERMEJO.—*(Sujetando a* DOÑA TOMASA.*)* Quieta. *(A ellos.)* Apriete usted sin temor, señorita, apriete usted... *(Volviéndose a* DOÑA TOMASA.*)* ¿Puede hacer más un marido, señora?... ¡Qué cuadro!... Y ahora, después de dos meses de ausencia, que tengan un momento de expansión. Dejémoslos solos.

DOÑA TOMASA.—No me da la gana.

BERMEJO.—¡Señora!

DOÑA TOMASA.—¡Qué voy yo a dejar sola con nadie a mi hija!...

BERMEJO.—*(Sujetándola.)* ¡Pero, señora, no me importa a mí, que soy su marido y va usted a meterse! Vámonos.

DOÑA TOMASA.—*(Dando un empujón a* BERMEJO.*)* Déjeme usted en paz. *(Coge a su hija.)* Venid, pasad aquí, hijos míos. *(Vanse los tres primera izquierda.)*

BERMEJO.—*(Indignado.)* ¡Qué manera de agradecerle a uno los sacrificios! ¡Al fin, suegra! *(Llama segunda izquierda.)* Genovevita.

GENOVEVA.—*(Apareciendo.)* Señor.

BERMEJO.—El caldo con las yemas. Pero hoy pon cuatro. ¡No me agradecen nada, pues que se fastidien! ¡Llévamelo al comedor!

GENOVEVA.—En seguida.
BERMEJO.—¿Sales el domingo?... ¡Ah, que ya te lo había preguntado! ¡Ingratas! *(Mutis tras Genoveva segunda izquierda.)*

ESCENA IX

DON VALERIANO *e* HIDALGO *primera derecha.*

DON VALERIANO.—*(Entran temerosos, vacilantes.)* Nadie, silencio.
HIDALGO.—Vamos a ver el resultado.
DON VALERIANO.—Aguarda. Tiemblo de emoción. ¿Qué efecto le habrá hecho?
HIDALGO.—Lo del enchufe resultó; mire usted las huellas de la llamarada.
DON VALERIANO.—Es verdad... Veamos lo del cajón. *(Van a mirarlo atentamente y* BERMEJO *asoma segunda izquierda, se aproxima a ellos.)*
BERMEJO.—No ha fallado nada, no se molesten. Gracias, muchas gracias, señores, por coadyuvar de una manera tan ingeniosa y sencilla a la total extinción de esta pobre existencia que se me escapa a raudales. ¡Qué hábil, qué flamígero lo del enchufe!... ¡Qué imprevisto, qué detonante lo del cajón!... ¡Gracias, muchas gracias! *(Mutis por donde salió.)*
DON VALERIANO.—*(Con desconsuelo.)* ¡Vivo!
HIDALGO.—*(Con desconsuelo.)* ¡Vivo!
DON VALERIANO.—¡Está visto, a este hombre le hacen la autopsia y engorda!

ESCENA X

DICHOS, LUIS *primera izquierda*

LUIS.—¿Ya sabrán ustedes lo que ha ocurrido?
DON VALERIANO.—No, ¿qué ha ocurrido?
LUIS.—¡Que llegó Carita sin avisar y ha hablado con Bermejo!

HIDALGO.—¿Qué dices?
LUIS.—Y lo sabe todo.
DON VALERIANO.—¡Santo Dios!
LUIS.—Y para remate, a nosotros acaba de asegurarnos el abogado que lo del divorcio es imposible.
DON VALERIANO.—¿De manera que no hay medio de deshacerse de este hombre?
HIDALGO.—No hay medio. La ciencia ha agotado todos sus recursos.
DON VALERIANO.—No hay medio.
LUIS.—No hay medio.

(Están abrumados los tres.)

GENOVEVA.—*(Aparece primera derecha.)* Señor.
DON VALERIANO.—¿Quién es?
GENOVEVA.—Un caballero que desea hablar con ustedes.
DON VALERIANO.—No estamos para recibir a nadie.
GENOVEVA.—Es que dice que quiere hablar de una cosa urgente.
LUIS.—Que no queremos recibir a nadie.
GENOVEVA.—Es que dice que viene a matar al señor Bermejo.
LOS TRES.—¡Que pase!

(Sale GENOVEVA *a abrir.)*

DON VALERIANO.—*(Con alegría.)* ¿A matar a Bermejo?... ¿He oído bien?
LUIS.—¡A matar a Bermejo ha dicho!
DON VALERIANO.—¡Matar a Bermejo!... ¡Algún iluso!
HIDALGO.—Quién sabe si traerá algún nuevo procedimiento.
DON VALERIANO.—Traiga lo que traiga, ¡para ese hombre los gases asfixiantes, espliego![51].
HIDALGO.— Tiene trazas de asesino.
DON VALERIANO.—Que entre, que entre, pase, pase usted.

[51] El *espliego* es una planta muy aromática, usada en perfumería.

ESCENA XI

DICHOS *y* SATURNINO, *primera derecha.*

SATURNINO.—*(Tipo de señorito golfo y avispado.)* Señores, deseo que me excusen de la urgencia con que he requerido su amable entrevista.

DON VALERIANO.—Sí, sí, diga, diga lo que sea.

SATURNINO.—Yo les hubiera pasado a ustedes mi pequeña carta de visita. He estado tres años en París, *avant guerre,* de camarero en el *Hotel Ronceray, boulevard Montmartre,* y sé lo que me compete.

DON VALERIANO.—¿Y qué se le ofrece?... Porque nos ha dicho la *fámula*... (que vea que también sabemos francés.)

LUIS.—Sí, nos ha dicho que usted pretendía... Usted dirá.

SATURNINO.—*Tout suit.* Yo hubiese querido presentarme ante ustedes con un indumento menos deplorable. Pero, ah, señores, tuve que salir de París hace seis meses con lo puesto, tuve que dejarme la maleta, la *mal,* que decimos por allá, y sin *mal,* ¿cómo va uno a ir bien?...

DON VALERIANO.—Bueno, alón, alón, al grano.

SATURNINO.—Excúsenme. Todo esto es para que no desconfíen de mí y que den crédito al gravísimo asunto de que vengo a informarles.

LUIS.—Usted dirá.

SATURNINO.—Señores, conozco el horrible drama que les agobia.

DON VALERIANO.—¿Usted?

SATURNINO.—*Muá.* Y vengo a ofrecerles una solución rápida, inmediata, satisfactoria, definitiva.

LOS TRES.—¡Pero es posible!

SATURNINO.—Evangélico: ¿Está aquí ese moribundo ful[52] al que entregaron ustedes hace poco dos mil pesetas?

---

[52] *Ful:* «falso». Para la Academia, es lenguaje de germanía; según Corominas, gitanismo.

DON VALERIANO.—Aquí está.
SATURNINO.—¡Ah, pues aquí muere!
LUIS.—¿Tiene usted alguna ofensa recibida de tal persona?
SATURNINO.—No, si los que le van a matar van a ser ustedes.
HIDALGO.—¡Nosotros!
DON VALERIANO.—¡Qué infeliz! No se haga usted ilusiones.
SATURNINO.—Van a ver ustedes, en cuanto sepan la inicua explotación de que son objeto.
HIDALGO.—¿Qué dice usted?
DON VALERIANO.—Explíquese, por Dios.
SATURNINO.—¿Ustedes saben cómo yo me llamo?
LUIS.—No tenemos el gusto.
SATURNINO.—Saturnino Bermejo.
DON VALERIANO.—¿Entonces usted es hermano suyo?
LUIS.—¿Hermano de Lázaro Bermejo?
SATURNINO.—Exactamente.
HIDALGO.—¿Y viene usted a matar a su hermano?
SATURNINO.—*(Con gran misterio.)* Es que al que yo venía a matar no es hermano mío, ni se llama Lázaro Bermejo.
LOS TRES.—¿Cómo?
SATURNINO.—Ese inmundo y apócrifo agonizante, que en cuanto se ve mal de recursos se dedica a expirar, quiso entrar hace dos meses en San Carlos, y como es un indocumentado, me pidió la célula de mi pobre hermano Lázaro, que había fallecido seis meses ha.
LOS TRES.—*(Con gran asombro.)* ¡Ah!
SATURNINO.—Ha...
LUIS.—*(Con ansiedad.)* Siga usted.
SATURNINO.—Yo, compasivo, se la di. Él entró en el Hospital algo más enfermo que de costumbre; se puso a la muerte, según dicen, y entonces fueron ustedes y lo casaron con una honorable señorita. *E voilá tout.*
LUIS.—¿Entonces, ese hombre, cómo se llama?
SATURNINO.—Ese hombre se llama Gaspar Menacho.
DON VALERIANO.—¿Menacho?
SATURNINO.—Menacho. En cuanto convaleció vino a buscarme, me contó el lance, me dijo que teníamos un bello negocio a explotar, que me callase hasta coger las catorce mil pesetas, y que iríamos a medias en el asunto.

LUIS.—¡Qué infamia!

SATURNINO.—Y cuando yo, cándido de mí, lleno de buena fe, de nobleza, de hidalguía, le había buscado unos niños con un parecido asombroso, y a la Hipólita, que no hay otra en Madrid para estos asuntos, y le había prestado ¡hasta mi madre, señores!... ¡Que ya ven ustedes, prestar una cosa tan sagrada!... Pues va el muy canalla y en vez de mandarme las mil pesetas que me correspondían... en vez de mandarme un cheque, me mandó un chico con diez y ocho reales, *tout compri.* ¿A ustedes les parece?

DON VALERIANO.—*(Con inmensa alegría.)* ¡Ay, señor Bermejo! ¡Ay, qué peso me ha quitado usted del alma!

LUIS.—¡Ay, qué felicidad!

HIDALGO.—Todo resuelto. ¡Qué alegría!

DON VALERIANO.—¿Y dice usted que su hermano Lázaro ha muerto?

SATURNINO.—Hace medio año.

DON VALERIANO.—¡Ay qué gusto!

LUIS.—¡Somos dichosos!

HIDALGO.—¿Y se podrá sacar el certificado de defunción cuando se quiera?

SATURNINO.—Sin duda.

LUIS.—¡Qué alegría!... ¡El certificado de defunción!... ¡Qué felicidad!... *(Saltan y bailan regocijados.)*

SATURNINO.—Pero, caramba, que no creo que sea motivo de regocijo...

DON VALERIANO.—¡Ay, sí, señor Bermejo!... Usted dispense.

LUIS.—¡Pero es que nos ha devuelto usted la felicidad, el sosiego, la vida, todo!

HIDALGO.—Acaba usted de solucionar el más grave de los conflictos.

SATURNINO.—Bueno, pero yo espero que ustedes correspondan obligando a este miserable a que me restituya lo legítimamente ganado.

DON VALERIANO.—*Tout suit.* Obligaremos a Menacho a que comparta con usted lo que ha recibido y lo que tiene que recibir, que no va a ser poco. Haga usted el favor de pasar a esta habitación y esperar un instante. *(Le indica la segunda derecha.)*

SATURNINO.—*Tre bian. (Entra.)*
LUIS.—Bueno, ¿y qué hacemos con ese canalla?
DON VALERIANO.—Tú entra y cuéntales a Carita y Tomasa lo que ocurre; diles que no lloren más, que se alegren, que somos felices, que el matrimonio no es válido, que pronto desharemos el error.
LUIS.—Sí, no quiero retardarles esta alegría. *(Vase primera izquierda.)*
DON VALERIANO.—Tú, Hidalgo, baja, cuéntaselo a Segundo y dile que suba.
HIDALGO.—A escape. *(Vase primera derecha.)*
DON VALERIANO.—Y yo... *(Sombrío.)* Yo voy a encerrarme con Menacho, y como esa lesión cardio-motora sea un hecho, aquí la hinca; y si no es un hecho, le va a faltar una décima de milímetro. A mí me paga los dos meses que me ha hecho pasar y el sablazo. *(Saca un revólver.)* ¡Ay de ti, Menacho!

ESCENA XII

DON VALERIANO *y* BERMEJO.

DON VALERIANO.—*(Se acerca a la segunda izquierda.)* Bermejo... amigo Bermejo.
BERMEJO.—*(Apareciendo.)* ¿Me llamaba usted, mi cordial y querido tío?
DON VALERIANO.—Sí, tenga la bondad de hollar, aunque transitoriamente, este recatado despacho.
BERMEJO.—A sus gratas y efímeras órdenes.
DON VALERIANO.—Sírvase reposar en esa acogedora y deleznable silla.
BERMEJO.—Encantadísimo. (Me escama la retórica.) *(Se sienta en el sillón de despacho.)*
DON VALERIANO.—Mi pasajero y fútil sobrino; he llamado a usted porque acaba de ocurrírseme una idea fulgurante, feliz, heroica, solucionante.
BERMEJO.—¿Y qué idea es ésa?
DON VALERIANO.—Verá usted qué hallazgo. Yo estoy vien-

do, amigo mío, que la infelicidad de esta casa ya no tendrá término.

BERMEJO.—¡Oh!

DON VALERIANO.—De un lado, mi hermana que muere; mi sobrina que se agosta, todos que enloquecemos... De otro, usted, sufriendo, atormentándose, anhelando morir, sin conseguirlo. ¿Qué remedio único podría tener esta trágica desdicha?, pensé... ¡Y lo he encontrado!

BERMEJO.—¿Ha encontrado usted el remedio?

DON VALERIANO.—Breve, hermoso, sencillo, concluyente. Verá usted.

BERMEJO.—A ver.

DON VALERIANO.—He resuelto, que encerrados en esta habitación, concluyamos ahora mismo...

BERMEJO.—¿Cómo?...

DON VALERIANO.—¡Matándole a usted y matándome yo luego!

BERMEJO.—*(Que apenas puede tenerse de terror.)* ¡Don Valeriano!... ¡Caray, qué idea!

DON VALERIANO.—¿Le gusta a usted?

BERMEJO.—¡Una preciosidad! Pero es una idea que yo creo que nos convendría madurarla.

DON VALERIANO.—¿Madurarla, para qué?... ¿Usted no va a morirse pronto?

BERMEJO.—De un día a otro, sí, señor. Pero vamos, uno tiene sus aficiones... Yo quisiera despedirme de los míos...

DON VALERIANO.—Despídase por escrito. De aquí salimos los dos para el depósito.

BERMEJO.—¡Pero, por Dios, don Valeriano!... ¿Matarnos en casa?... Ahí tenemos el Retiro, la Moncloa, lugares de una amenidad y de una...

DON VALERIANO.—Basta.

BERMEJO.—Tampoco echemos el Canalillo en saco roto; una cinta de plata, álamos en las orillas...

DON VALERIANO.—*(Se levanta. Saca el reloj y el revólver.)* Escriba usted la despedida. Dos minutos nos quedan de existencia. ¡Pronto!

BERMEJO.—¿Dos minutos?... ¡Pero, caray, don Valeriano!; con este pulso en dos minutos no pongo yo ni «ustedes

lo pasen bien». *(Se pone a escribir.)* (¡Qué haría yo, Dios mío!... La cara es de una resolución trágica.) *(Escribe.)*
DON VALERIANO.—Minuto y medio.
BERMEJO.—Don Valeriano, ¿tiene usted un raspador, que me he equivocado?... He puesto hijos con ge.
DON VALERIANO.—El trance disculpa la ortografía. Pronto, que pasa la hora.
BERMEJO.—Don Valeriano, hágame el favor de un sobre.
DON VALERIANO.—Tome usted. *(Bermejo moja el sobre repetida e inútilmente.)* ¿Qué le pasa?
BERMEJO.—Nada, que se pone usted tan apremiante que no sé si es que el sobre no tiene goma o que yo no tengo saliva.
DON VALERIANO.—Venga esa carta. *(Se la quita.)* Encomendémonos a Dios.
BERMEJO.—Don Valeriano, un momento, que se me ha olvidado la fecha.
DON VALERIANO.—*(Cogiéndole de una mano.)* Basta. Encomiéndate a Dios. ¡Muere! *(Le apunta.)*
BERMEJO.—*(Cayendo de rodillas.)* ¡No, don Valeriano, por su madre!... ¡Mis hijas, mis pobres hijas! ¡No haga usted fuego!... ¡Fuego no!...
DON VALERIANO.—¡Muere! *(Le muele a puntapiés, golpeándole con la culata del revólver.)*

ESCENA ÚLTIMA

DICHOS, SATURNINO. *Luego* LUIS, DOÑA TOMASA *y* CARITA, *primera izquierda. Después* DON SEGUNDO *e* HIDALGO, *primera derecha. Al fin,* GENOVEVA.

SATURNINO.—*(Saliendo segunda derecha.)* ¡Mátelo usted!
BERMEJO.—*(Más aterrado todavía.)* ¡Saturnino!
SATURNINO.—¡Menacho!
BERMEJO.—*(Levantándose.)* ¡Tú aquí!... Entonces... ¿Lo saben todo?...
LUIS.—*(Saliendo.)* ¡Todo; miserable, canalla!...
DOÑA TOMASA.—*(Que ha salido con* CARITA.) Todo, sí, señor,

y sólo por la alegría de ver feliz a mi hija es por lo único que siento impulsos de perdonarle a usted.

DON SEGUNDO.—*(Que aparece con Hidalgo.)* ¡Conque era un falsario! ¡Granuja!

BERMEJO.—*(Abrumado.)* ¡Señores!

DON VALERIANO.—Elimínese a gran velocidad... Váyase de España, márchese a América.

BERMEJO.—¿Y si naufrago?

DON VALERIANO.—Usted se va al fondo del agua y se atraganta nada más.

LUIS.—Váyase pronto, porque nosotros hemos de notificar al juzgado la suplantación que usted ha cometido y va usted a ir a la cárcel.

CARITA.—Huya usted cuanto antes.

BERMEJO.—Gracias, señores; he parecido más malo de lo que soy; la necesidad, el hambre... perdónenme.

GENOVEVA.—*(Aparece primera derecha. Trae en la mano una corona fúnebre con grandes cintas.)* Señorita, acaban de traer esta corona.

CARITA.—¡Dios mío, la que yo encargué, creyendo!...

BERMEJO.—Es preciosa.

DON VALERIANO.—Era para usted, utilícela.

BERMEJO.—*(La coge.)* Con mucho gusto... *(Leyendo las cintas.)* «A la buena memoria...» ¡Regular nada más!... pero en fin...! Gracias, señorita, gracias por el recuerdo!

SATURNINO.—Esto lo vendemos y nos dan treinta pesetas.

BERMEJO.—*Tout suit.* ¡Señores! *(Vanse primera derecha.)*

DOÑA TOMASA.—¡Vaya con Dios!

HIDALGO.—¡Maldito sea!

LUIS.—¡Lo que nos ha hecho sufrir ese bandido!

DON SEGUNDO.—Porque fue el castigo de vuestra codicia. Así verás que sólo es verdad lo que yo os tuve dicho, que el bolsillo se parece al estómago. Si queréis tener salud, comida sana; si queréis ser felices, dinero honrado. Y lo que no sea eso, ya lo visteis, daño nada más puede ser.

DOÑA TOMASA.—Tiene razón Segundo.

DON VALERIANO.—Y tú, Hidalguito, cuando se te ocurra una cosa ingeniosa, te la apuntas en un papel y te lo comes. *(Al público.)* Y aquí da fin la grotesca tragedia[53] con que el autor pretendió entreteneros unas horas. Perdón si no lo ha logrado. *(Telón.)*

FIN DE LA OBRA

[53] El texto incluye aquí el subtítulo del nuevo género.

Colección Letras Hispánicas

ÚLTIMOS TÍTULOS PUBLICADOS

400 *Leyendas de Guatemala*, MIGUEL ÁNGEL ASTURIAS.
Edición de Alejandro Lanoël-d'Aussenac (2.ª ed.).
401 *Teatro muerto*, RAMÓN GÓMEZ DE LA SERNA.
Edición de Agustín Muñoz-Alonso y Jesús Rubio Jiménez.
402 *Fray Gerundio de Campazas*, JOSÉ FRANCISCO DE ISLA.
Edición de Enrique Rodríguez Cepeda.
403 *Azul... Cantos de vida y esperanza*, RUBÉN DARÍO.
Edición de José María Martínez (3.ª ed.).
404 *Philosofía secreta*, JUAN PÉREZ DE MOYA.
Edición de Carlos Clavería.
405 *La señorita de Trevélez. ¡Que viene mi marido!*, CARLOS ARNICHES.
Edición de Andrés Amorós (2.ª ed.).
406 *La muerte de Artemio Cruz*, CARLOS FUENTES.
Edición de José Carlos González Boixo (3.ª ed.).
407 *El río que nos lleva*, JOSÉ LUIS SAMPEDRO.
Edición de José Mas.
408 *La Dorotea*, LOPE DE VEGA.
Edición de José Manuel Blecua.
409 *Cuentos fantásticos*, BENITO PÉREZ GALDÓS.
Edición de Alan E. Smith (2.ª ed.).
410 *Comentarios reales*, INCA GARCILASO DE LA VEGA.
Edición de Enrique Pupo-Walker (2.ª ed.).
411 *Floresta española*, MELCHOR DE SANTA CRUZ.
Edición de Maximiliano Cabañas.
412 *Doña María Pacheco, mujer de Padilla*, IGNACIO GARCÍA MALO.
Edición de Guillermo Carnero.
413 *Las fuerzas extrañas*, LEOPOLDO LUGONES.
Edición de Arturo García Ramos.
414 *Lazarillo español*, CIRO BAYO.
Edición de José Esteban.
415 *El príncipe constante*, PEDRO CALDERÓN DE LA BARCA.
Edición de Fernando Cantalapiedra.
416 *Antología poética*, RAMÓN DE CAMPOAMOR.
Edición de Víctor Montolí.
417 *El perro del hortelano*, LOPE DE VEGA.
Edición de Mauro Armiño (6.ª ed.).
418 *Mancuello y la perdiz*, CARLOS VILLAGRA MARSAL.
Edición de José Vicente Peiró.

419 *Los perros hambrientos,* CIRO ALEGRÍA.
Edición de Carlos Villanes.
420 *Muertes de perro,* FRANCISCO AYALA.
Edición de Nelson R. Orringer.
421 *El Periquillo Sarniento,* JOSÉ JOAQUÍN FERNÁNDEZ DE LIZARDI.
Edición de Carmen Ruiz Barrionuevo.
422 *Diario de "Metropolitano",* CARLOS BARRAL.
Edición de Luis García Montero.
423 *El Señor Presidente,* MIGUEL ÁNGEL ASTURIAS.
Edición de Alejandro Lanoël-d'Aussenac (2.ª ed.).
424 *Barranca abajo,* FLORENCIO SÁNCHEZ.
Edición de Rita Gnutzmann.
425 *Los pazos de Ulloa,* EMILIA PARDO BAZÁN.
Edición de Mª de los Ángeles Ayala (3.ª ed.).
426 *Doña Bárbara,* RÓMULO GALLEGOS.
Edición de Domingo Miliani (2.ª ed.).
427 *Los trabajos de Persiles y Sigismunda,* MIGUEL DE CERVANTES.
Edición de Carlos Romero (2.ª ed.).
428 *¡Esta noche, gran velada! Castillos en el aire,* FERMÍN CABAL.
Edición de Antonio José Domínguez.
429 *El labrador de más aire,* MIGUEL HERNÁNDEZ.
Edición de Mariano de Paco y Francisco Javier Díez de Revenga.
430 *Cuentos,* RUBÉN DARÍO.
Edición de José María Martínez.
431 *Fábulas,* FÉLIX M. SAMANIEGO.
Edición de Alfonso Sotelo (2.ª ed.).
432 *Gramática parda,* JUAN GARCÍA HORTELANO.
Edición de Milagros Sánchez Arnosi.
433 *El mercurio,* JOSÉ MARÍA GUELBENZU.
Edición de Ana Rodríguez Fischer.
434 *Tragicomedia de don Cristóbal y la señá Rosita,* FEDERICO GARCÍA LORCA.
Edición de Annabella Cardinali y Christian De Paepe.
435 *Entre naranjos,* VICENTE BLASCO IBÁÑEZ.
Edición de José Mas y Mª. Teresa Mateu.
436 *Antología poética,* CONDE DE NOROÑA.
Edición de Santiago Fortuño Llorens.
437 *Sab,* GERTRUDIS GÓMEZ DE AVELLANEDA.
Edición de José Servera (2.ª ed.).
438 *La voluntad,* JOSÉ MARTÍNEZ RUIZ.
Edición de María Martínez del Portal.

439 *Diario de un poeta reciencasado (1916),* JUAN RAMÓN JIMÉNEZ.
Edición de Michael P. Predmore (3.ª ed.).
440 *La barraca,* VICENTE BLASCO IBÁÑEZ.
Edición de José Mas y Mª. Teresa Mateu (2.ª ed.).
441 *Eusebio,* PEDRO MONTENGÓN.
Edición de Fernando García Lara.
442 *El ombligo del mundo,* RAMÓN PÉREZ DE AYALA.
Edición de Ángeles Prado.
443 *Arte de ingenio, Tratado de la Agudeza,* BALTASAR GRACIÁN.
Edición de Emilio Blanco.
444 *Dibujo de la muerte. Obra poética,* GUILLERMO CARNERO.
Edición de Ignacio Javier López
445 *Cumandá,* JUAN LEÓN MERA.
Edición de Ángel Esteban.
446 *Blanco Spirituals. Las rubáiyátas de Horacio Martín,* FÉLIX GRANDE.
Edición de Manuel Rico.
447 *Las lenguas de diamante. Raíz salvaje,* JUANA DE IBARBOUROU.
Edición de Jorge Rodríguez Padrón.
448 *Proverbios morales,* SEM TOB DE CARRIÓN.
Edición de Paloma Díaz-Mas y Carlos Mota.
449 *La gaviota,* FERNÁN CABALLERO.
Edición de Demetrio Estébanez.
450 *Poesías completas,* FERNANDO VILLALÓN.
Edición de Jacques Issorel.
452 *El préstamo de la difunta,* VICENTE BLASCO IBÁÑEZ.
Edición de José Mas y Mª. Teresa Mateu.
453 *Obra completa,* JUAN BOSCÁN.
Edición de Carlos Clavería.
454 *Poesía,* JOSÉ AGUSTÍN GOYTISOLO.
Edición de Carme Riera (4.ª ed.).
455 *Empresas políticas,* DIEGO SAAVEDRA FAJARDO.
Edición de Sagrario López.
456 *Generaciones y semblanzas,* FERNÁN PÉREZ DE GUZMÁN.
Edición de José Antonio Barrio Sánchez.
457 *Los heraldos negros,* CÉSAR VALLEJO.
Edición de René de Costa.
458 *Diálogo de Mercurio y Carón,* ALFONSO VALDÉS.
Edición de Rosa Navarro.
459 *La bodega,* VICENTE BLASCO IBÁÑEZ.
Edición de Francisco Caudet.

460 *Amalia,* JOSÉ MÁRMOL.
Edición de Teodosio Fernández.
462 *La madre naturaleza,* EMILIA PARDO BAZÁN.
Edición de Ignacio Javier López.
463 *Retornos de lo vivo lejano. Ora marítima,* RAFAEL ALBERTI.
Edición de Gregorio Torres Nebrera.
464 *Paz en la guerra,* MIGUEL DE UNAMUNO.
Edición de Francisco Caudet.
465 *El maleficio de la mariposa,* FEDERICO GARCÍA LORCA.
Edición de Piero Menarini.
466 *Cuentos,* JULIO RAMÓN RIBEYRO.
Edición de Mª. Teresa Pérez Rodríguez.
470 *Mare nostrum,* VICENTE BLASCO IBÁÑEZ.
Edición de Mª. José Navarro Mateo.
471 *Correo del otro mundo. Sacudimiento de mentecatos,* DIEGO DE TORRES VILLARROEL.
Edición de Manuel María Pérez López.
472 *Días y sueños (Obra poética reunida, 1939-1992),* EUGENIO DE NORA.
Edición de Santos Alonso.
473 *Un Río, un Amor. Los Placeres Phohibidos,* LUIS CERNUDA.
Edición de Derek Harris.
474 *Ariel,* JOSÉ ENRIQUE RODÓ.
Edición de Belén Castro Morales.
475 *Poesía lírica,* MARQUÉS DE SANTILLANA.
Edición de Miguel Ángel Pérez Priego.
476 *Miau,* BENITO PÉREZ GALDÓS.
Edición de Francisco Javier Díez de Revenga (2.ª ed.).
477 *Los ídolos,* MANUEL MUJICA LAINEZ.
Edición de Leonor Fleming.
478 *Cuentos de verdad,* MEDARDO FRAILE.
Edición de María del Pilar Palomo.
479 *El lugar sin límites,* JOSÉ DONOSO.
Edición de Selena Millares.
481 *Farabeuf o la crónica de un instante,* SALVADOR ELIZONDO.
Edición de Eduardo Becerra.
482 *Novelas amorosas y ejemplares,* MARÍA DE ZAYAS SOTOMAYOR.
Edición de Julián Olivares.
483 *Crónicas de Indias.*
Edición de Mercedes Serna.

484 *La voluntad de vivir,* VICENTE BLASCO IBÁÑEZ.
Edición de Facundo Tomás.

486 *La vida exagerada de Martín Romaña,* ALFREDO BRYCE ECHENIQUE.
Edición de Julio Ortega y María Fernanda Lander.

488 *Sin rumbo,* EUGENIO CAMBACERES.
Edición de Claude Cymerman.

489 *La devoción de la cruz,* PEDRO CALDERÓN DE LA BARCA.
Edición de Manuel Delgado.

490 *Juego de noches. Nueve obras en un acto,* PALOMA PEDRERO.
Edición de Virtudes Serrano.

493 *Todo verdor perecerá,* EDUARDO MALLEA.
Edición de Flora Guzmán.

495 *La realidad invisible,* JUAN RAMÓN JIMÉNEZ.
Edición de Diego Martínez Torrón.

496 *La maja desnuda,* VICENTE BLASCO IBÁÑEZ.
Edición de Facundo Tomás.

497 *La guaracha del Macho Camacho,* LUIS RAFAEL SÁNCHEZ.
Edición de Arcadio Díaz Quiñones.

498 *Jardín cerrado,* EMILIO PRADOS.
Edición de Juan Manuel Díaz de Guereñu.

499 *Flor de mayo,* VICENTE BLASCO IBÁÑEZ.
Edición de José Más y María Teresa Mateu.

500 *Antología Cátedra de Poesía de las Letras Hispánicas.*
Selección e introducción de José Francisco Ruiz Casanova (2.ª ed.).

502 *La desheredada,* BENITO PÉREZ GALDÓS.
Edición de Germán Gullón.

504 *Poesía reunida,* MARIANO BRULL.
Edición de Klaus Müller-Bergh.

505 *La vida perra de Juanita Narboni,* ÁNGEL VÁZQUEZ.
Edición de Virginia Trueba.

506 *Bajorrelieve. Itinerario para náufragos,* DIEGO JESÚS JIMÉNEZ.
Edición de Juan José Lanz.

DE PRÓXIMA APARICIÓN

Obra poética, BALTASAR DEL ALCÁZAR.
Edición de Valentín Núñez Rivera.